„Weteran polskiej postapokalipsy ponownie zabiera nas w barwną, pełną przygód i przerażającą podróż przez zniszczony, opuszczony świat. Tym razem jednak jest to historia niezwykle kameralna, nastrojowa, a urzekające i chwilami porażające krajobrazy zagłady oglądamy oczami awanturnika, postnowoczesnego Odysa-barbarzyńcy, niszczyciela światów, który wierzy, że teraz stanie się nowym Adamem. Powieść nabiera dodatkowego, głęboko humanistycznego wyrazu, gdy jego ostateczną motywacją stają się gniew i pragnienie odpłaty po odkryciu ogromu kłamstwa leżącego u podstaw śmierci ludzkości".

Bartek Biedrzycki – autor *Kompleksu 7251*

„»Głos seksownej kobiety w ciele zimnej maszyny« – absolutny kanon science fiction, a to dopiero początek książki. Pokażcie mi kogoś, kto po czymś takim byłby w stanie oderwać się od lektury i nie przeczytać książki jednym tchem".

Michał „Meesh" Gołkowski –
autor cykli „Stalowe Szczury" i „Stalker"

„Zapomnijcie o zasadzie rozpoczynania opowieści od trzęsienia ziemi. Robert J. Szmidt zaczyna *Samotność Anioła Zagłady* znacznie mocniej, a potem... wcale nie zwalnia tempa.

Supernowoczesny, ale klasyczny w linii Harley-Davidson, autostrady stojące otworem i miasta zmienione w wielkie supermarkety, w których możemy buszować, nie przejmując się kosztami – czy to wizja raju? Na pewno nie w powieści Roberta J. Szmidta, w której podróż przez odmienione wojną totalną Stany Zjednoczone przypomina raczej zwiedzanie przedsionka piekła.

Piekła, którego nie zaludniają klasyczne bandy zabójczych mutantów i kanibali. Niebezpieczeństwa i wyzwania, przed którymi stawia bohatera Robert J. Szmidt, są znacznie bardziej realistyczne. I właśnie oparcie się na realizmie powojennego świata mam za największą zaletę *Samotności Anioła Zagłady*. A przecież nie jedyną.

To jedna z najlepszych powieści Szmidta, jakie czytałem".

Paweł Majka – autor powieści *Dzielnica obiecana*
z Uniwersum Metro 2033

„Kawał dobrej literatury, którą warto polecić. Powieść (...) piorunująco poruszająca wyobraźnię. Z jednej strony lekka, z drugiej zaś zapierająca dech w piersiach".

Trzynasty Schron

„Szmidt bez wątpienia potrafi pisać dobrą literaturę. Taką, którą się będzie pamiętać, a w czasie czytania – przeżywać".

Paradoks

„W wielu momentach książka przywodziła mi na myśl perełkę literatury amerykańskiej – *Drogę* Cormaca McCarthy'ego. (...) Oba tytuły zmuszają do podobnej refleksji nad tym, dokąd zmierza ludzkość".

Outpost

„*Samotność Anioła Zagłady* nie jest lekturą łatwą i przyjemną. Zagłada, którą opisuje, nie ma w sobie nic z hollywoodzkiej widowiskowości. Ukazana jest w sposób okrutnie realistyczny, miejscami graniczący z naturalizmem. Akcja zyskuje dynamikę tylko chwilami, szczególnie gdy bohater napotyka na swej drodze nieoczekiwane przeszkody lub... pokusy. Podróż przez pustkę martwego świata okazuje się ostatecznie również wyprawą w głąb wnętrza człowieka. Adam zdradza nam swoje najintymniejsze myśli, dzieli się z nami najbardziej wstydliwymi sekretami, wtajemnicza we wszystko to, co zwykle jest ukryte przed innymi ludźmi. Sięgając po książkę Szmidta, każdy z nas musi być gotowy na konfrontację z podobnymi demonami ukrytymi we własnym wnętrzu".

Łukasz Orbitowski, Gazeta.pl

„Czytając *Samotność Anioła Zagłady*, łapałem się na tym, że to mi się nie podobało, a to bym zmienił na coś innego. Ale gdy przerywałem lekturę, we łbie kołatała mi się myśl, by jak najszybciej do niej powrócić. A po skończeniu zanurzyć się w refleksyjną zadumę nad tym, z czym miałem do czynienia".

Trzynasty Schron

„Lekkie pióro autora, barwne, niezwykle realistyczne opisy i jakaś magia bijąca od tej książki sprawiają, że człowiek jeszcze bardziej czeka na jego kolejne pozycje. Polecam wszystkim bez wyjątku. Nieważne, czy lubicie postapokaliptyczne klimaty, czy też nie".

Valkiria.net

„Szmidt wykonuje kawał dobrej roboty, podchodząc bardzo twórczo do klasycznego tematu, dzięki czemu dostajemy jednocześnie mocny i nowatorski obraz postapokaliptycznego świata. (...) Robi coś całkiem nieoczekiwanego, zaskakując zupełnie odbiorcę. (...) Wszystkie wspomniane elementy tworzą wspólnie świetną powieść, którą ciężko jest odłożyć przed przeczytaniem ostatniej strony. Książka przykuwa uwagę nie tylko sprawnością języka – Szmidtowi udaje się niemalże wykroczyć poza ramy zwykłej literatury fantastycznoprzygodowej, przemycając wiele wniosków dotyczących natury ludzkiej. I to uważam za największą wartość i siłę *Samotności...* W moich oczach to najlepsza dotąd książka Szmidta i jedna z najciekawszych zeszłego roku".

Poltergeist

ROBERT J. SZMIDT

SAMOTNOŚĆ ANIOŁA ZAGŁADY
ADAM

DOM WYDAWNICZY REBIS

Copyright © for the Polish edition by REBIS Publishing House Ltd.,
Poznań 2015

Redaktor tego wydania
Błażej Kemnitz

Projekt, opracowanie graficzne okładki
oraz ilustracja na okładce
Tomasz Maroński

prawolubni♥

Wydanie II poprawione (dodruk)
Poznań 2016
Wydanie I ukazało się w 2009 roku nakładem wydawnictwa
Fabryka Słów pod tytułem *Samotność Anioła Zagłady*.

ISBN 978-83-7818-758-5

Dom Wydawniczy REBIS Sp. z o.o.
ul. Żmigrodzka 41/49, 60-171 Poznań
tel. 61-867-47-08, 61-867-81-40, fax 61-867-37-74
e-mail: rebis@rebis.com.pl
www.rebis.com.pl

Łamanie: Sławomir Folkman / www.kaladan.pl

– Poziom szósty, stanowisko kontroli. Proszę przygotować się do procedury skanowania.

Anielski głos dobiegający z ukrytych głośników miał naprawdę nieziemskie brzmienie.

Lata temu poznałem kobietę, która użyczyła go systemowi komputerowemu naszej bazy. Annabelle przez parę dekad pracowała w najpopularniejszej agencji oferującej mieszkańcom Kalifornii seks przez telefon. Kilkadziesiąt lat doświadczenia w tym fachu zrobiło swoje. Wielu mężczyzn przeszłoby przez ogień wszystkich kręgów piekieł, i to na bosaka, byle raz jeszcze ją usłyszeć. Wielu, ale na pewno nie ja. Zbyt długo mieszkałem nad jej apartamentem, zbyt wiele widziałem, by ten cudownie brzmiący alt nadal wprawiał mnie w ekstazę. Była matką trójki dzieciaków, babką kolejnej piątki, dzisiaj może nawet i prababką. Miała skórę czarną jak smoła, lecz idę o zakład, że tak samo, jeśli nie bardziej, mroczna była jej dusza. Inne cechy charakterystyczne? Proszę bardzo: pięć stóp wzrostu w kapeluszu przy wadze przeciętnego hipopotama.

– Porucznik Adam Sawyer, kod dostępu 143-05-49-as-i4--03-04 – wyrecytowałem po raz tysięczny moją kwestię z tej sceny i ułożyłem głowę na wyprofilowanym czytniku skanera siatkówki oka. Dłonie trafiły w tym czasie na sensory porównujące linie papilarne. Czysta rutyna, ale mimo kilku lat powtarzania tej praktyki ledwie wyczuwalne ukłucia próbników DNA wciąż drażniły skórę. Spojrzałem na pozbawioną wyrazu twarz oficera dyżurnego. Dane już spływały na jego monitor – jak przedwczoraj, tydzień, miesiąc i rok temu. Na dobrą sprawę znaliśmy się z Frankiem tak dobrze, że mógłby mnie przepuścić w ciemno, bez tego biurokratycznego cyrku. Wiedział o mnie więcej niż ja sam – czyż to nie jemu zawdzięczałem bezpieczne powroty na kwaterę, ilekroć urwał mi się film? Ale regulamin rzecz święta, zwłaszcza w wojsku, zwłaszcza tutaj. Żołnierzu, nie pytaj, powiadają... Więc nie pytam, choć nakłuwane zbyt często opuszki swędzą jak wszyscy diabli.

Kontrolka przy drzwiach zmieniła kolor na zielony i mogłem wreszcie dostać się do śluzy. Tylko parę kroków dzieliło mnie od lśniącego kuszącą bielą walcowatego wnętrza kabiny. Nie wszedłem jednak do windy, lecz zaczekałem na Susan, która właśnie rozpoczynała procedury bezpieczeństwa. Gdy dołączyła do mnie, uniosłem rękę w kierunku pancernej szyby, dwa razy otwarta dłoń, kciuk wysunięty w górę. Jutro o dziesiątej? W odpowiedzi otrzymałem lekkie skinienie głowy, a chwilę później zobaczyłem ten znajomy, szelmowski uśmiech na żółtej, płaskiej i skośnookiej twarzy. Nie tylko administracja ma swoje kody. Drzwi otworzyły się z cichym sykiem, ale już wiedziałem, co będę robił z Frankiem po zakończeniu zmiany.

– Dzięki – szepnęła mi do ucha Sue, zanim ruszyliśmy w dół.

Uśmiechnąłem się. Osiemdziesiąt siedem pięter to niby niewiele, raptem minuta w jedną stronę i tyle samo w drugą, ale musiałaby czekać w cholernie ciasnej, hermetycznej śluzie na powrót kabiny. I nie samotność byłaby dla niej najgorsza. Choć bardzo starała się to ukryć, wiedziałem, że panicznie boi się małych, zamkniętych przestrzeni.

– Nie ma za co – odszepnąłem. – W końcu czego się nie robi dla... partnera.

Przesłała mi całusa i odwróciła się do drzwi. Kabina już wyhamowywała. Z cichym sykiem pneumatyczne drzwi wypuściły nas do jasno oświetlonego, ale wciąż klaustrofobicznie wąskiego korytarza. Przepuściłem Sue i ruszyłem za nią w seledynową światłość. Ponoć wybitni psycholodzy stawali na głowie, aby kolorystyka oraz wystrój centrali działały uspokajająco na służących tutaj ludzi, lecz nie tylko ja miałem wrażenie, że w tym miejscu teoria dramatycznie rozmija się z praktyką.

Jeszcze jedna identyfikacja poprzedzona słodkim głosem Annabelle i mogliśmy odetchnąć pełną piersią w przestronnej sterowni. Przekazanie kluczy, kilka sprośnych uwag, podpisy na rozkładzie jazdy, przyjacielskie klepnięcie w ramię i chłopcy z poprzedniej zmiany ruszyli do windy.

– Kawa? – zapytała jak zwykle Susan.

– Kawa – odpowiedziałem zgodnie z rutyną.

Jednym z nielicznych przywilejów Aniołów Zagłady była prawdziwa kawa *Blue Mountain*. Rolls-royce w swoim gatunku. Bogata w kofeinę i we wszystko, co niezdrowe. Zupełnie inna od tej lury, którą serwowano w kantynach na powierzchni. Dlatego zawsze rozpoczynaliśmy dyżur od kubka czarnego jak smoła, aromatycznego napoju.

Usiadłem w fotelu i uruchomiłem procedurę sprawdzającą. Najpierw obowiązek, później przyjemność. Ekran zapłonął rzędami opalizujących zielono cyfr. Kontrola przebiegała sprawnie, jak zawsze. O ile dobrze pamiętam, podczas mojej zmiany doszło tylko do dwu awarii. Nic szczególnego – wyciek paliwa z nieszczelnego przewodu i drobne uszkodzenie modułu chwytaka. Dzisiejszy test wszystkich szesnastu wyrzutni wypadł śpiewająco. Stalowe cygara rozmieszczone w silosach oddalonych o ponad dwadzieścia mil od foteli, w których siedzieliśmy, spokojnie czekały na rozkazy.

– Twoja dzienna dawka trucizny. – Zanim usłyszałem te słowa, poczułem zniewalający aromat kawy.

– Dzięki.

Zgodnie z rytuałem nie ruszałem jeszcze kubka, który Susan postawiła na podstawce obok mojego stanowiska.

Najpierw obowiązek, później przyjemność, jako się rzekło.

– Porucznik Adam Sawyer, dwudziesty pierwszy kwietnia, godzina zero jeden, jeden, jeden, zmiana Delta. Melduję wykonanie wszystkich procedur otwarcia, pełne sprawdzenie systemu, brak sygnałów o uszkodzeniach i awariach. Następna kontrola wyrzutni i raport o godzinie zero trzy, jeden, jeden.

Kolejne naciśnięcie klawisza zakończyło procedurę przejmowania dyżuru. Teraz miałem prawo do pierwszego łyka kawy. Sięgnąłem ostrożnie po gorący napar i przeniosłem go na konsolę przed sobą. Spojrzałem na Sue – była gotowa do fazy drugiej.

– Odpalenie na trzy – powiedziałem, unosząc półlitrowy zielony kubek z logo naszej jednostki, które pojawiało się na kamionkowej powierzchni pod wpływem ciepła. Posępny anioł z gorejącym mieczem stał już na globie opasanym czarną wstęgą. – Jeden, dwa – odliczaliśmy razem – i...

Światło w sterowni przygasło i w kolejnym rozbłysku nabrało krwawej barwy rubinu. Niespełna sekundę później rozległy się równocześnie wycie syren i rozpaczliwy krzyk Susan. Spojrzałem na nią. Włączenie alarmu tak ją zaskoczyło, że oblała się wrzątkiem.

– Założę się, że to ten skurwysyn Lee – powiedziałem na tyle głośno, by mnie usłyszała, sięgając do wyłącznika. Ciche kliknięcie i wszystko wróciło do normy. Jasne światło zalało centralę i zapanowała przyjemna cisza. – Gnojki mają nas na podglądzie – dodałem. – Pewnie założył się z wartownikami o dwa dolce, że rozlejesz kawę, i teraz tarzają się razem po podłodze...

Uśmiechnąłem się do obiektywu kamery i pokazałem jeden z obraźliwych gestów, które wszyscy na górze, a zwłaszcza Frank, doskonale zrozumieli. Domysły domysłami, ale procedura alarmowa była jasna i nie pozwalała na najmniejsze nawet odstępstwa w żadnej sytuacji. Rozpocząłem więc z niechęcią kolejną turę dopiero co zakończonej kontroli stanu wyrzutni i rakiet. Susan zgodnie z instrukcją zajęła się w tym czasie łącznością i rozkazami. Miałem za sobą czternaście silosów, gdy nieoczekiwanie odezwała się do mnie:

– Adam... – Mimo że głos Sue zabrzmiał płaczliwie, nie przerwałem pracy; tak niewiele zostało do końca. Ona jednak nie dała za wygraną. Powtórzyła moje imię, tym razem głośniej. Ale ja finalizowałem właśnie piętnastkę i nadal nie zamierzałem przerwać kontroli. Za trzecim razem krzyknęła, co zmusiło mnie w końcu do oderwania oczu od ekranów. Wyglądała strasznie, była o wiele bledsza od farby powlekającej ściany sterowni. – Tom, myślę, że powinieneś rzucić na to okiem – powiedziała cicho, wskazując na ekran terminalu.

Zauważyłem, że ze zdenerwowania zamiast prawdziwego imienia użyła przezwiska, które zawdzięczałem cholernemu przyjacielowi, kapitanowi Frankowi, na zawsze „Fiutkowi", Lee, w cywilu wielkiemu miłośnikowi prozy Marka Twaina. Tom Sawyer... Bardzo śmieszne. Zwłaszcza gdy weźmie się pod uwagę moje pochodzenie...

– Jak tylko skończę... – Brakowało może dwudziestu sekund do wyświetlenia ostatnich danych.

– Kurwa! – To lakoniczne, acz dosadne stwierdzenie w ustach Susan Tanner miało moc solidnego trzęsienia ziemi. Pieprzyć Mercallego, to była ósemka w skali Richtera, jeśli nie dziewiątka. Znałem kobietę już trzy lata, i to naprawdę dobrze, Frank powiedziałby nawet, że dogłębnie, a jeszcze przy mnie nie zaklęła. Najmocniejsze słowo, jakie kiedykolwiek padło z jej ust, mieściło się w sferze tolerancji wyjątkowo grzecznego pięciolatka. Skoro teraz użyła słowa powszechnie uważanego za obraźliwe, musiało zdarzyć się coś naprawdę niezwykłego. Przełączyłem się na główny kanał, choć było to ewidentne złamanie regulaminu.

– O kurwa... – powiedziałem do siebie, powtarzając bezwiednie przekleństwo rzucone przez Susan.

Na ekranie mojego monitora pojawił się rząd szesnastu wielkich i czarnych jak smoła cyfr. Sięgnąłem machinalnie do książki szyfrów, by potwierdzić odebranie i identyfikację rozkazu, ale wierzcie mi, nie musiałem tego robić, żeby wiedzieć, co oznaczają. Kolejne przekleństwo Sue potwierdziło moje najgorsze przypuszczenia. Spojrzałem na nią – siedziała w fotelu z wielką brązową plamą na kombinezonie i z otwartymi szeroko ustami gapiła się na monitor.

– Sue... – Nie zareagowała na moje słowa, więc podniosłem głos: – Susan!

Dopiero teraz odwróciła głowę w moim kierunku, lecz nadal nie zamknęła ust.

– Znasz procedury – powiedziałem najłagodniej, jak tylko potrafiłem.

Potaknęła mechanicznie, ale nie zrobiła nic więcej.

– Susan! – Tym razem postanowiłem odezwać się ostrzej. – Myliłem się, to nie sprawka Franka. Nie panikuj. Mamy do czynienia z najzwyklejszymi w świecie niezapowiedzianymi manewrami. Nikt nie wyda rozkazu ataku. Musimy tylko uzbroić głowice i przygotować rakiety do ewentualnego startu. E-wen-tu-al-ne-go.

– Akurat – wyszeptała powątpiewająco, ale w końcu zabrała się do roboty.

Rzuciłem okiem na status bazy. Defcon 2, jeden krok od wojny. Aktywacja wszystkich wyrzutni rakiet, tysięcy pieprzonych głowic najbardziej morderczej broni, jaką znała ludzkość. Od razu do pełnej gotowości bojowej, bez procedur potwierdzenia, bez rozkazów zwrotnych. Prosto pod klucz. Każdego wieczora i ranka modliłem się, aby nigdy nie było mi dane ujrzeć tych właśnie cholernych cyfr, które ostatni żołnierz widział całe wieki temu, chyba jeszcze podczas kryzysu kubańskiego.

– Podasz mi odczyty, jak tylko skończę procedurę sprawdzającą – przypomniałem.

Jej zadaniem było wpisywanie kodów aktywujących, ja zajmowałem się resztą. Doprowadzenie naszych wyrzutni do pełnej gotowości bojowej powinno trwać mniej niż dwie minuty.

– Porucznik Adam Sawyer, dwudziesty pierwszy kwietnia, godzina zero jeden, jeden, pięć, zmiana Delta. Wszystkie wyrzutnie gotowe do odpalenia – potwierdziłem do mikrofonów wykonanie rozkazu, gdy ostatnia kontrolka zapłonęła na zielono.

Teraz mogliśmy tylko czekać. Nie powiem, że była to komfortowa sytuacja. Zazwyczaj podczas alarmów ćwiczebnych nie używaliśmy prawdziwych kodów startowych, co pozwalało na spokojniejsze przeprowadzanie procedur. Z drugiej jednak strony cholernie ułatwiało przełamanie się, mieliśmy bowiem niezachwianą pewność, że naciskając czerwony guzik, nie rozpętamy piekła na Ziemi. Sztabowcy twierdzili od lat, że takie zabawy nie są w stanie odwzorować warunków bojowych i dlatego należy koniecznie je zmienić. Żeby wszystkie alarmy, w tym próbne, wyglądały jak ten dzisiejszy...

Wiedziałem o tym, jak chyba wszyscy w naszej bazie, i chociaż nie dotarła do nas żadna wiadomość o zmianie procedur, liczyłem w skrytości ducha, że ktoś gdzieś na górze, może nawet w Białym Domu, wpadł na pomysł, iż czas „realnie" przetestować sprawność systemów obrony. Tak... Zważywszy na przebieg zdarzeń, wydawało mi się to całkiem prawdopodobne. W dwa tysiące osiemnastym, tuż po zakończeniu kryzysu tajwańskiego, przeprowadzono podobne ćwiczenia. Podmieniono wtedy w tajemnicy przed personelem baz rakietowych, z wyjątkiem najwyższego dowództwa, wszystkie kody dostępu i przeprowadzono alarm bojowy, do odpalenia rakiet włącznie, symulując eskalację istniejącego w rzeczywistości konfliktu. Po pięciu dobach niewyobrażalnego stresu, po czterdziestu godzinach utrzymywania Defcon 2, karmieni obrazami miliona chińskich żołnierzy wyruszających w morze, ludzie zamknięci w bazach rakietowych nie mogli mieć złudzeń – oni wiedzieli, co oznacza ten rozkaz. Podobno tylko szesnaście procent zespołów dyżurujących zdecydowało się na użycie kluczy. Szesnaście procent... I to długo po upływie regulaminowych dwóch minut.

To był moment zwrotny dla strategów z Pentagonu. Pamiętałem doskonale, jaka burza rozpętała się w Waszyngtonie, gdy te dane ujrzały światło dzienne. Poleciały głowy, wiele głów. Mówiono nawet o zautomatyzowaniu całego systemu, ale ówczesna prezydent miała jaja, nie uległa naciskom doradców i po burzliwych debatach postanowiono zachować status quo. Nadal człowiek miał zdecydować o zagładzie swojego gatunku. Do dzisiaj uważałem to za słuszne, lecz...

Spojrzałem znów na Susan. Była blada, bardzo blada, za moment mogła się załamać.

– Sue, pamiętasz dwa tysiące jedenasty? – zapytałem.

Skinęła głową.

– Wydaje mi się, że dzisiaj mamy do czynienia z czymś podobnym.

Zerknęła na mnie i zobaczyłem wyraźnie, że drżą jej kąciki ust.

– Myślisz... że to test? – Nie zapanowała do końca nad głosem, choć bardzo się starała.

– Nie myślę. Ja to wiem. – Musiałem ją uspokoić za wszelką cenę. – Kto mógłby nas zaatakować bez ostrzeżenia? Chińczycy? Rosjanie? Po jaką cholerę? Przecież to nie dwudziesty wiek...

– Nie, to nie dwudziesty wiek...

Spodziewałem się, że uczepi się każdej myśli, która pozwoli jej odrzucić powagę sytuacji, i nie pomyliłem się.

– Pomyśl logicznie, Sue. Od czasu wojny z Iranem mamy cholernie nudną służbę. Sześć pieprzonych lat totalnego spokoju. Korea stała się oazą zjednoczonej szczęśliwości, Rosja jest zbyt zajęta liczeniem pieniędzy zarobionych na złożach Syberii, a Chiny wciąż nie przetrawiły Tajwanu.

– Wiesz, Adamie... – Moje słowa wreszcie zaczęły do niej docierać. – Przed wyjściem oglądałam wiadomości. Jutro jedziemy z dzieciakami Helen do Disneylandu w Anaheim, chciałam zobaczyć prognozy pogody. Na CNN nie było żadnej wzmianki o konflikcie czy wzroście napięcia...

– Sama widzisz. – Pozwoliłem sobie na łagodny uśmiech, choć nie byłem w nastroju do żartów. – Podejdźmy do tego spokojnie, Sue. Zobaczysz, za chwilę dostaniemy odwołanie tego kurewskiego alarmu.

Tym razem nie miałem racji. Odwołanie nie przyszło. Nie minęło dwadzieścia sekund, a wszystkie ekrany ożyły, wypełniając się kolejnymi rzędami cyfr. Nie wierzyłem własnym oczom. Defcon 1!

Do silosów popłynęły z powierzchni potwierdzenia celów, kody dla poszczególnych głowic, na koniec dostaliśmy rozkazy natychmiastowego odpalenia. Teraz i ja poczułem zimny pot ściekający po plecach.

— Przechodzimy na taktyczny – wydałem polecenie, obawiając się, że Susan go nie wykona, ale ku mojemu zdziwieniu główny ekran natychmiast wypełnił się liniami i symbolami. – Klucz. – Rozpiąłem kombinezon i zerwałem łańcuszek, na którym miałem zawieszoną kartę magnetyczną zwaną potocznie, na pamiątkę dawnych czasów, „kluczem". Trzymając ją w ręce, popatrzyłem na Susan. Wahała się, lecz gdy skinąłem głową, sięgnęła trzęsącymi się rękami do zamka błyskawicznego. – Odpalenie na trzy – powtórzyłem komendę, której nigdy nie chciałem wypowiadać na poważnie.

– Na trzy – padła krótka odpowiedź.

– Jeden.

– Jeden... – powtórzyła za mną, jakby cierpiała na echolalię.

– Dwa.

– Dwa... – Jej głos wyraźnie zadrżał.

– Trzy. – Mimo że przeciągnąłem klucz przez czytnik, ekran monitora pozostał czarny. Spojrzałem na Susan. Trzymała kartę w szczelinie, ale nie wykonała ostatniego ruchu. – Sue! – powiedziałem, starając się, aby zabrzmiało to nagląco. – Wykonaj rozkaz!

Pokręciła głową.

– Oszalałaś?! – Teraz już krzyczałem. – Odmawiasz wykonania rozkazu?!

– To nie może być prawda...

– Nie nam to oceniać! Wykonaj rozkaz!

– Nie! – odparła krótko i stanowczo.

Poczułem, że tracę nad nią kontrolę.

– Susan, nie wiem, co ci się roi w głowie, ale wiedz jedno: ci na górze wyprują z nas... a zwłaszcza z ciebie wszystkie flaki, kiedy dowiedzą się, że zawiodłaś.

– Jeśli wykonam rozkaz, skażę na śmierć miliony ludzi. Setki milionów...

– Jeśli to nie są manewry, właśnie skazujesz na śmierć setki milionów Amerykanów!

– To nie tak, Adamie... Jeśli to prawdziwa wojna, odpalenie naszych rakiet nie uratuje ani jednego istnienia. Ja po prostu nie mogę...

Niech to szlag. Reakcja jak z podręcznika. Lata szkoleń, a i tak nie wytrzymała napięcia i świadomości, że uczestniczy w zniszczeniu wszelkiego życia na planecie. Musiałem zagrać va banque, choć prawdę powiedziawszy, też znajdowałem się blisko granicy wytrzymałości.

– Sue, powiedz szczerze: ufasz mi?

– Tak.

– Zatem posłuchaj uważnie, co ci powiem. Nie mamy pewności, czy to prawdziwy alarm czy tylko niestandardowe ćwiczenia, prawda?

– Prawda – powtórzyła jak automat.

– Właśnie. – Zaczerpnąłem głęboko powietrza i poszedłem za ciosem: – Jestem pewien, że bierzemy udział w teście podobnym do tego z dwa tysiące jedenastego. A nawet jeśli się mylę, aktywując kody odpalenia, wcale nie bierzesz na siebie odpowiedzialności za to, co nastąpi. Po pierwsze, nie ty podjęłaś tę decyzję...

– Naprawdę? – Choć miała opuszczoną głowę, widziałem, jak kąciki jej ust wędrują w górę.

– Susan, wiesz równie dobrze jak ja, że na pięćdziesiąt dwa bunkry dowodzenia tylko szesnaście ma połączenie z wyrzutniami rakiet. I nikt nie wie, które z nich w danym momencie sterują całym systemem. Dobrze mówię?

– Dobrze. – Nadal na mnie nie patrzyła, ale zauważyłem, że napięcie ustępuje z jej twarzy.

Połknęła haczyk. Punkt dla mnie. Żeby wygrać, musiałem delikatnie doprowadzić sprawę do finału.

– Wyniki testu z czasów kryzysu tajwańskiego dowiodły, że mało kto podejmie się zgładzenia milionów ludzi. Dlatego dowództwo postanowiło skorzystać z opcji plutonu egzekucyjnego. Pamiętasz tę zasadę? Kilkunastu żołnierzy strzela, ale tylko dwóch, trzech używa ostrej amunicji. Nikt nie ma pewności, że zabił. Wszyscy mają za to nadzieję, że ktoś inny był katem. – Mówiąc te słowa, zaczynałem błogosławić człowieka, który wpadł na tak szatański pomysł. – Susan, podobnie jest z nami. Pewnie nawet nie ma znaczenia, czy użyjesz swojej karty czy nie. Rakiety i tak polecą. My tylko dbamy o gotowość bojową naszych silosów, kody są dublowane, nadejdą z paru miejsc równocześnie. Jeśli to prawdziwa wojna, twój sprzeciw się nie liczy, ale jeśli to ćwiczenia, właśnie marnujesz sobie życie. Wypieprzą cię na zbity pysk, a ja pewnie polecę zaraz za tobą. Zero odprawy, zero szans na przyzwoitą robotę, wilczy bilet na długie lata, pod warunkiem że nie wsadzą nas do więzienia za zdradę. Naprawdę tego chcesz? Marzy ci się spanie w kartonach gdzieś w East LA?

– Może masz rację...

– Mam rację, Susan – przerwałem jej bez ceregieli.

Wreszcie spojrzała na mnie. Zauważyłem, że ma łzy w oczach.

– Odpalamy na trzy – powtórzyłem rozkaz.

– Na trzy – potwierdziła.

– Raz.

– Dwa.

– Trzy. – Tym razem nasze głosy zlały się w jedno.

Znikające linie kodu na monitorach potwierdzały wykonanie rozkazu. Zabrało nam to sześć minut dwadzieścia sekund, a więc ponad trzy razy dłużej, niż zakładał regulamin.

Lepiej późno niż wcale, powiadają.

Otarłem pot z czoła. Mimo pracującej pełną parą klimatyzacji nagle w centrali zrobiło się duszno. Miałem cholerną nadzieję, że za sekundę zobaczę komunikat obwieszczający koniec ćwiczeń. A jeśli nie... Ja też chciałem wierzyć, że byliśmy tylko pionkami w tej grze, że ci na górze zadecydowali o wszystkim, a nam przyszło jedynie odgrywać rolę statystów. Chociaż użyłem klucza, chociaż namówiłem do tego Sue, nie dopuszczałem do siebie myśli, że oto wypuściliśmy na wolność szesnastu lśniących, smukłych jeźdźców apokalipsy.

— Amen – rozległ się szept Susan, ledwie zapadła cisza.

Oboje wpatrywaliśmy się w ekran taktyczny. Na razie nic się nie działo, oczami wyobraźni widziałem jednak na połyskującej matowo czerni potwierdzenie zdania testu, gdy wtem na górnej krawędzi mapy pojawiły się trójkątne symbole. Jeden, drugi, piąty, szybko straciłem rachubę. Naprzeciw nim mknęły z centrum mapy nie mniej liczne znaczki.

– Nadal sądzisz, że to ćwiczenia? – szepnęła Sue.

– Nie wiem – odpowiedziałem zgodnie z prawdą. – Nic już nie wiem.

– Mamy potwierdzenie, czyje to rakiety? – zapytała.

Sprawdziłem odczyty trajektorii.

– Idą znad bieguna i od wschodu. To Rosjanie.

– Rosjanie?

Tym razem nie odpowiedziałem. Wpatrywałem się w ekran, który przypominał mi obraz z archaicznej gry wideo, jaką mieliśmy wieki temu w Kansas City. Nie pamiętałem dokładnie jej tytułu. *Missile Command* czy jakoś tak... W każdym razie człowiek projektujący grafikę naszego ekranu taktycznego musiał być fanem tej gry. Linie przedstawiające tory nadlatujących rakiet wydłużały się wolno, lecz nieustannie. Zbyt wolno. Nasze pociski przechwytujące powinny je dopaść jeszcze nad terytorium Kanady. Sto, może nawet dwieście mil od granicy. Czekałem na wynik tego starcia, zaciskając nerwowo dłonie na wytartych oparciach fotela.

Tymczasem nadlatujące z północy punkty rozmnożyły się nagle. Wcześniej trudno było zliczyć wędrujące po mapie symbole, teraz pomimo wielkich rozmiarów ekranu nakładały się na siebie. Wiedziałem, co to oznacza. SS-26 w pełni zasługiwały na złą sławę, jaką się cieszyły. Komputery ukryte w ich korpusach zdążyły odpalić mrowie samonaprowadzających się głowic i jeszcze większą liczbę pozorowanych celów, zanim same rakiety znalazły się w polu rażenia pocisków przeciwrakietowych.

Dosłownie kilka sekund później na ekranie pojawiły się pierwsze białe plamki wskazujące miejsca eksplozji ognia zaporowego. Utworzyły one migający, przerywany pas ciągnący się przez cały kontynent, od Atlantyku po Pacyfik. Zniknęły w nich setki kresek oznaczających trajektorie lotu wrogich rakiet. Te, które pozostały, czerwone, były śladami po międzykontynentalnych pociskach mknących w stratosferze ku niewidzialnym dla nas celom na południowej półkuli.

Biel wypełniająca górną część ekranu powoli bladła i zobaczyłem, że pomimo ogromnych strat, jakie zadaliśmy przeciwnikowi, część głowic nadal leci w kierunku naszej granicy. Nie był to już jednak rój. Atak przetrwało zaledwie parę setek z wielu tysięcy śmiercionośnych zabawek, jakie przed chwilą widziałem, ale nawet tak mała ich liczba wciąż zapowiadała zagładę milionów ludzi. Nawet po wzięciu poprawki, że wiele z nich mogło być atrapami. Oblizałem spierzchnięte wargi i zleciłem komputerowi przeliczenie namiarów. Nacisnąłem enter i w tej samej chwili z głośników popłynęła muzyka. Ballada dinozaura rockowej sceny, Bruce'a Springsteena. *Born in the USA*. Spojrzałem zdziwiony na Susan. Odpowiedziała mi bladym uśmiechem.

– Seattle. KTWA. Gwiazda Północy, moja ulubiona stacja.

Przypomniałem sobie, że Sue pochodzi z zabitej dechami dziury leżącej niedaleko Seattle. Nie starałem się nigdy zapamiętać nazwy tej na wpół indiańskiej wioski, której chyba nikt poza samymi mieszkańcami nie potrafił poprawnie wymówić. Skinąłem głową na znak, że rozumiem.

– Potem przełączę na Kansas City – szepnęła, jakby nie chciała zagłuszyć muzyki.

– Daj trochę głośniej – poprosiłem, obserwując ekran.

Głowice powoli zbliżały się do linii oznaczającej granicę. Za moment do akcji włączą się baterie starych, dobrych custerów, na których oparliśmy nasze wewnętrzne linie obrony – laserowe systemy miało tylko kilka najważniejszych baz – ale nie wątpiłem, że ta walka jest już przegrana. Inteligentne głowice, które przetrwały nuklearną nawałnicę nad Kanadą, spokojnie poradzą sobie z bronią konwencjonalną. Zanim spiker zaczął zapowiadać następny utwór, na miejscu napisu „Seattle" pojawił się biały krąg oznaczający detonację ładunku i pole jego rażenia.

– Seattle dwie kilotony, trineutrino – poinformował nas uroczy głos Annabelle płynący z głośników. Ciekawe, co ta stara dziwka myślała, nagrywając te komunikaty? – „Seattle" jedna megatona, nuklearna.

Spojrzałem zdziwiony na radio. Pomimo potwierdzonego ataku dwiema głowicami, pomimo użycia trineutrina, nadal słyszałem muzykę i szczebioczący głos jakiejś nastolatki zamawiającej utwór dla swojego chłopaka. Zerknąłem na Susan tylko po to, by zobaczyć, że znów siedzi z opuszczoną głową.

Tymczasem na mapie pojawiało się coraz więcej białych plam. Annabelle nie nadążała z wymienianiem atakowanych miejsc, uaktywniane przez komputer komunikaty nakładały się na siebie. Z danych telemetrycznych wynikało, że przez ogień zaporowy drugiej fali obrony przedarło się sto czternaście obiektów, trajektorie wskazywały na sześćdziesiąt trzy cele w dwudziestu stanach. Piętnaście procent z nich, może nieco więcej, da się jeszcze zniszczyć na szczeblu lokalnym. Słuchając raportów o kolejnych trafieniach, zastanawiałem się, ile miast uda nam się jeszcze ocalić.

Ta gra miała proste zasady: odpalasz wszystko, co masz, licząc na to, że przeciwnik nie zdoła strącić wystarczającej liczby głowic, i czekasz na kontrę, mając nadzieję, że uda ci się zneutralizować więcej nadlatujących pocisków.

Proste, skuteczne, bezsensowne.

Realne, jak widać.

Z jednym wyjątkiem.

Od północy nadciągało kolejne mrowie białych linii. Były jeszcze daleko, docierały dopiero do Cieśniny Hudsona, tylko kilka przekroczyło żółtą linię granicy prowincji Manitoba. Pieprzone komputery zupełnie pogłupiały, pomyślałem. Druga fala?

W tej samej chwili, zgodnie ze znanymi mi procedurami, na samej krawędzi mapy zrobiło się biało i natychmiast zapomniałem o usterce systemu. Ruscy też się bronili. Kolejne miliony słońc rozbłysły nad biegunem, ale to już nie miało znaczenia. Nic nie powstrzyma śmierci niesionej w tytanowych stożkach głowic trineutrinowych, po tysiąckroć silniejszych niż cały moskiewski i pekiński szmelc...

– Chicago jedna kilotona, trineutrino, Chicago dwie megatony, nuklearna, Chicago brak klasyfikacji... – komputerowo przetworzony głos Annabelle kontynuował tymczasem monotonną wyliczankę, w miarę jak głowice docierały do kolejnych celów, a muzyka wciąż wypełniała centrum dowodzenia.

– Jesteś pewna, że to ta stacja? – zapytałem skołowany.

Sue skinęła głową, zresztą jakby w odpowiedzi na moje pytanie zagrano dżingla rozgłośni i wyraźnie usłyszałem jej nazwę.

– Sprawdź Chicago – poleciłem dziewczynie i zamiast kolejnego nagrania usłyszałem szumy i trzaski.

– Mam – rzuciła kilka sekund później. – CRKO!

Zniszczone Chicago nadal nadawało. Pomimo iż fala nuklearnych eksplozji dotarła już do środkowych stanów i minęła Kansas.

– Wiesz, co to znaczy?! – krzyknąłem do Susan.

Pokręciła wolno głową.

– Ćwiczenia! To są tylko pierdolone ćwiczenia! Nie ma żadnej wojny! Ktoś zrobił z nas wała.

Roześmiała się, najpierw ostrożnie, a potem na cały głos.

– A ja już myślałam, że rozwaliliśmy ten cholerny świat.

– Pierdolone gry wojenne... – Rozsiadłem się wygodnie na fotelu i podłożyłem ręce pod głowę.

Ulżyło mi.

O kurwa, jak mi ulżyło.

Spoglądałem na ekran pokryty białymi cętkami aż po granicę z Meksykiem, a potem przeniosłem wzrok na setki linii zbliżających się od północy i śmiać mi się zachciało. Dopiero teraz zacząłem kojarzyć fakty, które wcześniej, w stresie, umknęły mojej uwadze. Nie było stratosferycznych gigaeksplozji, którymi wróg powinien oślepić nasze systemy obronne. Nie było ataku od strony morza, a przecież okręty podwodne wciąż stanowiły istotny element rosyjskich ofensywnych sił atomowych. To one powinny uderzyć pierwsze, niszcząc nasze systemy obronne i nabrzeżne miasta. Dokładnie tak, jak robił to teraz komputer, w tej fazie symulacji. Linie biegnące ze wschodu i zachodu były o wiele krótsze, ale znajdowały się znacznie bliżej naszych granic niż nadciągający od północy rój, równie liczny jak pierwsza fala. Kto wymyślał takie ściemy? Zostaliśmy zaatakowani w pełnej skali, odpowiedzieliśmy totalnym kontratakiem. Koniec, kropka. Niby skąd Ruscy mieliby wytrzasnąć drugie tyle rakiet do powtórnego uderzenia? Teraz nie miałem już żadnych wątpliwości. To tylko pierdolony pozorowany atak.

– Devlin to kawał skurwiela – powiedziałem. – Jeśli nie postawi nam wszystkim kolejki jutro rano, osobiście powieszę go na maszcie flagowym na jego zajebiście wykrochmalonym czterogwiazdkowym krawacie. Susan, daj głośniej ten kawałek i zrób nową kawę.

Wyłączyłem fonię systemu – głos Anabelle był teraz ostatnim, jakiego chciałem słuchać. Właśnie zapowiedziano temat przewodni z *Syna gladiatora*. Mój ulubiony, mocny, choć przy tym balladowy utwór, który od trzech tygodni okupował pierwsze miejsca list przebojów. Sue dopiero wstawała, więc sięgnąłem po ledwie ciepłą kawę i pociągnąłem spory łyk, patrząc od niechcenia na ekran, na którym kolejna fala rakiet zbliżała się do naszej północnej granicy, tym razem nieatakowana przez nikogo, bo też niby kto miałby je atakować, skoro odpaliliśmy wszystko, co Wuj Sam trzymał za pazuchą. Jak przed chwilą, na mapie znów pojawiły się białe cętki eksplozji, także po kanadyjskiej stronie. Nie wyłączając stratosferycznych gigantów.

I znowu Seattle, Toronto, Boston, Detroit...

Słowa refrenu zniknęły w statycznym szumie w tym samym momencie, gdy biała plama pojawiła się na napisie „Chicago".

– Co jest...? – Teraz ja zakrztusiłem się kawą.

Odstawiłem kubek i rzuciłem się do radia równocześnie z Sue. Zacząłem nerwowo przełączać kanały. Seattle milczało jak zaklęte. Nowy Jork wciąż nadawał. Spojrzałem na ekran – kilkanaście kresek kończyło się niedaleko czerwonej kropki oznaczającej centrum miasta. Dwie prowadzące ze wschodu, znad Atlantyku, praktycznie dotarły już do celu. Tuż przed przecięciem linii wybrzeża nagle wytrysnęły z nich pęki odnóg. Szlag by to! Podkręciłem głośność na maksimum. Relacja z wczorajszych rozgrywek NBA zniknęła z eteru dokładnie w chwili, gdy na ekranie zakwitł wielopłatkowy blady kwiat. Pozostał jedynie statyczny, zagłuszający wszystko szum.

– Rozumiesz coś z tego, Tom?

Nie odpowiedziałem. Rzuciłem za to okiem na prawą stronę ekranu. Daleko nad Pacyfikiem pojawiły się pierwsze symbole oznaczające rakiety Państwa Środka.

Ktoś, gdzieś, właśnie w tej chwili postanowił zakończyć definitywnie sprawę przeludnienia, walki o prymat religijny, gospodarczy i militarny. Kim był ten człowiek, nie wiedziałem. Jedno tylko było stuprocentowo pewne: mieliśmy do czynienia z kurewskim podstępem Rosjan. Musiałem przyznać, że doskonale zagrali, likwidując w niepojęty dla mnie sposób nasze systemy obrony. Nie było żadnej pierwszej fali. Odpaliliśmy rakiety przeciw fantomom widzianym tylko przez komputery NORAD-u. Zmasowany ogień zaporowy nie zniszczył ani jednej z nadlatujących rakiet, bo ich tam nie było. Co więcej, każdy postronny obserwator tego konfliktu przyzna, że pierwsi uderzyliśmy na przeciwnika z zaskoczenia.

Ale czy ktokolwiek przeżyje wojnę, aby móc zeznawać w tej sprawie?

Poważnie w to wątpiłem.

Druga fala rosyjskich rakiet trafiała ze stuprocentową skutecznością. Tym razem, zgodnie z moimi przewidywaniami, także okręty podwodne uderzyły na wszystkie cele, od Alaski po Meksyk. Nikt i nic nie mogło im przeszkodzić w dokonaniu dzieła zniszczenia. Wyprztykaliśmy się nawet z custerów. Nadszedł dzień zagłady, już za kilka chwil na całym kontynencie nie będzie nawet jednej żywej bakterii.

Żeby tylko na kontynencie...

Przełączyłem widok na tryb globalny.

Nic. Tylko szum. Straciliśmy wszystkie satelity. Spróbowałem przejść na pasmo awaryjne. Dopiero za trzecim razem udało mi się chwycić przekaz. Obraz był zniekształcony i strasznie ziarnisty, ale mimo to wyraźnie poświadczał, że nieliczne urządzenia szpiegowskie umieszczone na najwyższych orbitach, już w przestrzeni kosmicznej, przetrwały tę fazę ataku. Świat był już ślepy i głuchy, lecz my wciąż mogliśmy obserwować jego zagładę.

Z tej odległości nie widziałem szczegółów, jednakże nie były mi one do niczego potrzebne. Po zmianie długości fali Europa zaświeciła bielą od Gibraltaru aż po Kaukaz. Podobnie Chiny, Indie, Bliski Wschód... Nawet niezmierzona pustka Syberii zniknęła pod dziesiątkami opalizujących kręgów. Wyglądało na to, że za naszym przykładem każde mocarstwo odpaliło wszystko, co miało na stanie. Jednego tylko nie potrafiłem zrozumieć.

Z tego, co nam przez lata wpajano – a czego potwierdzenie widziałem teraz na każdym ekranie – wynikało jasno, że Rosja nie ma systemów obrony przeciwrakietowej zdolnych powstrzymać nasze totalne uderzenie. Wymiana ciosów na pełną skalę była dla niej samobójczym posunięciem. Dlaczego więc zaatakowała, wiedząc, że podstęp, który pozbawił terytorium USA obrony, nie zdoła powstrzymać pocisków balistycznych z głowicami milion razy bardziej niszczycielskimi niż każda broń, jakiej kiedykolwiek przeciw nim użyto? Przykład irańskich miast wyjałowionych błyskiem trineutrinowych głowic sprawił, że świat stał się lepszym miejscem na niemal sześć lat. I zdawać by się mogło, że widząc skutki działania nowej broni, wszyscy atomowi krzykacze pochowali głęboko swoje zabawki...

W tym momencie wpadłem na szalony pomysł. Czy to możliwe, by ktoś włamał się do naszego systemu? Do komputerów w Górze Grzmotów? Gówniarz, który chciał zagrać w gry wojenne, jak na tym starym filmie? Nie, to niedorzeczność, systemy obrony od lat nie miały połączeń ze światem. Im dłużej się nad tym zastanawiałem, tym mocniejszego nabierałem przekonania, że to, co obserwuję na podglądzie globalnym, nie ma najmniejszego sensu.

Nagle obraz zamigotał i zniknął. Zrezygnowałem z ponownego namierzania sygnału. Spojrzałem za to na ekran taktyczny. Większą część kontynentu pokrywała głęboka czerń. W tej fazie ataku mogliśmy odbierać jedynie szacunkowe dane przeliczane z sieci lokalnych czujników i sejsmografów. Mój wzrok automatycznie powędrował ku miejscu, gdzie lśnił mały czerwony punkt. Nasza baza. W jej kierunku leciały trzy głowice.

Pierwsza przeszła nad nami, kierując się na pobliskie San Diego. Druga szła bokiem, zapewne mknąc ku jakiemuś sobie tylko znanemu celowi; jeśli nawet wybuchnie, to za sąsiadującym z nami pasmem gór albo już w Meksyku. Pozostawała jeszcze trzecia. Biała plamka przykrywająca czerwoną kropkę zbiegła się z odległym pomrukiem i lekkim, aczkolwiek dobrze wyczuwalnym wstrząsem. Światła zgasły na moment, ale zaraz włączyły się generatory awaryjne. Wszystkie dane z ekranów zniknęły. Przeszliśmy na zamknięty obieg wewnętrzny.

– Tom? – Zadziwiająco spokojny głos Susan wyrwał mnie z zamyślenia.

– Tak?

– Co teraz z nami będzie? – zapytała, wpatrując się we mnie jak w święty obrazek.

Przełknąłem nerwowo ślinę i posłałem jej uśmiech. Wypadł gorzej niż źle.

– Powiedz mi: Co teraz z nami będzie? – powtórzyła pytanie, na które nie było prostej odpowiedzi.

– A co ma być? Musimy sprawdzić procedury przewidziane na taką sytuację. Wejdź do głównej bazy danych i wprowadź kod... – sprawdziłem w książce – November, Oscar, Tango, Beta, sześć, sześć, sześć.

– November, Oscar, Tango, Beta, sześć, sześć, sześć – potwierdziła mechanicznie, wprowadzając dane do terminalu.

Swoją drogą, ktoś miał poczucie humoru, nadając instrukcji awaryjnej taki właśnie kryptonim. „Number of the Beast is... 666". A może to tylko moja podświadomość zaczynała już płatać figle.

Spojrzałem na ekran. Przez moment nic się nie działo. Potem pojawiło się logo Strategicznego Dowództwa Sił Rakietowych i dwie opcje: „Procedury kontrolne" oraz „Sytuacje alarmowe". Ta druga musiała się pojawić po wprowadzeniu kodów uzbrajających głowice, a może już po odpaleniu. Ciężko było zgadnąć. Widzieliśmy ją po raz pierwszy.

Wybrałem „Sytuacje alarmowe". Teraz czekał mnie żmudny proces przebrnięcia przez kolejne zabezpieczenia zakładane chyba tylko po to, by programiści mogli z czystym sumieniem skasować potrójne honoraria. Wreszcie dotarłem do katalogu zawierającego instrukcje dla załóg na wypadek wybuchu konfliktu nuklearnego na skalę planetarną.

Czytałem przez dłuższą chwilę, w milczeniu otwierając kolejne katalogi i pliki. Susan czekała cierpliwie, aż skończę. Gdy odsunąłem ekran czytnika, podeszła do mojego stanowiska.

– Jakie wiadomości? – zapytała, stając za moimi plecami.

– Raczej dobre. – Popatrzyłem w jej zapłakane i wylęknione oczy. – Nie zgadniesz, ale sukinsyny miały plan nawet na taką okazję. Nie zginiemy, Sue. Pod tymi pomieszczeniami – wskazałem podłogę – mieści się kompleks kriogeniczny z dwiema komorami dla załogi, czyli dla nas. Możemy przespać najbliższe dziesięć lat, spowalniając funkcje życiowe ponaddwudziestokrotnie, aż stopień skażenia opadnie do minimum.

– No to mamy szczęście... – szepnęła Susan, gdy sięgałem do przełącznika. – Ale co dalej?

Zatrzymałem się w pół ruchu.

– Słyszałaś o programie Arka?

– Co nieco... Ludzie w bazie gadali o nim, ale traktowałam to wszystko raczej jako plotki niż coś konkretnego.

– Tutaj jest całe dossier tego projektu. Nie uwierzysz, ale teraz jesteśmy jego częścią.

– My? – zapytała mocno zdziwiona.

– Tak, my. Skurwiele przygotowali się na wszystko. Nasza baza, jak i pięćdziesiąt jeden pozostałych stanowisk odpalania rakiet, jest częścią systemu, który pozwoli odbudować życie na Ziemi. W dziesiątkach podziemnych magazynów na terenie kraju ukryto wyselekcjonowane nasiona roślin. W zabezpieczonych przed atakiem podziemnych laboratoriach zgromadzono materiał genetyczny pozwalający na klonowanie niemal wszystkich znanych gatunków zwierząt. My natomiast, droga Sue, jesteśmy kandydatami na nowych Adama i Ewę.

– To jakaś paranoja...

– Może dla ciebie, ale z pewnością nie dla tych, którzy to wymyślali. Za dziesięć lat nad Zjednoczonymi Kontynentami Ziemi będą powiewać jedynie gwiaździste sztandary. Nie będzie granic, nie będzie narodów, nie będzie wojen. O ile nasi szanowni przeciwnicy nie mieli podobnych wynalazków. Ale sądząc z tego, co tu napisano, raczej nie byli jeszcze gotowi na konfrontację...

– Sądzisz, że tam, na górze...

– Tak, Sue – przerwałem jej, wiedząc, co za chwilę powie. Wbrew pozorom sam byłem bliski załamania i choć działanie adrenaliny, nawet wspomaganej kawą, powoli mijało, bałem się momentu, w którym słabość weźmie nade mną górę. – Nie ma tam nikogo, kto zdoła przeżyć następny dzień.

– Nikogo... – szepnęła, siadając.

– Nikogo – powiedziałem. Wprawdzie na myśl przyszła mi załoga ISS, ale... Nie, nawet oni nie mieli szansy przy tej skali konfliktu. – Według danych – wskazałem na czytnik – jedna dziesiąta tego, co na nas zrzucono, wystarczyłaby do całkowitego wyeliminowania czynnika ludzkiego z powierzchni Ameryki Północnej. – Kurwa, co ja mówię?! Jakiego czynnika ludzkiego? Ludzi! Pieprzonych ludzi z krwi i kości, wszystkich tych, których kiedykolwiek znałem, których ona znała. – Jeśli się nie mylę, obecnie ostatni żywi członkowie kochającej pokój międzynarodowej społeczności z antypodów spuszczają sobie na głowy kolejne kilotony trineutrina i klasyczne głowice wodorowe. Europa i Azja świeciły jak bożonarodzeniowe choinki na globalnym, kiedy ostatni raz na niego spoglądałem, Afryka nie liczyła się w tym konflikcie, ale jeśli dobrze znam życie, nasi rosyjscy przyjaciele nie zapomnieli o strefach wpływów konkurencji na tym kontynencie, tak jak my zadbaliśmy, żeby nikt nigdy więcej nie usłyszał rosyjskiego na Czarnym Lądzie. Ameryka Południowa... – Wzruszyłem ramionami, przypomniawszy sobie przemykającą nad bazą głowicę. – Może chociaż Oceania przetrwa, lecz w to też wątpię. Za dużo tam było wysuniętych baz wojskowych. Także naszych. To koniec. Broń neutronowa była ponoć czysta, ale trineutrino to nie krok, ale skok za horyzont w tej kategorii. Promieniowanie milion razy bardziej zabójcze od wszystkiego, co znaliśmy. Maksimum efektu przy zerowych zniszczeniach. Jeden durny wybuch oznacza eksterminację wszelkich form życia w promieniu dziesiątek, a nawet setek kilometrów od punktu zero. Nawet najtwardsze bakterie, choć potrafiły przetrwać w pustce kosmicznej i w głębi oceanu, zdychają w bólach, kiedy spotkają na swojej drodze choć jedną cząsteczkę trineutrino... – Przerwałem, czując absurdalność tej przemowy. – Wiesz, Sue, co jest w tym wszystkim najbardziej pokręcone? Chociaż doprowadziliśmy w końcu do Armagedonu, według tego planu – stuknąłem palcem w ekran – według tych dokumentów, mamy jeszcze szanse. Za trzy, może pięć lat warunki unormują się na tyle, że zautomatyzowane elementy programu Arka będą mogły rozpocząć prace nad formowaniem biosfery nowej Ziemi. Po następnych kilku latach, gdy ta jego faza dobiegnie końca, zostaniemy obudzeni. My i pozostałe załogi. W sumie tysiąc siedemset osiemdziesiąt osób, wliczając nową Górę Grzmotów, Stratosferę i Atlantydę. Potem dojdzie do tego personel ośrodków sztabowych i bunkrów rządowych. Czyli następne piętnaście setek wyselekcjonowanych ludzi. Razem daje to ponad trzy tysiące ojców i matek założycieli. Oto cała nowa ludzkość. – Wskazałem znów na monitor – Jeśli chcesz, możesz poznać nazwiska wszystkich ocalonych. Mam tu nawet ich zdjęcia.

– Bunkier rządowy? – zapytała z nieobecnym wzrokiem. – Tam są ci, którzy to zaplanowali...

– Tak, na pewno. – Nie od razu zrozumiałem, co powiedziała. Wstałem spokojnie z fotela i dopiłem kawę. Robiłem, co mogłem, żeby się teraz nie rozsypać. – Sądzę, że spotkamy ich wkrótce po przebudzeniu.

– Nie zasłużyli na to, by żyć... – Wypowiedziała te słowa takim tonem, że poczułem ciarki na plecach. Wreszcie dotarło do mnie, o czym naprawdę mówi. W tej samej chwili Susan wybuchnęła płaczem.

– Nie sądzisz chyba, że to oni z rozmysłem ściągnęli na nas taką katastrofę? – odparłem łagodnie. – Widziałaś, co się stało. Myślisz, że w kolegium połączonych sztabów znalazłby się ktoś, kto poświęciłby życie setek milionów Amerykanów w tak bezsensownym akcie desperacji?

– Prawdę mówiąc...

– Widziałaś to tutaj, na ekranie – wpadłem jej w słowo. – Rosjanie pozbawili nas obrony, oszukując system komputerowy, a potem uderzyli, wysyłając wszystko, co mieli... Jakoś włamali się do systemów obrony i prawie nas dostali... Może liczyli na to, że te szesnaście procent da im w finale szanse... – Teraz to do mnie dotarło. Tak, miałem przed sobą brakujące ogniwo, które usuwało z nuklearnej łamigłówki wszystkie znaki zapytania. Na to skurwiele mogli liczyć. Na brak pełnej odpowiedzi. – Ale nie skrewiliśmy, zdołaliśmy odpalić, co trzeba.

Milczała, choć przestała płakać.

– Sue, nie jesteśmy mordercami, broniliśmy się. Broniliśmy naszego kraju.

– Ale go nie obroniliśmy... – Westchnęła, a jej oczy znów zalśniły od łez. – Helen, dzieciaki, Disneyland...

Nie tylko Helen i jej bliźniaki, pomyślałem. Wszyscy, których znaliśmy. Których ty znałaś i kochałaś. Bo ja... Ze mną sprawa wyglądała nieco inaczej. Ja wciąż miałem obok siebie jedyną osobę, którą naprawdę kochałem. Wszystko, na czym mi kiedykolwiek zależało, było ze mną tutaj, pod ziemią. Nawet Frank, jedyny człowiek, który zasłużył w moich oczach na miano przyjaciela, zasuwał teraz do jakiejś komory pod terenem bazy, jak wszyscy żołnierze z nocnej zmiany. Ale Sue miała rodzinę i mnóstwo przyjaciół... I wszyscy zostali tam, na powierzchni.

Ją zwerbowano już po nowelizacji ustawy.

Ona mogła mieć rodzinę.

– Jedno jest pewne – powiedziałem. – Nie cierpieli. A my zabiliśmy wszystkich, którzy zesłali na nich śmierć. Zabiliśmy ich żony, matki, dzieci, kochanki, psy, koty i kanarki. To my, Sue, tylko my, jesteśmy Aniołami Zagłady, nie zapominaj o tym. A za kilka lat, kiedy wrócimy na powierzchnię, stworzymy nowy świat, w którym już nikt nigdy nie będzie musiał nikogo zabijać.

– Nie wciskaj mi tych propagandowych gówien... – próbowała mi przerwać i słusznie, bo pieprzyłem jak potłuczony.

– Przysięgam ci, Sue, na wszystko, co jest mi drogie, że to będzie lepszy świat – powiedziałem nie tylko po to, by ją uspokoić. Chciałem wierzyć, że odrodzona Ziemia w końcu dostanie szansę na odtworzenie nowej, lepszej ludzkości.

Wziąłem ją za rękę i poprowadziłem do windy, w duszy błogosławiąc faceta, który miał tyle rozsądku, że przewidział, iż w obliczu tak ciężkiego stresu załogi stacji bojowych muszą przejść załamanie nerwowe. Zresztą to, że przewidział, nie było może niczym niezwykłym. Najważniejsze, że znalazł sposób, by temu zaradzić. Przynajmniej teoretycznie. Od momentu uruchomienia alarmu w powietrzu, którym oddychaliśmy, znajdowały się środki uspokajające. Wyczytałem tę informację niedawno, w przeglądanych plikach dotyczących sytuacji alarmowych. Tylko dzięki rozpylonym farmaceutykom Sue całkowicie się nie rozkleiła. Tylko one sprawiły, że i ja jeszcze trzymałem się na nogach.

Używając dwóch kluczy, aktywowaliśmy awaryjny panel kontrolny. Po wpisaniu kodu zaczerpniętego z baz danych Arki winda ruszyła w dół, chociaż nasze piętro było ostatnim, jakie zaznaczono na tablicy w kabinie. Jazda nie trwała długo, zaledwie kilka sekund, a po otwarciu drzwi ogarnęły nas półmrok i chłód.

Światła na tym poziomie zapalały się, w miarę jak szliśmy przez zapchane sprzętem korytarze. Nie był to może imponujący kompleks, ale zgromadzono w nim tak wiele nowoczesnej aparatury, że niejeden ogromny instytut badawczy oddałby za nią kilkuletnie dotacje. Na samym środku centralnej sali stały dwie komory kriogeniczne. Wysokie na osiem stóp, z przezroczystymi pokrywami wyglądały jak dekoracje z wysokobudżetowego filmu fantastycznonaukowego. Susan, wciąż pociągając nosem, usiadła w głębokim fotelu przy centralnej konsoli, a ja włączyłem zasilanie i przeprowadziłem testy kontrolne. Wszystko było w najlepszym porządku. Wnętrza przetrwalni rozjarzyły się jasnym, aseptycznym światłem.

– Wszystkie systemy gotowe do rozpoczęcia procesu usypiania. – Głos, który popłynął z komputera, był równie seksowny jak ten, który towarzyszył nam na każdym kroku w bazie, ale z pewnością nie należał do Annabelle. – Proszę zdjąć ubranie i udać się do strefy odkażania.

Wykonałem posłusznie wszystkie polecenia płynące z głośników i piętnaście minut później stałem obok Sue przed otwartymi wrotami komór. Oboje byliśmy chemicznie czyści i spokojni.

– Panie mają pierwszeństwo – powiedziałem, wskazując na nią. – Wybieraj uważnie, bo przez najbliższych dziesięć lat nie uda ci się zmienić pościeli.

Uśmiechnęła się do mnie i objęła ramionami. Była o głowę niższa, więc musiałem się pochylić, by ją pocałować.

– To, żebyś miał o czym śnić – szepnęła, oddając pocałunek, a ja odwdzięczyłem się jej czymś więcej. Potem musieliśmy przejść raz jeszcze całą procedurę odkażania. Komputery nigdy nie zrozumieją natury człowieka.

Wspinaczka na szczyt wzgórza po osypującym się zboczu nie należy do najłatwiejszych zadań. Wprawdzie w tych okolicach nigdy nie było zbyt wiele roślinności, ale nawet rzadko rosnące krzewy albo kępki trawy dawały wędrowcowi jakieś oparcie. Teraz jednak nie mogłem na to liczyć. Pozostało więc mozolne wspinanie się zakosami po miejscach o jak najmniejszym kącie nachylenia. Trwało to trochę dłużej, ale dawało gwarancję dotarcia na szczyt bez wielu siniaków i otarć skóry, o czym zdążyłem się już boleśnie przekonać. Brakowało mi jeszcze kilkudziesięciu metrów, by osiągnąć cel, a już byłem krańcowo zmęczony. Przygotowania do wyjazdu zabrały mi niemal cały dzień, potem doszła nieprzespana noc tuż obok Susan i wymarsz o poranku.

Jeszcze krok, jeszcze dwa. Wykonywałem automatyczne ruchy, gdyż ból przemęczonych mięśni był zbyt silny, aby świadomie podejmować kolejne próby podniesienia stopy. Wreszcie dotarłem na szczyt. Usiadłem i osuszyłem bandaną pot z czoła. Porównałem widok z elektronicznym pozycjonerem i odczytem kompasu. Przez lornetkę przyjrzałem się widocznym w oddali zabudowaniom i prostej jak strzała dwupasmówce biegnącej na zachód środkiem szerokiej doliny. Według mapy była to niewielka osada Yoshua Tree, a szosa prowadziła do nieco większej miejscowości Twentynine Palms. Zgodnie z moimi oczekiwaniami jezdnia była niemal całkowicie pusta. Przy tak małej gęstości zaludnienia nie spodziewałem się na niej poważniejszych przeszkód. W zasięgu wzroku naliczyłem może trzy wraki. Ale gdyby nawet było ich więcej, mógłbym wybrać jeden z objazdów, skręcając w którąś z polnych dróg przecinających raz po raz kamienistą równinę ciągnącą się wzdłuż linii wzgórz i niknącego na horyzoncie pasa asfaltu. Zaznaczyłem na ekranie pozycjonera najdogodniejszą trasę do lokalnej dwudziestki dziewiątki i zlustrowałem z przyzwyczajenia horyzont.

Krajobraz tych okolic nie zmienił się prawie wcale. Nawet zabójcze promieniowanie trineutrinowe nie było w stanie rozwodnić błękitu kalifornijskiego nieba. A czerwonawa ziemia, jałowa i pylista, od wieków rodziła wyłącznie skąpą roślinność, która była albo rdzawobrązowa, albo wręcz posępnie szara. Jedynym wyjątkiem, jaki przychodził mi na myśl, były słynne drzewka Jozuego, od których wzięła nazwę osada w dole, ale ich, pomimo ścisłej ochrony, nie widywało się zbyt wiele w tej okolicy. Nawet przed atakiem.

Rzuciłem okiem w dół zbocza, po którym tak mozolnie piąłem się jeszcze przed chwilą. Quad stał u podnóża wzniesienia, tam gdzie go zostawiłem, bo gdzież by mógł stać. Jestem chyba jedynym człowiekiem, który łazi dzisiaj po tym przeklętym przez Boga i ludzi kontynencie. Jeśli nie po całym świecie.

Duża chmura zasłoniła palącą tarczę słońca, przynosząc chwilę ulgi zaczerwienionej skórze. Położyłem się na nierównej powierzchni wyschniętej ziemi i rozprostowałem kości. Odpoczywałem z przymkniętymi oczyma, pozwalając, aby chłodny wietrzyk buszował mi we włosach. Cholernie zmęczyła mnie ta wspinaczka...

...Obudził mnie sygnał alarmowy. Mała czerwona plamka rozrywająca nerw wzrokowy nawet przez powieki. Próbowałem ją podświadomie ignorować, ale błyski stawały się coraz jaśniejsze. Zaczynały sprawiać mi ból. Wreszcie przemogłem się i otworzyłem oczy. Za oszronioną szybą panował mrok, jedynie umieszczona na niewielkim panelu czerwona dioda przerywała tę ciemność w miarowych sekundowych odstępach.

Sygnał alarmowy? Jaki znowu sygnał alarmowy? Przecież ja... No właśnie, co ja robię w tej zimnej i ciemnej trumnie? Wspomnienia wracały powoli, ale były znacznie boleśniejsze niż rytmiczne ukłucia rubinowego światła. Wojna, program Arka, dziesięcioletni sen. Wszystko to wyłaniało się z mojej pamięci stopniowo, na wpół realnie, jak zapamiętany z dzieciństwa koszmar. Wyszarpnąłem rękę z mocowania i sięgnąłem do zamka, zrywając dziesiątki przewodzików fizykoterapeutycznych, które przez cały czas hibernacji utrzymywały moje mięśnie w stanie aktywności. Jedno pociągnięcie wystarczyło, by pokrywa z cichym sykiem odjechała na bok, wpuszczając do środka o wiele cieplejsze powietrze. Szron z szyby topił się błyskawicznie, a krople wody głośno kapały na podłogę, zakłócając wszechobecną ciszę.

Poczułem się znów jak wtedy na lotnisku, gdy pierwszy raz wysiadałem z samolotu w strefie podzwrotnikowej. Tyle że lata temu, biegnąc po pasie startowym, nie myślałem wcale o wysokiej temperaturze i wilgotności powietrza. Bardziej interesowało mnie, czy świszczące wokół pociski nie zamienią mojego ciała w krwawy ochłap – jeden z tych, które wypełniają powracające do kraju worki na zwłoki. Dopiero wiele dni później zrozumiałem, że pocisk, który słyszysz, nie ma szansy cię zabić. Śmierć przychodzi skrycie, niosąc niezmierzony chłód... Dotknąłem lodowatej skóry na czole, poczułem na niej mnóstwo kropelek potu. A może była to woda, ostatnia pamiątka po mrozie komory kriogenicznej? Wzdrygnąłem się, czując spływające po plecach strumyczki. To przywróciło mi zdolność racjonalnego myślenia.

Dioda. Czerwona dioda. Czy tak wygląda standardowa procedura wybudzania? Chyba nie. Według zapisów w dokumentacji to raczej jakiś... Alarm! Coś spowodowało alarm! Na tyle poważny, że automat medyczny zdecydował się na rozpoczęcie procedur wybudzania.

Zdjęcie elektrod i pozostałych przewodów łączących mnie z komorą trwało kilka sekund. Wychodząc z kabiny, zrywałem je z siebie dziesiątkami, ale i tak nie zdołałem odłączyć wszystkich. Ostre szarpnięcia w okolicy karku i przy nerkach dobitnie świadczyły, że ciało powraca do życia. Nie przejmowałem się, czy strużki cieknące mi po plecach to pot, woda czy krew. Miałem większy kłopot.

Zabrałem z półki opakowane próżniowo szlafrok i zestaw bielizny. Rozerwałem foliową torbę, biegnąc niezgrabnie po chłodnych panelach w kierunku niewielkiego pomieszczenia sterowni. Otwarcie drzwi uruchamiało system komputerowy. Zalogowałem się od razu – wystarczyło podać kod wypisany na kartce leżącej obok konsoli terminalu. Sam ją tam położyłem przed zaśnięciem, wiedząc, że po tak długim śnie mogę mieć problemy z pamięcią.

Moje obawy okazały się jednak płonne. Pamiętałem każdy kod, wszystkie hasła. Pamiętałem nawet, jak się nazywam.

Zupełnie jakby wszystko wydarzyło się wczoraj.

– Witam, poruczniku Sawyer – obcy, mechaniczny, ale jakże miły głos powitał mnie zaraz po wprowadzeniu ostatniego hasła.

– Podaj przyczyny alarmu – wpisałem szybko pierwsze polecenie.

– Brak zasilania w komputerze sterującym komorą numer dwa spowodowany błędem krytycznym systemu. – Głos płynący z głośników był tak beznamiętny, że aż nieludzki.

Zrobiło mi się zimno, gdy usłyszałem te słowa. Komora numer dwa to Susan...

– Stan komory?

– Nieaktywna od szesnastu godzin.

– Stan obiektu? – Szlag by trafił tego, kto pisał te procedury; nie byliśmy krzesłami ani fraktalami, tylko żywymi ludźmi.

– Brak danych.

– Włącz wszystkie światła na tym poziomie.

I stała się jasność.

Wyskoczyłem ze sterowni i pobiegłem w kierunku zamkniętej komory kriogenicznej. Szyba była wciąż oszroniona, niewiele więc mogłem zobaczyć przez kryształki pokrywającego ją lodu. Wbiłem kod do zamka, ale ani drgnął. Komora nie miała przecież zasilania. Szesnaście godzin. Jeśli Susan nie wybudziła się z hibernacji, miałem jeszcze szanse. Część urządzeń medycznych, którymi nie sterowały bezpośrednio komputery centrali, mogła nadal działać. We wnętrzu szczelnie zamkniętej komory wciąż utrzymywała się niska temperatura, a organizm pogrążony w letargu nie potrzebował tak wiele tlenu. Właśnie. Ile go mogło jeszcze tam zostać?

Szarpnąłem bezmyślnie zamek; bez skutku. Rozejrzałem się po sali, niestety nie zauważyłem niczego, czym mógłbym roztrzaskać pokrywę. Stanowiska medyczne były ciasno zabudowane i wyglądały naprawdę solidnie. Krzesło ze sterowni! Tak, to mogło zadziałać. Nie miałem czasu do stracenia.

Złapałem mebel w obie ręce, ale zanim zrobiłem dwa kroki, wyślizgnął mi się z wciąż sztywnych palców. Zacisnąłem dłonie, parę razy, mocno, aż pobielały mi kostki. Tym razem uchwyt był pewniejszy. Podbiegłem do komory i już brałem zamach, by uderzyć w obłą pokrywę, gdy zdałem sobie sprawę, że rozbite szkło, o ile ta przezroczysta masa jest szkłem i uda mi się ją rozbić, poleci wprost na nagie ciało Susan. Nie, musi istnieć inny sposób. Myśl, Sawyer, myśl... A gdyby tak podmienić źródła zasilania komór. Ja już się przecież obudziłem, mogłem podłączyć kable ze sprawnej komory...

Raz jeszcze pobiegłem do sterowni. Sprawdziłem schematy pracującego komputera i komory numer jeden. Znalazłem wszystkie podłączenia. Nie trwało to dłużej niż minutę. Zasilanie dało się podłączyć, zamieniając przewody energetyczne w gniazdach przy samej komorze. Zresetowałem komputer i rzuciłem się ku hibernatorom. Zanim system zdążył się ponownie zalogować, wydarłem wtyczki z gniazd drżącymi, wciąż zdrętwiałymi palcami i podłączyłem nowe kable do dwójki. Ciche mruczenie obwodów spowodowało, że poczułem przyśpieszone bicie serca. Dopadłem do zamka i wprowadziłem kod.

– Awaryjne otwieranie komory w toku – poinformował mnie znajomy głos. – Brak odczytu funkcji życiowych obiektu numer dwa. Zespół reanimacyjny proszony do sali hibernacyjnej.

– Zespół reanimacyjny? – Zatkało mnie. – Skąd ja ci, durna kurwo, wezmę zespół reanimacyjny?!

Szarpnąłem uchwyt, zaciskając oczy, i otworzyłem pokrywę komory na całą szerokość. Ze środka buchnęła para i... ten zapach, którego nie sposób pomylić z czymkolwiek innym. Sue nie żyła, i to od znacznie dłuższego czasu niż wspomniane szesnaście godzin. Czułem to pomimo chłodu, ale nie chciałem widzieć. Nie otworzyłem oczu. Pieprzony komputer sfiksował już dawno i zabił jedyną bliską mi osobę. Szesnaście godzin temu system odkrył jedynie swoją pomyłkę.

– Żeby to wszystko szlag trafił! – Zatrzasnąłem pokrywę i ruszyłem do sterowni.

Na terminalu paliło się na czerwono kilkanaście lampek, a co chwilę dołączała do nich kolejna. Cały system siadał. Moje działanie tylko przyśpieszyło reakcję łańcuchową. Usiadłem przed monitorem i zacząłem sprawdzać zapisy.

Tysiąc dwieście piętnasty dzień hibernacji. Od wojny upłynęły dopiero trzy lata. W zasadzie trzy z drobnym kawałkiem. Zaledwie trzecia część okresu, który mieliśmy przetrwać w komorach. Nie była to informacja, która by mnie ucieszyła. Następne też nie były wesołe.

Przed szesnastoma godzinami, po awarii kolejnego bloku, komputer centralny stwierdził, że istnieje realne zagrożenie dla życia kolejnego obiektu, i rozpoczął procedurę wybudzania. Nie dlatego, że Sue mogła potrzebować pomocy, ale by uprzedzić możliwą awarię drugiej komory. Możliwą, choć prawdę mówiąc, bardzo wątpliwą. Reszty zniszczenia dokonałem własnoręcznie – przełączając zasilanie, sprawiłem, że obawy maszyny nabrały podstaw. Uszkodziłem komputer sterujący komorą numer jeden i tym samym pozbawiłem się szansy na ponowny zimny sen.

Zacząłem przeglądać wcześniejsze zapisy, szukając przyczyny krytycznego błędu, który rozpoczął całe zamieszanie.

I znalazłem...

Według logu cztery miesiące po naszym zamrożeniu komputer medyczny wykrył anomalię w funkcjonowaniu obiektu umieszczonego w komorze numer dwa. Niektóre pomiary nie odpowiadały normom. Aparatura rejestrowała dziwne wyniki, których komputery nie potrafiły zinterpretować – podwójny rytm pracy serca, podwójny puls. Program medyczny kilkakrotnie resetował system, interpretując te dane jako błędy odczytu, ale za każdym razem sytuacja się powtarzała. Aparatura, nieprzygotowana na taką ewentualność, przełączała się na kolejne obwody zapasowe, aż wyczerpała ich limit i zdefiniowała zaistniałą sytuację jako błąd krytyczny systemu. Komputer po prawie trzech latach bezradnego kręcenia się w kółko zdecydował wreszcie o odłączeniu zasilania uszkodzonej komory, by chronić za wszelką cenę obiekt numer jeden, czyli mnie.

To, co najbardziej zaawansowanemu komputerowi na świecie zabrało tyle czasu, ja rozwiązałem w okamgnieniu. Nie musiałem nawet przeglądać wyników badań krwi i setek analiz, jakie maszyny robiły nam nieustannie. Wiedziałem, skąd wziął się ten drugi puls, drugie bicie serca.

Sue była w ciąży.

Odsunąłem się od konsoli komputera i spojrzałem na widniejącą w głębi hali komorę. Gdybym nie posunął się wtedy tak daleko. Gdyby nie te pierdolone środki uspokajające... Zazwyczaj byliśmy dobrze zabezpieczeni. Sue nie chciała mieć dziecka przed ukończeniem służby i przejściem do pracy w administracji. Uważała, że nie skończy się to niczym dobrym. Wręcz bała się ciąży. Ja też uważałem, że założenie rodziny na tym etapie nie byłoby najlepszym pomysłem. Jedyny raz poszliśmy na żywioł tutaj, na dole, tuż przed zaśnięciem. Nie pomyśleliśmy nawet o tym, jakie konsekwencje może mieć to zbliżenie. W ogóle nie myśleliśmy, unosząc się w oparach chemii i ciesząc ostatnimi chwilami bycia razem...

Poczułem zimny dreszcz, gdy zdałem sobie sprawę, że dając życie naszemu dziecku, skazałem je tym samym na pewną śmierć.

Gdybym wiedział.

Gdybym tylko wiedział...

Siedziałem w mroku sterowni bez jednego ruchu. Odeszła mi ochota na podróż, na przetrwanie, na dalsze życie. Potem wyszedłem tylko raz, na chwilę. Przyniosłem z szatni służbowy pistolet i położyłem go przed sobą na konsoli. Wodząc palcem po matowej, zimnej powierzchni lufy, skalkulowałem wszystko na chłodno i wybrałem jedyną możliwość pozwalającą mi zapłacić za ten błąd, niedopatrzenie, głupotę... Jakkolwiek to zwać.

Mdły smak oliwy i chłód metalu łaskoczącego podniebienie miały być ostatnimi wrażeniami, jakie zabiorę z tego świata. Stało się jednak inaczej. Pociągnąłem za spust, zaciskając z całych sił powieki. Usłyszałem metaliczny szczęk kurka, trzask opadającej iglicy, ale strzał nie padł. Zdziwiony wyjąłem lufę z ust, splunąłem, by pozbyć się choć odrobiny tłustego niesmaku, i sprawdziłem broń. Wszystko było w porządku. Bezpiecznik odblokowany, magazynek pełen, nabój w komorze. Odwiodłem kurek i wymierzyłem w najbliższą ścianę. Spust był twardy, ale poddał się po chwili.

Tym razem nie dosłyszałem charakterystycznego trzasku iglicy.

Huk wystrzału zabrzmiał w zamkniętym pomieszczeniu znacznie głośniej, niż się spodziewałem, wręcz ogłuszająco. Szarpnięcie też okazało się zbyt mocne dla zdrętwiałej ręki. Podbita odrzutem dłoń zawędrowała aż do czoła. Nie kontrowałem, może przez zaskoczenie, a może już mi na niczym nie zależało. W każdym razie, gdy podnosiłem się z zimnej podłogi, oszołomiony bólem pulsującym w uszach i z długą na kilka cali raną zdobiącą czoło, wiedziałem już, że jest mi pisane coś zupełnie innego.

Wybiłem sobie z głowy samobójstwo. W przenośni i dosłownie. Skoro na górze zadecydowano – a jako osoba wierząca nie mogłem odrzucić ingerencji siły wyższej – że jeszcze nie czas na mnie, postanowiłem, acz niechętnie, poddać się wyrokom nieba. Wprawdzie przystawiłem sobie broń do twarzy raz jeszcze, ale już bez tej determinacji, która popchnęłaby mnie do naciśnięcia spustu.

W gruncie rzeczy już zginąłem. Zdecydowałem o własnej śmierci. Pociągnąłem za spust naładowanej broni. Bez opcji plutonu egzekucyjnego.

Tak to sobie tłumaczyłem, obracając w palcach łuskę pocisku, który nie wypalił mi dziury w podniebieniu i nie przerobił mózgu na szarą papkę przed wydostaniem się na wolność przez sklepienie czaszki. Patrząc na nią, widząc to drugie, naprawdę niewielkie wgłębienie na spłonce, poczułem ulgę. Zrobiło mi się też lżej na sumieniu.

Chociaż niewiele lżej...

Nieco ponad trzy lata. Tyle spałem. Przeliczyłem to sobie dokładniej. Jeśli wierzyć raportom naukowym dołączonym do plików programu Arka, tam na górze powinno już być bezpiecznie. Najprawdopodobniej, bo całkowitej pewności żaden teoretyk mieć nie mógł.

Głowice trineutrinowe nie mają wielkiej mocy, nie powodują więc niemal zniszczeń fizycznych, nawet jeśli ich eksplozje nastąpią tuż nad celem. Ludzie wskutek dziesiątków lat polityki atomowego odstraszania przyzwyczaili się do gigantycznej, liczonej w megatonach mocy bomb jądrowych i wodorowych. Tymczasem przy zastosowaniu nowej technologii do zabicia wszystkich mieszkańców Nowego Jorku wystarczy niespełna siedemnastokilogramowy ładunek trineutrina, którego energię można ocenić tradycyjną metodą na półtorej kilotony. W dodatku eksplozje tych głowic następowały zazwyczaj na wysokości setek metrów nad celem i fala uderzeniowa mogła co najwyżej powybijać szyby w punkcie zero, jeśli ktoś przypadkiem zostawił otwarte okno, a i to nie było pewne. Samo promieniowanie, zwłaszcza w wypadku najnowszych generacji broni, utrzymuje się naprawdę krótko, oczywiście w porównaniu z tradycyjnymi eksplozjami nuklearnymi, i choć potrafi w ułamku sekundy zabić każdą opartą na białku formę życia, jaka znajdzie się w polu rażenia, powinno zaniknąć po upływie czterdziestu miesięcy. Tak przynajmniej głosiły teorie. Dysponowaliśmy tą bronią od niecałej dekady, po raz pierwszy użyliśmy jej sześć, przepraszam, dziewięć lat temu, a Teheran wciąż świecił nocami, kiedy wchodziłem z Sue do hibernatora. Tyle że tamte głowice miały się do trzeciej generacji jak proca do armaty. Nie wiem, kto wynalazł to świństwo – plotki głosiły, że to efekt badań nad strąconymi w dwudziestym wieku latającymi talerzami – ale w ciągu ostatnich paru lat udoskonaliliśmy je znacznie, zwiększając moc ładunków ponadstukrotnie i zmniejszając czas skażenia promieniotwórczego do minimum. Problem polegał na tym, że dane te odnosiły się do naszej broni. Rosjanie dysponowali trineutrinem od niespełna roku – licząc do dnia ataku – i dlatego, choć zabrzmi to makabrycznie, miałem nadzieję, że ich agenci wykradli plany naszych najnowszych głowic. Jeśli nie, moje kości będą świecić najczystszym seledynem już kilka minut po otwarciu włazu, jak resztki mieszkańców wysterylizowanego Teheranu. Istniało też inne, aczkolwiek na szczęście mniej prawdopodobne zagrożenie. Stara dobra broń atomowa. Rosjanie i Chińczycy nie zdążyli się całkowicie przezbroić. Mogli mieć na składzie jeszcze kilkaset, może nawet tysiąc tradycyjnych głowic nuklearnych. Ile z nich zostało przeznaczonych dla nas, tego nie wiedziałem, ale sądziłem, że raczej niewiele. Według znanych mi raportów wywiadu i analityków kolegium połączonych sztabów większość „brudnych" głowic powinna spaść na Europę, Azję i rejon Bliskiego Wschodu. Ameryce pozostawiono to, co najlepsze i najskuteczniejsze. A w tym wypadku z jakością szła też w parze ilość, co widziałem na własne oczy.

Szybko okazało się, że mogę łatwo dotrzeć do interesujących mnie danych. Musiałem tylko sprawdzić zapisy dotyczące drugiej fali. Nasze systemy obserwacyjne dalekiego zasięgu skonstruowano tak, by miały szansę przetrwać przynajmniej pierwszą fazę ataku, i gdyby nawet zostały zniszczone później, byłoby dość czasu na przekazanie kompletu danych do awaryjnych centrów łączności. A tych nam nie brakowało – była choćby podmorska zautomatyzowana stacja zwana przez sztab Atlantydą.

Zleciłem wyłączenie całego systemu medycznego, by zapobiec powolnej agonii kolejnych bloków komputera, i rozejrzałem się za moimi rzeczami. Znalazłem je w torbach próżniowych wiszących grzecznie w szatni. Tuż obok poplamionego kawą oliwkowego kombinezonu Sue. Przez chwilę zastanawiałem się, czy nie powinienem jej ubrać, ale samo wspomnienie woni, jaka wydobyła się z komory, wystarczyło, abym porzucił tę myśl.

Włożyłem pachnący nowością drelich i wjechałem windą na wyższy poziom.

Uaktywnienie anten nie stanowiło problemu. W głębokich szybach na zboczach gór Little San Bernardino mieliśmy wiele zapasowych zestawów łączności i balonów ze sprzętem pomiarowym. Co najmniej trzy z nich zachowały się po ataku w doskonałym stanie i po chwili do komputera centrum zaczęły napływać dane o zanieczyszczeniu powietrza, promieniowaniu wtórnym i całej reszcie możliwych skażeń. Ja w tym czasie przeglądałem zapisy z baz danych. Odtwarzałem przebieg wydarzeń, jakie nastąpiły po kontrataku i uderzeniu drugiej fali rakiet międzykontynentalnych.

Nie pomyliłem się wiele w szacunkach dotyczących użycia broni starszych generacji. Tylko siedemdziesiąt cztery głowice, które wybuchły nad terytorium Stanów, miały tradycyjne ładunki nuklearne bądź wodorowe. Dalsze sześć to stumegatonowe giganty, które eksplodowały na wysokości wielu kilometrów, lecz ich zadaniem nie było niszczenie miast, tylko elektroniki, a także oślepienie i tak już nieaktywnych systemów obrony. Impuls elektromagnetyczny, stara i kurewsko skuteczna taktyka, zwłaszcza wobec przeciwnika, który nawet do podtarcia tyłka potrzebuje garści chipów. Reszta, a było tego tysiąc osiemset sześćdziesiąt pięć głowic, pokryła cały kraj mozaiką wzajemnie nakładających się eksplozji o sile od jednej do trzech kiloton. Na mapie nie było jednego wolnego skrawka, tylko jasne kręgi na kręgach wśród innych kręgów. Trineutrinowy szajs w ciągu paru chwil przerobił dumny naród amerykański na nawóz. Przy takiej dawce promieniowania Armagedon trwał nie dłużej niż kwadrans. Może pół godziny, zważywszy na rzadko zaludnione, znacznie oddalone od epicentrów eksplozji tereny na południu. Nie, poprawiłem się w myślach, pół godziny to za mało, ale nawet górnicy z najgłębszych pokładów kopalni nie mogli przetrwać na dole zbyt długo.

Brak zasilania oznaczał brak powietrza. Ci, którzy nie podusili się na końcach chodników i nie poginęli w zawałach, ruszyli ku szybom. Wspinali się ku pewnej śmierci. I umierali jako ostatni wolni obywatele tego kraju. Wątpiłem, czy którykolwiek zdołał w ogóle dotrzeć w pobliże powierzchni.

Jedyne ośrodki militarne, które mogły przetrwać tę fazę wojny, zostały poczęstowane tradycyjnymi głowicami penetrującymi. Dawna Góra Grzmotów musiała być dzisiaj, z tego, co widziałem na ekranach, kraterem pełnym dymiącej lawy. Nie wiedziałem, czemu wszyscy wrogowie uparli się, aby zniszczyć akurat tę bazę. Przecież nawet dzieci wiedziały, że tam gdzie wpuszcza się wycieczki, nie ma wielu tajemnic, a prawdziwy ośrodek dowodzenia mieści się pod milionami kilometrów sześciennych skały, ale niemal sto mil dalej na południe. Niemniej zarówno Rosjanie, jak i Chińczycy uznali, że warto na wszelki wypadek zamknąć dla zwiedzających i tę atrakcję. Osiem kolejnych eksplozji podziemnych.

I na koniec dwadzieścia pięć skośnookich megaton na właz. Jedna z dwóch największych wodorówek, jakie zetknęły się z amerykańską ziemią.

Nie powiem: Świeć, Panie, nad ich duszami... bo same muszą teraz nieźle świecić.

Nieco inaczej rzecz się miała ze stanowiskami połączonymi w sieć Arki. Wszystkie bazy skonstruowano tak, by prawdziwe centra dowodzenia i stanowiska ogniowe znajdowały się w odpowiedniej odległości od wyrzutni. Większość z nich, prócz obowiązkowego trineutrina, dostała bezpośrednie trafienie klasyczną głowicą penetrującą, jednakże nie były to pociski wielkiej mocy. Wróg chyba zdawał sobie sprawę, że jego rakiety dotrą tutaj długo po odpaleniu naszych i może jedynie spróbować przysmażyć dupy tym, którzy je wyekspediowali. Eksplozja w naszej bazie zagroziła wyłącznie strukturze zewnętrznej centralnego bunkra. Wprawdzie zaczopowane zostały wszystkie szyby i korytarze od strony powierzchni, ale z mojego stanowiska wciąż miałem do wyboru dwa wyjścia awaryjne, oba prowadzące do wąwozów sąsiadujących z doliną, w której umiejscowiono bazę. Podobnie było z czterdziestoma sześcioma innymi lokacjami przypisanymi do sieci Arka. Tylko sześć stanowisk ogniowych, które wcześniej musiały zostać namierzone przez obce wywiady, naprawdę dostało za swoje. Ale nawet przy środkach, jakich przeciw nim użyto, istniało duże prawdopodobieństwo, że hibernatory nadal funkcjonują i gwarantują przeżycie załogom przynajmniej do czasu, gdy po Wielkim Przebudzeniu ekipy ratownicze przebiją się wreszcie przez wszystkie czopy.

Ciekawie wyglądała też sprawa z Waszyngtonem. Z zapisu wynikało, że przyszłe pokolenia zamieszkujące tamte okolice nie będą miały problemu z żużlem. Czternaście eksplozji, nie licząc wtórnych efektów ataku na Baltimore i dziesięciu megaton wodoru zdetonowanych wprost nad kopułą Kongresu. Nie tylko my nie kochaliśmy naszej władzy, jak się okazało. Mogłem jedynie żałować, że niemal wszystkie szczury zdążyły opuścić tonący okręt. W systemie istniały dane wskazujące, że zarówno prezydent, jak i setki jego najwierniejszych pretorianów przenieśli się na pokłady Arki. Zawsze twierdziłem, że w Gabinecie Owalnym zasiada niezły farciarz. W chwili rozpoczęcia pozorowanego ataku znajdował się na pokładzie Air Force One – wracał z delegacjami obu izb Kongresu z wizytacji nowo otwartej bazy okrętów podwodnych na Wschodnim Wybrzeżu. Dzięki temu uniknął pewnej śmierci. Wszystkie znane ośrodki i bunkry dowodzenia godzinę później zamieniły się w radioaktywne tygle. Wszystkie prócz starego, dobrego Twin Rivers, do którego farciarz Joe miał najbliżej.

Stare powiedzenie mówi: najciemniej jest pod latarnią. Supertajny bunkier z lat sześćdziesiątych, następca kurortu Green

Grayers, pokazano prasie już trzy dekady temu. Jako ostatni relikt zimnej wojny. Tylko głupiec nadal utrzymywałby to muzeum na liście celów. A nasi wrogowie za głupców się nie uważali. My to wiedzieliśmy i dlatego, głęboko pod ujawnionym centrum dowodzenia przeznaczonym jeszcze dla JFK, budowano latami w największej tajemnicy drugi, znacznie obszerniejszy kompleks korytarzy i bunkrów. Znajdował się on zaledwie sześćdziesiąt kilometrów w linii prostej od Manhattanu. W połowie drogi do Filadelfii. Obie metropolie zarobiły swoje, ale na ten rejon spadła tylko jedna głowica. Wprawdzie dość silna, bo trzykilotonowa, ale eksplozja trineutrina na wysokości czterech tysięcy stóp nie naruszyła nawet jednej cegiełki klinkierowej na fasadzie budynku, pod którym mieściło się główne wejście do kompleksu bunkrów projektu Arka. Projektu tak kurewsko tajnego, że dopiero po ataku prawdy o nim dowiedzieli się ci, którzy w nim uczestniczyli.

Na przykład ja.

Lepiej późno niż wcale, powiadają...

Tyle, jeśli chodzi o samą wojnę. Zebrane przez ostatnie godziny dane pozwoliły mi na podjęcie decyzji. Wyjście na zewnątrz wydawało się absolutnie bezpieczne. Promieniowanie tła było wciąż podwyższone, ale nie stanowiło bezpośredniego zagrożenia dla życia, jeśli oczywiście będę unikał skażonych tradycyjną bronią stref, ale te z łatwością mogłem ominąć, trzymając się wytyczonej trasy. Droga była daleka, ale i prosta. Cel: Twin Rivers i bunkry projektu Arka. Jedyne miejsce, gdzie być może zdołam przetrwać siedem lat pozostałych do Odrodzenia.

Wszystkie stanowiska ogniowe, takie jak baza, w której służyłem, zostały totalnie zabezpieczone i nikt z zewnątrz nie zdołałby do nich przeniknąć, zwłaszcza teraz, po ataku, kiedy większość bunkrów została odcięta metrami szybkowiążącego betonu albo zaryglowana na głucho od środka. Ale centrum Arki w Twin

Rivers posiadało uchyloną furtkę bezpieczeństwa dla takich wta-
jemniczonych desperatów jak ja, na wypadek gdyby utracili możliwość przetrwania na własnym terenie. Miałem w ręku mapę,
kody dostępu do sektora awaryjnego, a radiacja na zewnątrz
opadła już znacznie poniżej niebezpiecznego poziomu.

To tylko trzy tysiące mil w linii prostej.

Nie więcej niż tydzień spokojnej jazdy...

Do dyspozycji miałem masywnego quada w wersji zrobionej
specjalnie na potrzeby wojska. Jedną z dwóch podobnych maszyn pozostawionych w hangarze na końcu tunelu ewakuacyjnego. Wyglądał jak opancerzone skrzyżowanie motocykla z ła-
zikiem. Staroć nieziemska, ale po chwili namysłu przyznałem,
że to najrozsądniejszy z możliwych wyborów. To była naprawdę
niezła maszyna – mniejsza od samochodu, o dużej mocy, mogą-
ca pokonywać przeszkody, na których tradycyjne terenówki wy-
siadają. Tyle że trzeba było w niej zamontować na powrót całą
elektronikę. No i jeździła na benzynę.

W trzech kontenerach umieszczonych nad tylnymi kołami
i za siedzeniem znalazłem zestaw pierwszej pomocy, wiadro odżywek w pastylkach i całą masę niepotrzebnych rzeczy, które
tylko jajogłowy idiota zza biurka mógł uznać za wyposażenie ra-
tunkowe. Gdyby nie okoliczności, najbardziej rozbawiłoby mnie
pudło prezerwatyw. Dziesięć paczek, każda po trzy sztuki. Ciekawe, co by z nimi zrobili Paul Andrews i Gene Pollock, gdyby
ta wojna wybuchła na ich zmianie?

Po oczyszczeniu wszystkich toreb z niepotrzebnego szmelcu
i przełożeniu najpotrzebniejszych zapasów z maszyny przeznaczonej dla Sue byłem gotów do drogi. Podprowadziłem quada
do wylotu korytarza ewakuacyjnego, ale przed opuszczeniem
kompleksu postanowiłem zjechać jeszcze na chwilę do sekcji
kriogenicznej. Zabrałem wielki gwiaździsty sztandar, który też
znalazł się w jukach, i wszedłem do walcowatej kabiny. Jazda

trwała jak poprzednio zaledwie kilka sekund. Idąc w kierunku komór, rozwijałem czerwono-biało-granatowy materiał. Miał ponad trzy metry długości, powinien wystarczyć do owinięcia tak wątłego ciała.

Przewiązałem twarz bandaną, zasłaniając nos, i chwyciłem krawędź pokrywy komory numer dwa. Gdy przyciągnąłem ją do siebie, znów zapaliły się światła i ostry blask poraził moje oczy...

...rozpalona tarcza słońca wynurzyła się zza chmury, świecąc mi prosto w twarz. Rozejrzałem się półprzytomnie. Leżałem wciąż na wzniesieniu opodal Yoshua Tree z lornetką w dłoni. Cholerne zmęczenie. Niby wszystko jest okej. Stymulacja mięśni w komorze kriogenicznej działała bez zarzutu, ale organizmu nie da się tak łatwo oszukać. Zabiegi fizykoterapeutyczne podczas snu usunęły mi zbędną tkankę tłuszczową i rozwinęły, acz bez zbytniej przesady, muskulaturę, ale lata bezruchu też zrobiły swoje. Nie miałem kondycji. Męczyłem się niemiłosiernie już po chwili sporego wysiłku. Minie jeszcze trochę czasu, zanim dojdę do formy. Cieszyło mnie tylko to, że dzięki stymulacji nie odczuwałem bólu wywołanego zakwasami.

Wstałem z twardej ziemi, otrzepałem bandaną tył kombinezonu i ruszyłem w dół zbocza. Spałem nie dłużej niż kwadrans. Wolno przesuwająca się po niebie chmura, ta sama, którą zapamiętałem sprzed zaśnięcia, wciąż wisiała nad drugą stroną doliny. To właśnie wychodzące zza niej słońce mnie obudziło.

Schodzenie było o wiele łatwiejsze, ześlizgiwałem się po kilkanaście jardów za każdym uniesieniem nogi. Musiałem dbać jedynie o to, by nie stracić równowagi i nie stoczyć się na sam dół, pociągając przy okazji lawinę kamyczków i grudek wyschniętej na wiór ziemi. Martwa roślinność nie mogła już powstrzymać erozji tego wzgórza.

W niespełna minutę znalazłem się przy czterokołowcu. Wyjąłem z pojemnika manierkę i kilka tabletek odżywczych. Chłodna, odkażana woda i te właśnie kondensaty jeszcze przez jakiś czas będą dla mnie jedynym dostępnym pożywieniem. Wątpiłem, by zachowała się w tych stronach jakaś nieprzeterminowana żywność. Trzy lata to szmat czasu, a w dobie taniej masówki nie opłacało się produkować niczego tak trwałego. Konserwanty tylko potęgowały ten efekt. Szybki obrót, szybki zysk. Szybka śmierć... Na szczęście zapas tabletek, jaki pozostawiono mi w pojemnikach, mógł zaspokoić potrzeby dwu osób nawet przez kilkanaście tygodni. Jeden człowiek, ostrożnie korzystając z tego zestawu, mógł żywić się nimi nawet przez pół roku. Czyste marnotrawstwo, zważywszy na to, że za tydzień, góra dwa powinienem spać w kolejnej komorze kriogenicznej.

Stare, wyniesione jeszcze z dzieciństwa przyzwyczajenie kazało mi jednak zachować całość zaopatrzenia i dlatego nie zostawiłem pojemnika Susan, choć już przed wyruszeniem z bazy zdawałem sobie sprawę, że jest zbędny.

Samo życie.

Przezorny zawsze ubezpieczony.

Usiadłem za kierownicą i przekręciłem kluczyk. Silnik zaskoczył bez problemu. Maszyna była praktycznie nieużywana, prawdę mówiąc, przeszła chyba tylko testy na hamowni, bo licznik wciąż wskazywał zerowy przebieg. W każdym razie quad nadal pachniał nowością. Zupełnie jak mój pierwszy wóz. Wyśniony czerwony pontiac trans am, nagroda za egzaminy końcowe w college'u, którą sprawiłem sobie sam, wydając całoroczne oszczędności z pracy w warsztacie przy stacji benzynowej obleśnego Freda Chapmana. Musclecar, że mucha nie siada. Jeden z ostatnich, jakie opuściły linię produkcyjną. Od dwa tysiące dziesiątego już ich nie robili...

Poczekałem, aż rozbłyśnie ekran umieszczonego pod kierownicą terminalu komputerowego, podpiąłem do niego mapnik i przesłałem dane zapisane na szczycie wzgórza. Założyłem kask i okulary, a po chwili zastanowienia również maskę chroniącą nos i usta. Jazda po bezdrożach mogła się okazać mniej bezpieczna, niż przypuszczałem, ale dzięki temu nadrobię co najmniej dwie mile i uniknę przejazdu przez najbliższe miasteczko. Wiedziałem, że prędzej czy później będę musiał stawić czoło martwej rzeczywistości, ale wolałem, by odbyło się to w bliżej nieokreślonej przyszłości. Yoshua Tree było pierwszą miejscowością, jaką musiałem minąć po wyjechaniu z kanionów Little San Bernardino.

Do następnego miasteczka, noszącego malowniczą nazwę Twentynine Palms, dotarłem w niespełna pół godziny. Prosta i pusta szosa ciągnąca się środkiem płaskiej jak stół doliny pozwalała na rozwinięcie maksymalnej prędkości quada, ale powiedzmy sobie szczerze, z pełnym obciążeniem wyciągał zaledwie czterdzieści mil na godzinę. Konstruktorzy tego cudeńka postawili na stabilność jazdy po bezdrożach, rezygnując z przyśpieszenia. Kto normalny chciałby pędzić po wertepach, ryzykując złamanie karku? Na pewno nie ja.

Zatrzymałem się kilkaset jardów przed pierwszymi zabudowaniami i rzuciłem okiem na plan, żeby sprawdzić, czy dam radę ominąć centrum. Według odczytu nie było tu klasycznej obwodnicy, ale sieć polnych dróg oplatających pobliskie farmy mogła mnie doprowadzić wprost do wylotu Amboy Road. Tym sposobem mogłem spokojnie objechać wysunięte na północ przedmieścia i dotrzeć polami do drogi stanowej prowadzącej przez przełęcz Sheep Hole aż do międzystanowej czterdziestki. Według przewodnika było to wyjątkowe zadupie, jedynym miejscem wartym zobaczenia wydawały się ogromne instalacje odsalające położone już za górami. Czyż nie takiej właśnie okolicy potrzebowałem do oswojenia się z martwym światem?

Dziesięć minut później skręciłem z szerokiej autostrady na północ, na asfaltową i zadziwiająco dobrze utrzymaną Mantonya Road, wkraczając w samo serce krainy, w której kiedyś królowały drzewka Jozuego. Dzisiaj po tych zadziwiających roślinach nie pozostał nawet ślad. Tylko kilka czarnych, poznaczonych kępkami rdzawych igieł i niemiłosiernie powykręcanych kikutów sterczało z pylistej pomarańczowej równiny, znacząc miejsca, w których drzewa te umierały, stojąc. Zanim dotarłem do następnego zakrętu, minąłem zaledwie trzy domy. Przejeżdżałem obok nich, skupiając wzrok na równiutkiej żółtej linii oddzielającej pasy ruchu i starając się nie spoglądać w stronę czarnych studni okien. Zupełnie jakbym obawiał się ujrzeć w nich widmowe twarze mieszkańców. Ludzi, których śmierć...

Nie, to nie ja ich zabiłem.

Nie ja.

Mapa sugerowała, że do Amboy Road można dotrzeć, trzymając się wyłącznie takich właśnie bocznych dróg. Mantonya doprowadziła mnie do przecznicy zwanej Two Miles Road, którą dojechałem aż do przedmieść miasteczka. Tutaj ponownie skręciłem na północ, w znacznie gorszą, szutrową uliczkę noszącą dumną nazwę Sunrise Road albo Hillcrest Drive. Nie byłem pewien, która jest właściwa, gdyż w tym miejscu mapnik pokazywał obie nazwy na przemian. W każdym razie dzięki niej miałem szansę spokojnie przedostać się do koryta wyschniętej rzeki, które zupełnym bezludziem prowadziło wprost do Mesa Drive, długiej piaszczystej trasy wiodącej przez pobliskie pasmo wzgórz do pierwszego celu mojej podróży.

Godzinę później, przy zjeździe na farmę niejakiego pana Briggsa seniora, zrobiłem sobie krótki postój. Staruszek mieszkał w ciekawym miejscu, na wzgórzach, tam gdzie Mesa Drive zaczynała skręcać szerokim łukiem, by zejść w dolinę. Posiadłość miał nielichą. Właściwy dom, otoczony wiekowymi, a dziś martwymi wiązami, stał milę od ostatniej asfaltowej szosy, a to, co początkowo wziąłem za inną farmę, było w rzeczywistości barakami na maszyny rolnicze i podręcznym składem nawozów. Korzystając z milczącej zgody właściciela, postanowiłem rozejrzeć się po tym przybytku. Przydałoby się uzupełnić zapasy benzyny. Wprawdzie według instrukcji bak plus dwa kanistry powinny wystarczyć na ponad trzysta mil nieprzerwanej jazdy po równninnym terenie, ale strzeżonego, jak powiadają, sam Pan Bóg strzeże.

Zgodnie z moimi oczekiwaniami stary pan Briggs był zapobiegliwym farmerem i posiadał wkopany w ziemię kilkusetgalonowy zbiornik na ropę oraz drugi, równie wielki, na benzynę – tak przynajmniej głosiły wypłowiałe napisy na wysłużonych dystrybutorach. Teraz musiałem tylko sprawdzić, czy przed śmiercią zadbał o ich napełnienie.

Wiedziałem, że elektryczne pompy nie mogą w tych warunkach zadziałać, ale pomyślałem, że dzięki swobodnemu dostępowi do włazów nie powinienem mieć zbyt wielkich problemów z wydobyciem paru wiader paliwa. W pobliskim magazynie znalazłem kawał liny i różnej wielkości naczynia, które mogły posłużyć jako czerpaki. Najpierw wybrałem wiaderko o średnicy zbliżonej do szerokości otworu, ale po chwili zdecydowałem, że coś węższego sprawi o wiele mniej kłopotu przy wyciąganiu. Mniejszą łyżką szybciej się najesz, zwykła mawiać siostra Stapleton i miała sporo racji.

Zaopatrzony w potrzebny sprzęt zabrałem się do odśrubowywania grubego kołnierza. Naoliwione solidnie nakrętki puściły dość szybko, mimo iż nie były używane od paru lat, a izolowana lekko już sparciałą gumą klapa odskoczyła z głośnym cmoknięciem, odsłaniając mroczne wnętrze. Niestety zapach, a w zasadzie odrażający smród rozkładu, jaki wydobył się ze zbiornika, w niczym nie przypominał dusznych oparów paliwa.

Szlag by to!

Wyruszając, nie wziąłem pod uwagę bardzo ważnego czynnika. Broń trineutrinowa, zachwalana jako jedna z najczystszych na świecie, nie tylko eliminowała z niesamowitą precyzją tak zwany czynnik ludzki, ale wpływała także destrukcyjnie na wiele substancji chemicznych i biologicznych. Jednym z efektów tak silnego napromieniowania – pusty łeb, przecież czytałem o tym! – była częściowa degradacja substancji organicznych. Wzbogacana biokomponentami benzyna też się do nich zaliczała. A zapobiegliwy pan Briggs korzystał wyłącznie z najtańszych paliw. Jak chyba wszyscy w tym kraju, prócz armii rzecz jasna.

W bazie, niedaleko wylotu korytarza, tuż przy szybach wind, znajdowały się nienaruszone podziemne zbiorniki paliwa, czystej benzyny bezołowiowej. Całkiem spore, jak pamiętam, ale powrót tam nie wydawał mi się sensownym rozwiązaniem. Ile dodatkowych kanistrów mogłem zabrać na quada? Miałem dwa pięciogalonowe i mógłbym pomieścić drugie tyle, jeśli zrezygnowałbym z większości zabranych rzeczy. A to nadal nie rozwiązywało mojego problemu. Co najwyżej odwlekało jego nieuchronne nadejście o sto kilkadziesiąt mil. Przez dłuższą chwilę starałem się przypomnieć sobie, czy w instrukcjach pisano o sposobach oczyszczenia potraktowanego promieniowaniem paliwa, lecz nic sensownego nie przychodziło mi do głowy. Sądząc po fetorze, który wydobywał się z wąskiego szybu zbiornika, to coś tam w dole nie nadawało się do niczego.

– Kurwa twoja była mać! – Cisnąłem wiaderkiem o ścianę baraku i kopnąłem podstawę obłego dystrybutora, który pamiętał chyba czasy wielkiego kryzysu, ale tego pierwszego.

I co teraz?

Wracając do czterokołowca, nie znalazłem odpowiedzi na pytanie, jak uzupełnię paliwo. Na myśl o niszczycielskim działaniu promieniowania odruchowo sprawdziłem dozymetr. Jego odczyt nie wykazywał jednak śladów podniesionej radiacji, podobnie jak ten pozostawiony na pojeździe. W sumie miałem ich na quadzie sześć – wszystkie, jakie znalazłem w hangarze – rozmieszczonych tak, by w każdej chwili móc sprawdzić, czy nie łykam śmiertelnej dawki. Nieźle jak na faceta, który nie tak dawno spuścił na głowy Bogu ducha winnych ludzi kilkaset pierdyliardów działek promieniowania trineutrinowego najnowszej generacji. Wystarczająco dużo, by zarezerwowano dla mnie kocioł najgorętszej smoły tam, dokąd nieuchronnie zmierzałem.

Odruchowo dotknąłem kabury, w której spoczywał pistolet. Drugi raz nie odmówi posłuszeństwa, nie ma prawa. Palec wskazujący dotarł do krawędzi grubej, wyprawionej skóry, korcąc mnie do lekkiego pociągnięcia.

A kto powiedział, że to ja uaktywniłem spust odpalający rakiety?

Brawo, trzymaj się tej myśli, chłopie.

Zacisnąłem dłoń w pięść. Chwała anonimowemu geniuszowi za jego opcję plutonu egzekucyjnego. Jakkolwiek by ten pomysł wydawał się bzdurny przed wojną, teraz pozwalał mi na zachowanie zdrowych zmysłów. Prawdę mówiąc, czepiałem się go niemal maniakalnie, rozpamiętując każdą sekundę tamtego alarmu i szukając najmniejszego dowodu na to, że nie mieliśmy połączenia z systemem, że wbrew naszywce zdobiącej moją lewą pierś, nie byłem jednym z prawdziwych Aniołów Zagłady.

Jeśli mam być szczery, nie udało mi się znaleźć niczego naprawdę przekonującego. To jednak nie zmieniało mojego nastawienia do problemu.

Dowód musiał się znaleźć, prędzej czy później.

To tylko kwestia czasu.

Sprawdziłem raz jeszcze stan paliwa w baku. Do tej pory, a przejechałem około sześćdziesięciu mil, spaliłem jedną czwartą zbiornika. Szlag! To znaczy, że instrukcja kłamała. Mogłem pokonać jakieś... góra dwie setki, zanim na dobre rozprostuję nogi. Wyciągnąłem mapnik i zacząłem przeliczać trasę. Przez przełęcz mogłem się dostać do trasy kolejowej. Droga ta wychodziła wprost na węzeł kolejowy Amboy. Powinien być nietknięty. Według odczytów najbliższa eksplozja, na szczęście trineutrinowa, miała miejsce nad Barstow, jakieś osiemdziesiąt mil na północny wschód. Dalej czekało mnie ponad sto mil jazdy przez podobne zadupia do autostrady numer piętnaście. Potem granica stanu i kasyna Vegas. Jeśli dobrze liczyłem, powinienem wjechać na Strip z pustymi kanistrami, ale mając jeszcze prawie całą rezerwę w baku. To była pocieszająca wiadomość. Miałem też w zanadrzu gorszą. Po wizycie w światowej stolicy hazardu czekało mnie przekwalifikowanie się na klona Lance'a Armstronga albo opcja „Run, Forrest, run!".

O ile, rzecz jasna, nie znajdę po drodze nadającego się do użytku paliwa bądź lepszego środka transportu.

Nie wymyśliłem nic przez następne sześć godzin.

Tak jak sądziłem, przejazd przez teren farmy, za co przed wojną mógłbym dostać kulkę od zdenerwowanego właściciela, doprowadził mnie bez przeszkód do drogi na przełęcz. Potem, starając się jechać jak najbardziej ekonomicznie, dotarłem bez przeszkód w pobliże wspomnianego szlaku kolejowego. Było już kwadrans po czwartej, kiedy zobaczyłem w oddali charakterystyczny krater stanowiący wielką atrakcję turystyczną tej okolicy, a chwilę później prostą czarną kreskę przecinającą piaszczystą równinę w głębi doliny.

Przede mną rozciągał się fantastyczny widok na Amboy.

Nigdy wcześniej nie zapuszczałem się w te okolice. Dlatego rozciągające się na wschód od szosy bezkresne żółte równiny, na których wydobywano sól, i kontrastujący z ich wyschniętą, płaską powierzchnią cętkowany skalisty stożek dawno wygasłego wulkanu, który wznosił się z ogromnego pola zastygłej lawy po drugiej stronie drogi, tam gdzie powoli chyliło się słońce, sprawiły, że zapomniałem na chwilę o tym, iż wokół mnie nie tylko skały są teraz martwe.

Niestety tylko na chwilę.

Wkrótce na mojej drodze miało stanąć Amboy.

Według mapy była to jedynie niewielka osada, miejsce, w którym historyczna szosa numer sześćdziesiąt sześć przecina na pustyni Mojave linię kolejową łączącą Los Angeles z Nevadą, a w dalszej perspektywie ze Wschodnim Wybrzeżem. Nie zamierzałem się tam zatrzymywać. Chciałem przejechać przez torowisko, kilka mil dalej skręcić w widokową trasę zwaną w przewodnikach turystycznych Kelbaker Road i w miarę możliwości dotrzeć przed zmierzchem do piętnastki. Tam, przy autostradzie, mogłem zrobić sobie odpoczynek, a może nawet przenocować. Na przykład obok jednego z kasyn przy granicy stanów...

Niebo było czyste, a słońce wisiało jeszcze wysoko, więc miejsce katastrofy zobaczyłem z dużej odległości. Zatrzymałem czterokołowca na szczycie niewielkiego wzniesienia i wyciągnąłem lornetkę. W dolinie, przez którą przebiegała linia kolejowa, stały dwa pociągi – cholernie długi skład towarowy wypełniony kontenerami i srebrzysta gąsienica Amtraka na sąsiednim torze. W zasadzie słowo „stały" nie oddawało w pełni tego, co widziałem. Może powinienem raczej użyć sformułowania „znajdowały się", wiele wagonów bowiem nie trzymało pionu. Niektóre, zwłaszcza te należące do ekspresu, nosiły ślady poważnych uszkodzeń. Kilka było całkowicie zmiażdżonych. Cztery lokomotywy pociągu towarowego wypadły z szyn i leżały na żółtawej ziemi jak porzucone dziecięce zabawki. Na ich zielonkawych, pasiastych kadłubach widniały wyraźne ślady ognia.

Z tej odległości nie mogłem dostrzec, co spowodowało katastrofę, miałem jednak pewność, że nie była ona bezpośrednim skutkiem eksplozji nuklearnej albo trineutrinowej. Promieniowanie, także na tym zapomnianym przez Boga i ludzi skrawku ziemi, musiało być zabójcze, ale w takiej odległości od najbliższego punktu zero nie na tyle wysokie, by wszyscy zginęli od razu. Potwierdzały to wozy strażackie i policyjne, które zauważyłem przy bliższym, zablokowanym przejeździe. Chłopcy z Amboy, a może raczej ludzie z pobliskich kopalń próbowali ratować nieszczęsne ofiary katastrofy kolejowej, która zbiegła się w czasie z atakiem nuklearnym. Być może w ferworze walki o ludzkie życie nawet nie zauważyli ataku. Chociaż w środku nocy trudno przeoczyć błysk miliona słońc... nawet tak odległy.

Wiedzieli o nim czy nie, przed promieniowaniem nie było ucieczki. Widziałem przez lornetkę ułożone w równych rzędach ciała ofiar katastrofy. Widziałem też te, które leżały w nieładzie. Wiele z nich miało na sobie jaskrawe kombinezony służb ratowniczych.

Wciąż miałem wybór, choć drugi, nieco dalszy przejazd przez tory także był zablokowany; stała na nim końcówka ogromnego towarowego węża. Linia transkontynentalna biegła w tym miejscu po idealnej równinie na przestrzeni najbliższych dwu, trzech mil, tak przynajmniej wynikało z danych na mapniku. Mogłem więc bez większego trudu ominąć miejsce katastrofy.

Nie musiałem pakować się dokładnie w jej środek, ale wymagałoby to przejścia na tryb terenowy i zużycie sporej ilości benzyny. Zdecydowałem w ciągu sekundy, spojrzawszy na wskaźnik poziomu paliwa.

Czas poznać ludzi, których...

Nie, to nie ja ich zabiłem...

Do cholery, przecież nie ja wysłałem pociski, które spadły na Amerykę! Nie ja zabiłem tych wszystkich niewinnych ludzi! Ja tylko pomściłem ich śmierć! Byłem Aniołem Zagłady, to prawda, ale wyłącznie dla wroga!

Ktoś zdążył rozczepić wagony blokujące przejazd kolejowy i odciągnąć jeden z nich – zapewne za pomocą któregoś z ciężkich wozów strażackich – na tyle, by udrożnić ratownikom przejazd na drugą stronę torów. Skorzystałem z tego wyłomu i jadąc powoli, ominąłem powyginany stos blach, który kiedyś był luksusowym wagonem sypialnym pierwszej klasy. Zwolniłem jeszcze bardziej na torowisku. Wielki, antyczny beczkowóz tarasował niemal całą wolną przestrzeń. Jaskrawa czerwień lakieru nie straciła na intensywności, mimo że wóz spędził na otwartej przestrzeni ponad trzy lata. Nie wiedziałem, czy kierowca celowo zaparkował go w sposób uniemożliwiający przejazd, czy po prostu z czasem puściły hamulce i pozbawiony kontroli pojazd stoczył się w to miejsce, zanim powietrze uszło ze wszystkich opon. Ale roztrząsanie tego problemu szybko zeszło na dalszy plan, jako że musiałem się w końcu zatrzymać... Pomiędzy wozem strażackim a końcem najbliższego wagonu leżały ciała. Kilka zaledwie, ale nie było szansy, żebym przejechał na drugą stronę torów, nie zahaczając o co najmniej jedno z nich.

Siedząc na quadzie, widziałem miejsce, w którym zgromadzili się ocalali z katastrofy ludzie, i to, w które znoszono ciała zabitych. Czarne, pękate worki leżały w równych rzędach tuż przy szosie do Amboy, ale kawałek dalej, na równinie ciągnącej się aż do wypłowiałych drewnianych zabudowań, walały się dziesiątki zwłok. Zobaczyłem też, co było przyczyną wypadku. Pomiędzy lokomotywą Amtraka a początkiem składu towarowego stał zmiażdżony wagon inspekcyjny. Przez moment zastanawiałem się, czy za całym tym zamieszaniem nie stał przypadkiem impuls elektromagnetyczny, który musiał także zniszczyć komputerowy system sterowania ruchem na kolei. Automatyczne nastawnie, pozbawione sygnałów z centrali, mogły, a nawet musiały oszaleć. Błędny impuls zmienił o jedną przekładnię za dużo, żółty wagonik trafił nie na ten tor, co trzeba, i... bum. Katastrofa nastąpiła dosłownie sekundy po eksplozjach nad Barstow i Vegas.

To była pierwsza myśl, jaka przyszła mi do głowy, ale już chwilę później wiedziałem, że wydarzenia musiały mieć zupełnie inny przebieg. Amboy to dziura, nie utrzymywano tutaj straży pożarnej – jedno spojrzenie na napisy zdobiące drzwi blokującego przejazd beczkowozu potwierdziły moje podejrzenia. Zatem wypadek nastąpił przynajmniej godzinę przed atakiem, może nawet wcześniej, choć z pewnością nie przed jedenastą, bo usłyszałbym coś w ostatnich wiadomościach, zanim wyszedłem na dyżur. Ratownicy zdążyli dojechać z okolicznych kopalń, akcja ratunkowa trwała w najlepsze. Część zabitych trafiła już do worków na zwłoki. W zmontowanym naprędce szpitalu polowym opatrywano dziesiątki rannych – wśród leżących bezładnie ciał widziałem wyraźnie białe fartuchy, stojaki z kroplówkami, nosze.

Ci, którzy pospieszyli na ratunek ofiarom, musieli widzieć błyski najbliższych eksplozji na nocnym niebie, choć następowały daleko, na dodatek za górami. Na pewno jednak nie zdawali sobie sprawy, co te błyski zwiastują. Już pierwszy wybuch oznaczał utratę wszelkiej łączności, jaką posiadali. Choć tutejszy sprzęt strażacki wyglądał naprawdę staro, wątpiłem, by na wyposażeniu znajdowały się wciąż aparaty Morse'a. Ci ludzie nie mogli wiedzieć, dlaczego nagle słabną, czują ból we wszystkich stawach, czemu bez ostrzeżenia wymiotują. Umierali razem z ofiarami katastrofy, ale walczyli o ich życie do końca. Niektórzy, co widać było po gumowych, szczelnych strojach przeciwchemicznych, zdali sobie w końcu sprawę z zagrożenia, ale mylnie je zinterpretowali. Być może sądzili, że w rozbitych kontenerach przewożono jakieś toksyny. Zabezpieczyli się, dopiero gdy pierwsi z ratowników zaczęli umierać.

Zapewne...

Mogłem się tego wszystkiego jedynie domyślać.

Wiedziałem jednak na sto procent, że przed promieniowaniem trineutrinowym może ochronić wyłącznie wielusetmetrowa warstwa litej skały albo ołowiu. Nie cieniutkie jak papier powlekane gumą płótno. Zresztą, gdyby nawet była to wystarczająca osłona, jak długo mogli wytrzymać w jej wnętrzu? Tydzień? Dwa? Przecież nawet na takim zadupiu można by pomarzyć o swobodnym oddychaniu na otwartej przestrzeni dopiero po upływie dwóch lat, a dokładniej mówiąc, dwudziestu dziewięciu miesięcy. Rzecz jasna prócz tych miejsc, które poczęstowano klasycznymi ładunkami nuklearnymi. Ale takich okolic, o czym wiedziałem z danych odczytanych w bazie, było na szczęście niewiele, choć dla tych ludzi, bohaterskich mieszkańców Amboy i pasażerów pociągu, nie miało to najmniejszego znaczenia.

Zsiadłem z czterokołowca, choć nogi miałem jak z waty. Zdjąłem rękawice i odpiąłem pasek przytrzymujący kask, lecz na tym poprzestałem. Przy wozie strażackim leżały cztery ciała. Wszystkie w żółtych hermetycznych kombinezonach ochronnych. Ci ludzie obawiali się wirusów, może broni chemicznej, a zabiła ich czysta fizyka.

Przyklęknąłem przy jednym z nich, tym, który siedział oparty o przednie koło, i zajrzałem ostrożnie przez wizjer hełmu do wnętrza kombinezonu. Niestety niewiele mogłem zobaczyć. Ślady torsji zaschły na wewnętrznej stronie przezroczystego tworzywa przesłaniającego twarz. Sprawdziłem pozostałych – wszystkie hełmy nosiły ślady podobnych zabrudzeń. Wstałem i rozejrzałem się uważniej po okolicy. Za wagonem, w odległości kilkudziesięciu kroków od przejazdu, nie było żadnych zwłok. Musiałbym przejść aż do szosy, by dotrzeć do najbliższych ofiar katastrofy, ułożonych w równe rzędy i zapakowanych w czarne foliowe worki. Ale nie miałem zamiaru tego robić. Tym bardziej nie widziałem sensu w wyprawie pod zabudowania, gdzie spoczywały dziesiątki, jeśli nie setki tych, którzy przeżyli katastrofę.

Sama szosa była czysta, przynajmniej tam, dokąd sięgał mój wzrok. Jedyną przeszkodę miałem tuż przed sobą.

Albo zawrócę i wybiorę trasę przez wyschnięte żółte bezdroża, pomyślałem, co równa się dodatkowemu zużyciu paliwa, albo oczyszczę tu i teraz te kilka jardów drogi. Przejechania po tych ludziach, a właściwie po ich zwłokach, nie brałem nawet pod uwagę. Przesunięcie jednego albo dwóch ciał nie powinno mi sprawić żadnych trudności. I potrwa zaledwie minuty. Miałem tego pełną świadomość, a jednak czułem potworny opór przed podjęciem decyzji. Przed dotknięciem pierwszej ofiary wojny, do której przyłożyłem rękę.

W końcu zdecydowałem się, choć serce biło mi jak oszalałe, i to wcale nie dlatego, że się bałem. Zombie i tym podobne stwory z horrorów zawsze mnie śmieszyły. Brałem też udział w prawdziwej walce, widziałem niejedną śmierć, choć Bóg dał, że aż do ataku sam nikogo nie zabiłem.

To było coś innego, dziwne uczucie, którego nie potrafiłbym opisać. Schylając się, czułem gdzieś tam, w głębi sumienia, że mimo wszystko ponoszę winę za śmierć tego dzielnego człowieka. Miałem wrażenie, że zakłócając jego wieczny, choć przedwczesny spokój, popełniam swoiste świętokradztwo. Musiałem jednak zmierzyć się z tym problemem. Z wszechobecnymi oznakami zagłady. Z otaczającą mnie na każdym kroku śmiercią. Spotkanie z nią tu i teraz wydawało mi się najrozsądniejsze, tym bardziej że każda mila drogi na wschód przybliżała mnie do wielkich miast, gdzie natknę się na szczątki milionów ofiar. I nie będę mógł ich zignorować.

Nie miałem problemu z podniesieniem pierwszego ciała. Było zadziwiająco lekkie, mimo iż kombinezon posiadał wbudowany aparat tlenowy. Chciałem ułożyć martwego strażaka obok jego kolegi, przy burcie wozu, ale ciało było sztywne jak deska. Kiedy nacisnąłem mocniej w pasie, usłyszałem głośne chrupnięcie i nagle poczułem, jak coś przesypuje się wewnątrz kombinezonu. W dłoniach pozostały mi twarde guzy kości, ale zaraz usłyszałem też ich klekot, kiedy spadały jedna po drugiej.

Puściłem elastyczny sarkofag, w którym spoczywał strażak, i patrzyłem z przerażeniem, jak żółty materiał zgina się, układając pod nienaturalnymi kątami, jakby wewnątrz znajdowało się wyłącznie powietrze, a nie żywy kiedyś człowiek. Poczułem mdłości. Gorzki smak wypełnił przełyk, jednak nie zwymiotowałem. Nie miałem czym. Tabletki może i dostarczały energii, ale niewiele miały treści. Usiadłem w miejscu, w którym zamierzałem położyć ciało, i oddychałem głęboko, patrząc na błękitne, poznaczone białymi strzępkami chmur niebo. Byle znaleźć się jak najdalej od tego koszmaru. Choćby myślami.

Palce znów powędrowały do zapięcia kabury.

Tym razem wcale nie bezwiednie.

Nie wiem, jak długo to trwało. Zapewne kilka minut, ale czułem się, jakbym spędził tu całą wieczność. Wieczność, podczas której musiałem podjąć ostateczną decyzję. Oswoić się ze śmiercią, z jej obecnością i ze wszystkimi konsekwencjami, albo ostatecznie przejść na jej stronę.

Odwróciłem głowę w stronę siedzącego obok strażaka i zdecydowałem.

Nie miałem problemu ze zdjęciem żółtego kasku głównie dlatego, że nie został należycie zapięty. Może mężczyzna nie miał na to czasu, a może już zrozumiał, że kombinezon nie uchroni go przed niewidzialną śmiercią. Minęły ponad trzy lata od momentu, gdy postradał życie na tym odludziu. Szmat czasu nawet dla martwego człowieka. Razem z nim zginęły wszystkie bakterie, które mogły doprowadzić do rozkładu ciała, na ogół szybkiego w charakterystycznej dla tych terenów wysokiej temperaturze.

Miałem przed sobą idealną mumię. Karykaturę ludzkiej istoty o szarej, wyschniętej na wiór skórze. Patrząc na wpółotwarte usta i zapadnięte oczodoły, po raz pierwszy naprawdę zdałem sobie sprawę, że nikt na tej planecie nie miał prawa przeżyć.

Rozmyślałem o wielu rzeczach, jadąc zupełnie pustą szosą przez górzysty teren parku narodowego Mojave. Rozciągająca się po horyzont, poznaczona skalistymi szczytami pustynia była absolutnie martwa. Od milionów lat zaliczała się do najbardziej niegościnnych regionów naszego kontynentu. Ale natura nigdy nie odpuściła. Życie, choć skąpe, potrafiło się tutaj utrzymać. Plamy zieleni, rzadko, bo rzadko, ale zdobiły podnóża posępnych granitowych zboczy. Lecz dzisiaj, mimo że bardzo się starałem, nie potrafiłem dostrzec w tym iście księżycowym krajobrazie ani jednej, najskromniejszej nawet roślinki. Wyłącznym znakiem, że na tej planecie istniało kiedykolwiek życie – jeśli nie liczyć wijącego się przede mną pasa asfaltu – były wyciosane w pobliskich kamieniołomach marmurowe bloki spoczywające wzdłuż drogi tuż za Saltus.

Jadąc kilka godzin przez podobne pustkowia, nagle zdałem sobie sprawę, jak bardzo doskwiera mi brak zieleni. Dałbym wiele za widok jednego, najmniejszego kaktusa albo kępy zwykłej, choćby i pożółkłej trawy. Musiałem pogodzić się z tym, że w blasku palącego słońca będę widział tylko gołe skały, bury piach i nieco ciemniejszą od niego nawierzchnię drogi.

Miałem jednak odrobinę szczęścia. Tamtej feralnej nocy nikt nie wybrał się na przejażdżkę po Kelbaker Road. Aż do Kelso, stacyjki kolejowej zagubionej w samym środku nicości i przytulonej do niej osady składającej się z jednego zaledwie rzędu prostych parterowych domków, nie natrafiłem na żaden wrak.

Zapadał już zmierzch, gdy zatrzymałem się na środku przejazdu, między pokrytymi rdzą szynami, aby zastanowić się nad wyborem dalszej trasy. Kelso mogłem opuścić dwiema drogami. Obie biegły dalej przez pustynię – dłuższa, ale za to łatwiejsza prowadziła prosto do Baker i autostrady, ale jadąc nią, musiałem się liczyć z dodatkowymi czterdziestoma milami podróży, tyle bowiem według mapy mogłem oszczędzić, wybierając szlak wiodący bardziej na wschód i tam łączący się z piętnastką tuż przed granicą stanu. Tyle że krótsza teoretycznie trasa prowadziła przez znacznie bardziej skaliste tereny i byłby to w istocie pozorny skrót. Według mapnika do wylotu na autostradę miałem w linii prostej tylko dwie, może trzy mile więcej, ale zdawałem sobie sprawę, że mogły one urosnąć do kilku godzin dodatkowej jazdy po stokach i krętych dolinach, a na to, podobnie jak na tracenie paliwa w tak odludnej okolicy nie mogłem sobie pozwolić. Po chwili głębokiego namysłu wybrałem więc starą dobrą Kelbaker Road. Drogę dłuższą, ale zdecydowanie łatwiejszą. Schowałem mapnik do juków i ruszyłem, zostawiając za sobą w chmurze wszechobecnego kurzu brzoskwiniowy budynek secesyjnej stacyjki otoczonej wieńcem wysokich palm. A raczej martwych segmentowanych pni, których nie zdobił dziś nawet jeden uschły liść.

Do autostrady międzystanowej numer 15 dotarłem późną nocą. Było już grubo po dwunastej, gdy w światłach quada pojawiła się tabliczka z nazwą Baker i dopiskiem: „Twoje wrota do Doliny Śmierci". Zważywszy na okoliczności, był to mocno nieaktualny tekst. Teraz każda dolina na świecie zasługiwała na taką nazwę. Tak czy inaczej, osiągnąłem drugi z wielu zaplanowanych celów na drodze do Twin Rivers.

Zatrzymałem się tuż przed zjazdem na autostradę, obok wypalonego wywróconego osiemnastokołowca. Nawet w środku nocy było tu tyleż ciemno, co duszno i gorąco. Zdjąłem kask z przepoconej głowy i rozczesałem dłonią włosy, klnąc pod nosem, że przed wyjazdem z bazy nie wpadłem na to, by ściąć je na krótko.

Z tego, co zapamiętałem z dawnych wypadów do Vegas, Baker nie należało do większych miejscowości, nawet jak na tę okolicę, ale miało spore centrum handlowe i kilka rozlokowanych wzdłuż trasy międzystanowej motelików dla tych amatorów ruletki i innych uciech, którzy woleli oszczędzić na kosztach pobytu w stolicy hazardu. Nie zamierzałem na razie robić większych zakupów, ale nocleg w prawdziwym łóżku wydawał mi się niezłym pomysłem. Tym bardziej że w promieniu mili znajdowały się co najmniej trzy rozsądne hotele do wyboru.

Zdecydowałem się na „Yucca Lodge" – nie dość, że nie musiałem wjeżdżać do samego miasteczka, to jeszcze pachnący nowością budynek, oddany parę tygodni przed atakiem, wyglądał bardziej niż zachęcająco. Według kilku wpisów ściągniętych z baz danych do mapnika zasługiwał w pełni na trzy gwiazdki, w przeciwieństwie do powszechnie krytykowanego starego „Will's Fargo" ulokowanego po drugiej stronie autostrady, już w miasteczku, obok najwyższego na świecie termometru – chyba jedynej rzeczy, z jakiej ta miejscowość mogła być naprawdę dumna.

Z daleka „Yucca" wyglądała znacznie lepiej niż z bliska. Przez ostatnie trzy lata nikt tu raczej nie sprzątał, co uzmysłowiłem sobie, zanim jeszcze wybiłem brudną szybę w drzwiach prowadzących do holu recepcji. Na moje szczęście w chwili ataku w motelu nie było kompletu gości, co jasno wynikało z mocno zakurzonej księgi meldunkowej i faktu, że sporo kluczy obciążonych masywnymi brelokami z wizerunkiem rośliny, która użyczyła nazwy temu miejscu, nadal wisiało w boksach. Nie musiałem się obawiać, że będę zmuszony do usunięcia mumii poprzedniego gościa spod prysznica albo co gorsza, z łóżka.

Pokoje miały przeciętny standard. Dwuosobowy kingsize, trzydziestosiedmiocalowy telewizor, szafa w ścianie, maleńka łazienka z kabiną prysznicową i umywalką. Nic ponad niezbędne minimum. W końcu to jedynie przystanek na trasie, nikt tu nie przyjeżdżał na wczasy. Sprawdziłem wszystkie wolne pomieszczenia, zanim wybrałem najodpowiedniejsze dla siebie, ale nie zajęło mi to wiele czasu. Pokój numer 19, trzecie drzwi na prawo od recepcji, wyglądał najczyściej. Przewietrzyłem go dokładnie, otwierając obie pary drzwi i uchylając okno, aby choć częściowo zniknął zapach stęchlizny utrzymujący się w tym małym pomieszczeniu przez kilka ostatnich lat. Wyrzuciłem też całą pościel. W schowku na końcu budynku znalazłem całkiem dobrze wyposażony składzik z nowiusieńką, zapakowaną jeszcze w folię hotelową galanterią. Posłużyła mi nie tylko do zaścielenia łóżka. Koce idealnie pokryły grubą wykładzinę na podłodze, której bez prądu nie zdołałbym odkurzyć do końca świata. Czterokołowiec ustawiłem tuż przed przeszklonymi tylnymi drzwiami wychodzącymi wprost na pustynię. Pokój na parterze wybrałem między innymi dlatego, aby mieć na niego oko. Irracjonalny strach kazał mi przepchać ciężką maszynę wokół budynku, choć byłem jedyną osobą w tym mieście, stanie, kraju... i doskonale o tym wiedziałem. Wysuszone zwłoki recepcjonisty i mumie spoczywające w sarkofagach rozbitych samochodów, które minąłem po drodze do motelu, mówiły same za siebie. Nie potrafiłem jednak pogodzić się z myślą, że nie będę miał w zasięgu wzroku pojazdu, od którego może zależeć moje życie.

Pokój wciąż się wietrzył, a ja, korzystając z wolnej chwili, zastanawiałem się, czy sprawdzić baki wszystkich samochodów w najbliższej okolicy, czy raczej poszperać w gastronomicznej części zajazdu. Wraki nie uciekną, uznałem, a w dzień, przy naturalnym świetle będzie mi się łatwiej do nich dobrać. Wybrałem więc opcję numer dwa.

Nie szukałem jedzenia, choć nie pogardziłem przypadkowo znalezionymi w automacie niewielkimi puszkami orzeszków ziemnych, których termin przydatności minął zaledwie dwa miesiące temu. Ucieszyłem się, ale nie otworzyłem ich od razu. Postanowiłem najpierw sprawdzić w notatkach, czy promieniowanie trineutrinowe nie mogło im zaszkodzić. Za kuchnią odkryłem niewielki bar stylizowany na klasyczny saloon. Napis na drzwiach informował, że był czynny do północy albo do ostatniego gościa. W dniu ataku najwyraźniej nikt nie miał ochoty na późną szklaneczkę szkockiej czy bourbona. Tym lepiej dla mnie. Wywaliłem niezbyt solidny zamek jednym kopnięciem i wszedłem do pogrążonej w mroku przestronnej sali, przyświecając sobie szerokokątną latarką.

Wystrój mieli tutaj stanowczo lepszy niż zaopatrzenie. Na półkach wiszących na tle ogromnego lustra stało zaledwie kilkanaście butelek, z czego więcej niż połowę stanowiły babskie likiery. Zebrałem kilka najrozsądniej wyglądających, a przy tym najpełniejszych, i dokonałem na miejscu małej degustacji. Ani kolor, ani zapach, ani wreszcie smak alkoholi nie różniły się od tego, co wciąż miałem w pamięci. Po paru łykach porzuciłem wszystkie szkockie i rasowego bourbona dla litra najprzedniejszego dzieła niejakiego Jacka Daniel'sa. Raz jeszcze omiotłem wzrokiem kontuar i półki pod nim. Na jednej leżało kilkanaście plastikowych butelek. Woda mineralna. Sięgnąłem po pierwszą z brzegu. Gazowana. Przekręciłem zakrętkę, puściła z cichym chrupnięciem, ale nie usłyszałem charakterystycznego syku. Powąchałem wylot szyjki. Nic. Przy następnej uśmiechnąłem się – na niebieskiej nalepce widniał wielki napis „Noe", a nad nim na tle żółtego słońca widać było zarys arki. Krystalicznie czysta woda źródlana. Niestety przeterminowana… Spojrzałem pod światło, wydawała się czyściutka. Sprawdzimy, ile jest warta. Wsunąłem pod pachę destylat pana Jaspera Newtona Daniela, pod drugą wetknąłem trzy plastikowe butelki z wodą i ruszyłem do pokoju.

Wietrzenie przyniosło efekt. Zapach świeżej pościeli dominował już nad wciąż uchwytnym smrodkiem, który przywitał mnie po otwarciu drzwi. Jeszcze pół godzinki i powinno być dobrze, zwłaszcza że zamierzałem tej nocy spać przy otwartym oknie.

Zdobyczne orzeszki rzuciłem na łóżko, wodę położyłem na umywalce w łazience, a z Jackiem w ręce usiadłem w bujanym fotelu ustawionym na tarasie przy basenie hotelowym. Zapalone bliźniacze reflektory quada oświetlały kilka leżaków rozrzuconych bezładnie za niewysokim ogrodzeniem. Nieco dalej otwierała się niknąca w mroku niecka owalnego, wykafelkowanego na niebiesko basenu.

Niezbyt silny wieczorny wiatr rozwiewał mi włosy, ale nie był chłodny, wręcz przeciwnie, zdawał się na tyle przyjemny, że zachęcał do zanurzenia w orzeźwiającej wodzie. Cały dzień jechałem w kurzu i upale, skóra w kroczu, na brzuchu i stopach wciąż piekła mnie od potu. Oddałbym wszystko za wannę albo chociaż wiadro czystej wody. Z każdym łykiem ciepłej whiskey czułem większą potrzebę kąpieli.

Wstałem z fotela i przeszedłem wolnym krokiem za płotek, aby stanąć na obramowaniu hotelowego basenu. Trzy lata w tym piekielnym klimacie wystarczyły, żeby tony pyłu wypełniły go niemal po brzegi. Splunąłem pod nogi, prosto w piach. Niektóre marzenia w tym martwym świecie muszą poczekać na realizację. Dzisiaj do umycia musi mi wystarczyć parę litrów „Noego".

Pociągnąłem ostatni, solidny łyk z butelki i wróciłem do pokoju. Zasunąłem szklane drzwi i sprawdziłem, czy okno jest odpowiednio szeroko uchylone, ale po namyśle wróciłem na taras i wprowadziłem swojego czterokołowego przyjaciela do środka.

Było tu dość miejsca dla mnie i dla pachnącej rozgrzanym olejem maszyny.

Paliwo skończyło się tuż przed Vegas, niedaleko wiaduktu kolejowego, zaledwie milę od miejsca, gdzie rozpoczynał się ostatni, długi zjazd prowadzący na dno niecki, w której leżało miasto. Według przelicznika powinienem mieć jeszcze pełną rezerwę, ale kilka czknięć silnika nie pozostawiało najmniejszych złudzeń. Pompa paliwowa zaczynała ssać powietrze.

Normy normami, a życie uczy, że niczego nie da się dokładnie przewidzieć. Nawet w wojskowym regulaminie. Nie miałem wyjścia – musiałem zatrzymać się jak najszybciej i wcielić w życie plan B. Jadąc piętnastką, mijałem sporo wraków. Wiele było spalonych, ale kilka nie nosiło śladów poważnych uszkodzeń. Niektórzy kierowcy zdążyli wyhamować przed śmiercią albo oślepieni błyskiem, zareagowali odruchowo i zjechali na piaszczyste, ale płaskie pobocze autostrady, gdzie dokonali żywota, nie rozbijając samochodów.

Każdy taki wóz stanowił potencjalne źródło paliwa.

Niestety tylko potencjalne...

Od momentu gdy wjechałem na piętnastkę, niemal wszędzie widziałem zielone listki na korkach wlewu paliwa. Koń by się uśmiał, ale służąc w armii, nigdy wcześniej nie zaprzątałem sobie głowy tym problemem. My w wojsku nie musieliśmy się przejmować, ale po ostatnim kryzysie energetycznym zwykli ludzie masowo przechodzili, podobnie jak kiedyś w Europie, na gaz albo tańsze, wzbogacane biokomponentami mieszanki. Propaganda rządowa wmawiała im, że w ten sposób nie tylko oszczędzają, ale w dodatku zachowują się wyjątkowo patriotycznie. Była w tym gadaniu odrobina prawdy: nasi chłopcy nie musieli walczyć o dostęp do kolejnych pól naftowych.

Znalazłem się w kropce. Zmiana pojazdu nie wchodziła w grę. Impuls elektromagnetyczny spowodował, że wszystkie wypełnione wypasioną elektroniką czterokołowe cacka stały się bezużytecznym złomem. Nie mogłem w żadnym wypadku skorzystać z gazu, wiedziałem też, że na skutek napromieniowania biokomponenty w tradycyjnych paliwach zamieniły się w bezużyteczną maź. Gdybym posiadał rozleglejszą wiedzę, może udałoby mi się oczyścić parę litrów tak wzbogaconej benzyny. Podobno było to wykonalne. Tak też mówił poradnik Arki – znalazłem stosowny rozdział rankiem, zanim wyruszyłem z Baker. Ale los sprawił, że chemia, podobnie jak większość nauk ścisłych, była dla mnie czarną magią. W bazie chłopcy śmiali się, że nawet księżycówki nie potrafię porządnie napędzić. Co gorsza, w obecnym położeniu nie widziałem większych szans na rychłą zmianę w tej materii. Musiałem liczyć na to, że ktoś miał w baku czystą bezołowiówkę.

Nie pozostało więc nic innego, jak zatrzymać quada na poboczu po pierwszych dających się wyczuć szarpnięciach. Zjechałem na ubity piach i stanąłem w zatoczce tuż obok pokrytego grubą warstwą pyłu radiowozu. Dobry punkt na rozpoczęcie poszukiwań – miałem nadzieję, że chociaż policja nie uległa przed wojną masowej histerii.

Zsiadłem, pociągnąłem łyk wody z manierki, ostatni zresztą, i podszedłem do czarno-białego samochodu. Wyglądał fatalnie – powietrze z opon zeszło już dawno, pokrytych grubą warstwą zaschniętego błota napisów na drzwiach nie dało się odczytać. Przetarłem rękawicą przednią boczną szybę i zajrzałem do wnętrza. W panującym tam mroku trudno było dostrzec szczegóły, ale zauważyłem, że w kabinie siedzą dwie osoby, z pewnością gliniarze, sądząc po charakterystycznych kapeluszach. Wyprostowałem się i popatrzyłem na szosę niknącą kilkaset jardów dalej, za szczytem wzniesienia. Od rogatek Las Vegas dzieliło mnie nie więcej niż sześć mil. Znajdowałem się teraz około ośmiuset stóp nad poziomem Stripu. Sprawdziłem odczyt: trzy kilotony nad centrum, kilotona nad lotniskiem, wyłącznie trineutrino. Przeniosłem wzrok na cienie w samochodzie. Biedne sukinsyny, nie miały szans na reakcję. Promieniowanie usmażyło ich systemy nerwowe, zanim zrozumieli, dlaczego słońce świeci w nocy nad ich doliną.

Przeszedłem na tył wozu. Korek wlewu paliwa znajdował się pod tablicą rejestracyjną. Przetarłem klapę bagażnika po lewej i po prawej. Nie było listka. Uśmiechnąłem się. Czyżbym miał szczęście od pierwszego strzału? Wyjąłem zza pasa króciutki łom i podważyłem ostrożnie klapkę, na której zamontowano tablicę. Nie miałem ochoty na bliższe zaznajamianie się z funkcjonariuszami, a normalne dotarcie do wlewu wymagało otwarcia drzwi i skorzystania z dźwigienki przy fotelu kierowcy. Zresztą ten mały akt wandalizmu nikomu nie zaszkodzi. Dwa krótkie szarpnięcia i tablica powędrowała w górę, odsłaniając widok, który niespecjalnie mnie ucieszył. Zamiast korka zobaczyłem skomplikowany zawór.

Gaz.

A jednak oszczędzali.

– Waszą dewizą jest „Służyć i chronić" – powiedziałem do gliniarzy, którzy od lat martwymi oczami zza okularów przeciwsłonecznych obserwowali pustą szosę. – Ale nie wydajecie się zbyt pomocni...

W zasięgu wzroku miałem jeszcze kilkanaście samochodów, z czego większość, niestety, była mocno rozbita albo spalona. Tylko trzy rokowały jakiekolwiek nadzieje. Leżący na dachu ford, wbity w tył wypiętej naczepy pontiac i jakiś van stojący na poboczu. Z tej odległości nie byłem w stanie rozpoznać jego marki.

Ruszyłem w stronę pontiaca. Choć był najpoważniej uszkodzony z tej trójki, znajdował się najbliżej. Liczyłem też na to, że kierowca pragnący czuć moc pod maską nie szedł na łatwiznę. Niestety myliłem się i w tym przypadku. Szmaragdowy listek dał się zauważyć na czerwonym lakierze już z daleka. Drugim wozem, który postanowiłem sprawdzić, był van. Koreańskie cudo, którego nazwy nie podejmowałem się w ogóle wymówić. Jego właściciel nawet nie musiał niczego przerabiać. Ten model fabrycznie wyposażano w instalację gazową.

Pozostała mi ostatnia deska ratunku. Leżący na dachu kombiak miał już swoje lata, nie był też zbyt dobrze utrzymany, co sugerowało, że właściciel do najbogatszych nie należał. Prawdopodobieństwo, że nie zaadaptował wozu, było więcej niż nikłe, ale sprawdzić musiałem.

Tyle razy dzisiaj się myliłem, lecz tu na swoje nieszczęście miałem rację.

Znowu gaz.

Wróciłem do quada, rozłożyłem na poboczu koc zwędzony z motelu i zabrałem się do wypakowywania rzeczy z juków. Chciałem zrobić selekcję posiadanego majątku przed wyruszeniem w dalszą drogę. Jeśli dobrze pamiętałem, całość specjalnego wyposażenia ważyła około pięćdziesięciu funtów. Z dużą częścią tego sprzętu musiałem się więc pożegnać. Szosa na odcinku kilkuset jardów pięła się lekko pod górę, dopiero później rozpoczynał się długi zjazd, co oznaczało, że nie zdołam raczej przepchnąć ciężkiego jak jasna cholera czterokołowca. Hibernacja pozbawiła mnie kondycji skuteczniej niż lata spędzone w fotelu przed telewizorem z piwem w ręku.

Rozłożyłem zawartość toreb na kocu i szybko posegregowałem wszystkie rzeczy na te, których nie mogę się za nic pozbyć, i całą resztę. Niestety po dokładniejszym rozeznaniu okazało się, że mogę odrzucić bez żalu najwyżej trzy, cztery funty bagażu. Reszta, zgodnie z zamysłem osób, które przygotowywały ten zestaw, wydawała mi się niezbędna.

Szlag by to...

Przysiadłem na bagażniku radiowozu i rozpakowałem gumę do żucia, którą zdobyłem na jednej z mijanych po drodze stacji benzynowych; przeczesałem dwie pierwsze, potem sprawdzałem już tylko na displayach, czy miały w ofercie coś ponad standard. Z wiadomym skutkiem. Wyglądało na to, że w tej okolicy od kilku lat nie sprzedawano już czystej benzyny. Guma wprawdzie była nieźle przeterminowana, sucha i traciła smak już po kilku minutach, ale wciąż spełniała jedno zadanie – czyściła zęby i choć na moment dawała poczucie świeżości w ustach. Czas na przemyślenie sprawy z innej strony.

Może rower?

Przebiegłem w pamięci ostatni kwadrans jazdy. Na żadnym z mijanych wraków na pewno nie widziałem rowerów. Zaraz, a ten camper przy spalonej stacji benzynowej? Chyba miał coś z tyłu na zaczepach. Rzuciłem okiem na mapnik. Ponad pięć mil. Za daleko, stanowczo za daleko na spacer, zwłaszcza że nie miałem pewności, czy tak bliska eksplozja nie uszkodziła tych rowerów. Jednakże wyprawa do jeszcze odleglejszego Vegas też nie wydawała mi się zbyt nęcąca, tym bardziej że czekałby mnie powrót na zdobycznym sprzęcie po manele. Nie dość, że stracę masę czasu, to jeszcze będę musiał pokonać długie i strome wzniesienie. Sześć mil ciągle pod górkę? Mission impossible. Przeniesienie całego majątku też nie wchodziło w grę. Na pewno

nie na takim dystansie. W palącym słońcu sam ledwie się do-
wlekę do miasta.

– No i na co szły moje podatki, szeryfie? – mruknąłem roz-
złoszczony, spoglądając w stronę majaczących za szybą sylwe-
tek w kapeluszach, i nagle zauważyłem coś, co umknęło mojej
uwadze, gdy po raz pierwszy oglądałem samochód. Spod tyl-
nych drzwi radiowozu wystawał kawałek brudnego materiału.
Czyżby panowie policjanci nie byli tej nocy sami? Podniosłem
się i oczyściłem obie szyby od mojej strony. Miałem rację. Na
tylnym siedzeniu leżały zwłoki jakiegoś obszarpańca. Zapewne
bezdomnego albo włóczęgi. Zdołałem dostrzec kajdanki na jego
rękach.

Bezdomni mają to do siebie, że taszczą ze sobą cały, aczkolwiek skromny majątek wszędzie tam, dokąd się udają. Przypomniałem sobie, że jadąc kiedyś na narty w Sierra Madre, trafili-
śmy na górskiej drodze, w samym środku wielkiego zadupia, na
takiego właśnie wędrowca. Pchał przed sobą...

Tego mi było trzeba!

Wspiąłem się na bagażnik radiowozu i rozejrzałem uważnie.
I wtedy go zobaczyłem... Za ubitą zatoczką, w której gliniarze
czaili się na swoje ofiary, biegł głęboki parów osłonięty gęstą plą-
taniną rachitycznych, wyschniętych badyli. Na jego dnie stał wózek. Zwykły sklepowy wózek podprowadzony z jakiegoś centrum
handlowego. Skromny dobytek włóczęgi leżał obok.

– Zwracam honor – powiedziałem na głos i zeskoczyłem za
barierkę. – A jednak moje podatki nie poszły na marne.

Wyciągnięcie wózka z dna parowu nie trwało długo. Pozbyłem się resztek tobołków poprzedniego właściciela i bez trudu
wydostałem zdobycz na asfalt. Moje rzeczy nie wypełniły dru-
cianego kosza nawet w połowie. A kółka pomimo upływu czasu
działały znakomicie. Trochę je tylko nasmarowałem, korzystając z zasobów bezużytecznej chwilowo maszyny. Zasalutowałem

przepisowo martwym stróżom prawa i wyruszyłem ku szczytowi wzgórza oddzielającego mnie od Vegas.

To nie była łatwa przeprawa. Mimo że nie musiałem dźwigać żadnych ciężarów, pokonanie ostatniego wzniesienia sprawiło mi sporo kłopotu. Marzyłem o dotarciu do miejsca, za którym pasmo asfaltu znikało z moich oczu, ale gdy się tam znalazłem, zacząłem mieć prawdziwe problemy. Przy tak ostrym zjeździe utrzymanie wózka, który nie został wyposażony w hamulce, było o wiele bardziej wyczerpujące niż pchanie go pod górę. Prosty jak strzała pas asfaltu prowadził aż na przedmieścia Las Vegas. Miał niemal sześć mil długości. Gdybym puścił laminowaną rączkę, zapewne pożegnałbym się z większością delikatniejszego sprzętu, który nawet przy tak niewielkiej prędkości drżał nieustannie i klekotał, gdy maleńkie twarde kółka toczyły się po chropowatej nawierzchni szosy międzystanowej.

Ze szczytu wzgórza widziałem zarysy kilkudziesięciopiętrowych hoteli i kasyn, ale gdy po godzinie mozolnej wędrówki miasto wcale nie wydawało mi się bliższe, zacząłem mieć dosyć wszystkiego. Już na początku wymyśliłem schodzenie zakosami, co znacznie wydłużało drogę, ale pozwalało na zmniejszenie obciążenia rąk i pleców palących żywym ogniem od nieustannego powstrzymywania wózka, który chyba miał ochotę na samotną podróż w dół zbocza.

Około czternastej zatrzymałem się na pierwszy długi odpoczynek. Przysiadłem na rozgrzanej masce rozbitej czarnej corvetty rocznik 68 i popijając wodę z drugiej manierki, lustrowałem dolinę przez lornetkę. Teraz, gdy nie było smogu ani dymu, nic nie ograniczało widoczności. Ze skraju ogromnej niecki, w której leżało miasto, miałem naprawdę niesamowity widok. Las Vegas pozostało nietknięte. Pewnie nawet jedna szyba nie wyleciała z luksusowych hoteli na Stripie. Byłem jeszcze daleko od pierwszych kasyn i lotniska, ale blask, jaki bił od czarnej piramidy „Luxoru" i stojącego przed nią kilkudziesięciopiętrowego budynku przypominającego sztabę złota, mówił sam za siebie.

– Mafia zawsze sobie poradzi – mruknąłem, mając wciąż w pamięci dawną głupią scysję z lokalnym bossem w jednym z klubów ze striptizem niedaleko centrum. W dawnych dobrych czasach, kiedy pozwalano nam na weekendowe wypady do Los Angeles albo właśnie tutaj.

W sali, w której roznegliżowane dziewczyny tańczyły na kolanach klientów, panował nieludzki ścisk. Pomimo dwudziestaka za wstęp nie potrafiłem znaleźć jednego wolnego miejsca. Dopóki nie wypatrzyłem pustego stolika z przykrytą serwetką na wpół opróżnioną szklaneczką whisky na samym środku. Trochę mnie dziwiło, że nikt tam nie siada, ale po kwadransie przebierania z nogi na nogę wzruszyłem ramionami, odsunąłem jedno z krzeseł i zacząłem się delektować przedstawieniem. Długo to nie trwało. Pojawił się facet czarny jak smoła. Miał podłużną, niemal końską twarz i bardzo ostre rysy. Nie był mieszańcem, co to, to nie. Może Jamajczykiem albo Zulusem. Pieprzyć to. Zadał mi pytanie, którego nie zrozumiałem; wydawało mi się, że chodzi mu o tę szklankę. Starałem się go zbyć, ale gdy namolnie powtórzył kilka razy to samo, w końcu do mnie dotarło, o co pyta. „Dlaczego ten drink jest przykryty?" – tak dokładnie powiedział. Wyjaśniłem mu, że jestem żołnierzem, nie kelnerem, więc nie znam odpowiedzi i mało mnie ona obchodzi, na co wyraźnie poszarzał na twarzy. Warknął coś, a ja nie pozostałem mu dłużny. Wstałem i, Bóg mi świadkiem, Murzyn, choć nie ułomek, zrobił się nagle taki malutki. Spoglądałem na niego tryumfalnie z góry, a potem nagle zacząłem się od niego oddalać. Dwaj goryle wynieśli mnie za bramkę, tam włożyli w kieszeń koszuli dwadzieścia baksów i poradzili, żebym spierdalał jak najszybciej i jak najdalej, zanim czarniawy diler oprzytomnieje i każe mnie zabić za to, że zająłem jego i tylko jego miejsce. Tak... Stare dobre dzieje, kiedy ta okolica rozbrzmiewała dźwiękami muzyki i brzęczeniem żetonów.

Polałem kark wodą z manierki i ruszyłem dalej. Oceniłem, że dotarcie do miasta zajmie mi, lekko licząc, dwie godziny. Grubo się pomyliłem. Było już po osiemnastej, gdy doczłapałem do zjazdu z międzystanowej i pordzewiałej tablicy z na wpół złuszczonym napisem obwieszczającym, że wkraczam do Las Vegas. Dziwnie się czułem, wędrując z wózkiem po opustoszałym chodniku ciągnącym się obok pierwszych kasyn. Schodząc w dolinę, zastanawiałem się, jak zniosę widok setek zasuszonych ciał, ale gdy wkroczyłem na Strip, uzmysłowiłem sobie, że może nie będzie tak źle. Atak nastąpił po trzeciej w nocy czasu lokalnego. O tej godzinie większość gości jaskiń hazardu już spała, szykując się do odzyskania swoich pieniędzy w kolejnym dniu walki przy stole, a drzwi kasyn dawno pozamykano na przerwę techniczną. Jeśli w ogóle napotkam tu gdzieś problem, to zapewne dopiero w starym centrum i dzielnicach dla dorosłych, do których o tak późnej porze przenosiło się życie miasta.

Brak zwałów ciał na Stripie był dla mnie niewielkim pocieszeniem. Krocząc po zakurzonym betonie kilkaset jardów od jednego z dwóch punktów zero w tym mieście, wiedziałem, że hotele wokół mnie muszą być pełne ludzi, którzy podczas ataku zginęli we śnie.

Odwróciłem głowę w stronę wysokiego ogrodzenia oddzielającego mnie od lotniska. Żaden ze stojących w równym rzędzie samolotów nie wyglądał na uszkodzony, a przecież dokładnie nad nimi, na wysokości nie przekraczającej dwóch tysięcy stóp, eksplodowała głowica trineutrinowa. Klasyczna atomówka zamieniłaby to miejsce w morze płonących ruin. Oba liczniki Geigera leżące na kocu przykrywającym moje rzeczy terkotałyby jak szalone, a ja zamieniałbym się powoli, nawet o tym nie wiedząc, w masę zrakowaciałego mięcha. Tymczasem szedłem spokojnie, mijałem parkingi pełne przykurzonych samochodów, od czasu do czasu przechodziłem obok zasuszonych zwłok człowieka albo zwierzęcia i oddychałem pełną piersią, słysząc szum wiatru zamiast natarczywego staccato aparatury pomiarowej.

Minąłem wielkiego sfinksa strzegącego wejścia do czarnej piramidy i skierowałem się ku następnemu kompleksowi kasyn i hoteli. Baśniowy „Camelot" sąsiadował z „Luxorem", przy czym oba ośrodki dzieliła wąska uliczka. Za siedzibą króla Artura w perspektywie bulwaru stała przekrzywiona teraz lateksowa Statua Wolności strzegąca krzykliwie kolorowego „New Yorku" i rollercoastera oplatającego najwyższe piętra tego kasyna niczym gigantyczny wąż.

Zatrzymałem się dopiero przy wejściu na stalową estakadę, którą można było się dostać na drugą stronę kilkupasmowego bulwaru, i spojrzałem w stronę centrum. Wiatr, dość porywisty jak na tę porę roku, unosił z chodników tumany kurzu i masę włókien opadających z martwych palm zdobiących kiedyś środek Stripu. Stojąc na chodniku, nie miałem zbyt dużego pola widzenia – z góry, ze środka przejścia, panorama miasta powinna być o wiele lepsza. Wyjąłem z wózka lornetkę i wspiąłem się po stromych schodkach.

Z wysokości kilkunastu stóp rzeczywiście miałem lepszy widok. Dzięki lornetce mogłem nawet zobaczyć więcej, niż chciałem. Im bliżej centrum, tym ruch w nocy był większy, restauracje przyjmowały gości do białego rana, nocne kluby tętniły życiem. Nie to, co dzisiaj. Strip tuż za wyjazdem z „Caesars Palace" był zatarasowany na całej szerokości, w karambolu wzięło udział kilkanaście limuzyn i taksówek. Widziałem też ciała leżące na chodniku. Całe mnóstwo ciał. Ciekawa sprawa – wyglądało to tak, jakby ci wszyscy ludzie nagle rzucili się do ucieczki. Czyżby tam promieniowanie było mniej zabójcze? Nie, z pewnością nie. Zatem co? Ogłoszono alarm? W jednym jedynym hotelu? Niemożliwe. Sprawdziłem dokładnie teren przy Tropicana Avenue, obok „New Yorku" i „MGM". Tam nie było oznak paniki. Znów skierowałem lornetkę na północny wschód. Cokolwiek sprawiło, że ludzie tłumnie wylegli na ulicę, odebrało mi także resztkę ochoty na dalszy spacer w tamtym kierunku. Zdawałem sobie bowiem sprawę, że zbliżając się do widniejącej w oddali wieży „Stratosphere", trafię na jeszcze gorsze widoki.

Wybór miałem i tak wielki. Złota sztaba „Mandalay Bay", kusząca zieleń „MGM Grand", pastelowa panorama „New Yorku", bajeczne biało-czerwone i biało-niebieskie wieże „Camelotu" albo absolutna czerń „Luxoru". Schowałem lornetkę i pociągnąłem wózek z powrotem ku szeroko rozstawionym łapom sfinksa.

„Luxor" nie był najnowszym kasynem, ale z tego, co pamiętałem, jednym z bardziej egzotycznych. Nadano mu kształt trzydziestopiętrowej piramidy wyłożonej z zewnątrz czarnym szkłem. Lecz nie to było w nim najciekawsze. Wystarczyło pokonać krótki korytarz, aby ujrzeć jeden z najbardziej niesamowitych widoków, jakie oferowało to miasto. Wnętrze piramidy było puste od parteru aż po szczyt. Folder, który kiedyś czytałem, głosił, iż jest to największe na świecie atrium. I było, musiało być, choć z drugiej strony twórcy tej budowli wciskali też ludziom sporo kitu, jak choćby to, że mają tutaj jedyne na świecie windy, które jeżdżą nie tylko w pionie, ale i pod kątem. Zdaje się, że zmienili płytę dopiero w momencie, gdy w dole Stripu otwarto kasyno imitujące Paryż. Jak się okazało – a tamtejsi spece od marketingu zadbali, by rzecz rozniosła się szerokim echem – wieża Eiffla kryła w swoim wnętrzu podobny wynalazek, tyle że uruchomiony cały wiek wcześniej.

Kit czy nie, widok naprawdę zapierał dech w piersiach i szczerze mówiąc, nawet wcale niemała liczba zmumifikowanych ciał na marmurowej podłodze przejścia nie była w stanie tego zmienić.

Przepchnąłem wózek przez obrotowe drzwi i dostałem się do piramidy. Pomalowane na kremowo ściany błyszczały w blasku setek reflektorów. Wprawdzie ponad połowa z nich już nie działała, a wszystko w zasięgu wzroku, łącznie ze zwłokami, pokrywała gruba warstwa kurzu, ale blask ten sprawiał wrażenie, że kasyno jest wciąż czynne i gotowe na przyjęcie nowych gości. Spanikowałem, przyznaję się bez bicia. Dopiero po kilku minutach, gdy odzyskiwałem oddech ukryty za jednym z wozów na parkingu, dotarło do mnie, że działające oświetlenie nie musi wcale świadczyć o obecności innych ludzi. Odczekałem jeszcze chwilę i wróciłem z odbezpieczonym pistoletem w dłoni, aby to sprawdzić.

Rozbudowany system baterii słonecznych, jakimi pokryto każdy wolny cal zewnętrznych ścian budowli, przetrwał atak i kolejne lata w niemal nienaruszonym stanie. Impuls elektromagnetyczny nie uszkodził jego obwodów, gdyż były zbyt proste i nie wykorzystywały elektroniki – wyczytałem później w broszurze kasyna, że była to część dziwacznego projektu marketingowego, który prócz napędzenia kolejnych klientów miał udowodnić, że starożytni Egipcjanie mogli dysponować energią elektryczną. Coś mi świtało, że czyniono podobne przedsięwzięcia na fali krytyki, po odejściu od staroegipskiego charakteru wystroju wnętrz w dwa tysiące dziesiątym. Nie miałem pojęcia, czy te zabiegi zakończyły się sukcesem. Jedno tylko było pewne: projektanci systemu dowiedli, że ich dzieło przetrwało atak broni, która miała unicestwić cywilizację.

Wróciłem do „Luxoru", raz jeszcze przekroczyłem progi piramidy i stanąwszy na środku holu, spojrzałem w górę. Wąskie galeryjki otaczające atrium prowadziły do setek pokoi i apartamentów, jakie przygotowano dla spragnionych hazardu gości. Piętro niżej, pod moimi stopami i podłogą symulującą rynek sztucznego miasteczka, znajdowały się hale pełne automatów i stołów do blackjacka oraz ruletki. Ongiś była to prawdziwa fabryka do wyciągania pieniędzy z frajerów, obecnie – wspólne cmentarzysko tych, którzy tracili tutaj fortuny, i tych, którzy nimi obracali.

Czując się znacznie pewniej, zaciągnąłem wózek do recepcji wyglądającej jak burta wielkiej galery i ominąwszy kilka ciał leżących przy stosie bagaży, podszedłem do kontuaru. W zasięgu ręki miałem dzwonek, którym zazwyczaj przywoływało się recepcjonistów albo bagażowych. Stuknąłem w niego kilkakrotnie. Zwielokrotnione echem dźwięki były bardzo głośne, ale oczywiście nikt się nie pokazał. Rzecz nie do pomyślenia jeszcze nie tak dawno temu. Czego jednak można było oczekiwać od tych, którzy przepłynęli już na drugą stronę Styksu? Zaraz, czy Styks był w mitologii egipskiej czy greckiej? Szlag, nie pamiętałem. Zresztą, kogo to dzisiaj obchodzi? Styks, pola trzcin czy zwykłe niebo? Pokręciłem wszystko przez jedną z miejskich legend, która dotyczyła tego przybytku. W początkach istnienia oferował on przejażdżki łodziami po sztucznej rzece płynącej na poziomie kasyna, którą to atrakcję dość szybko zlikwidowano. Ponoć wielu turystów widywało w mrocznych tunelach duchy trzech robotników, którzy zginęli podczas budowy piramidy.

Spróbowałem znaleźć wejście do recepcji, ale okazało się, że drzwi w burcie są zamknięte. Nie pozostało mi nic innego, jak wspiąć się na szeroki blat i pokonać go w nietypowy sposób. Przetarłem tyłkiem szeroki ślad na zakurzonym kontuarze. Nie martwiło mnie to jednak. Wiedziałem, że kombinezon z bazy niedługo zawiśnie na wieszaku. Powoli nabierałem ochoty na powrót do cywila.

Obsługę recepcji znalazłem na zapleczu. Pracownicy zdążyli się tam schronić, zanim promieniowanie zrobiło swoje. Wszyscy, którzy znajdowali się w pobliżu w krytycznym momencie, skupili się w niewielkim kantorku i tam dosięgła ich niewidzialna śmierć. Miałem nadzieję, że nie była zbyt bolesna, chociaż plamy krwi i innych wydzielin na ścianach i podłodze zdawały się sugerować coś innego.

Zamknąłem ostrożnie drzwi do tej zbiorowej mogiły i zbliżyłem się do stanowiska recepcyjnego. Komputery, zgodnie z moimi przypuszczeniami, podzieliły los ludzi. Podobnie jak cała elektronika, w tym rejestratory i programatory kluczy. Na szczęście obok każdego terminalu leżały wydruki list gości. Otrzepałem kilka kartek z wszędobylskiego kurzu i przyjrzałem się zapisanym na nich danym. Znakomita większość nazwisk nic mi nie mówiła, ale już na trzeciej stronie znalazłem coś ciekawego. Rejestr rezerwacji apartamentów. Sprawdzałem je kolejno po datach i trafiłem na interesujący zapis. No proszę, spa suite Ramzes XIII. Apartament zarezerwowany od dwudziestego drugiego do dwudziestego szóstego kwietnia. Czyli od dnia ataku. Tom Cruise i Nicole Kidman? Bez jaj. Ciekawe, czy nie minąłem ich limuzyny gdzieś po drodze? Szybko odpędziłem tę myśl. Tom na pewno przyleciał tu swoim scjentologicznym gulfstreamem. Wątpiłem, by chciało mu się tłuc tyle godzin po zatłoczonej autostradzie.

Spędzając długie wieczory w kantynie bazy przy piwie i telewizorze, często oglądałem E-News, ale nie pamiętam, by cokolwiek mówiono o kolejnym zejściu się tej wiekowej pary. Widziałem reportaż ze sprawy rozwodowej Toma i relację z niezłej burdy, jaką Nicole urządziła swojemu ostatniemu mężowi, gdy nakryła go w dość niedwuznacznej sytuacji z jakąś podrzędną gwiazdką. Wszystko przed obiektywami kamer. Sądziliśmy z Frankiem, że to tylko część dobrze pomyślanej kampanii reklamowej jej nowego filmu, ale chyba nie mieliśmy racji. Arkusz rejestracyjny leżał wciąż w przegródce, co znaczyło, że goście jeszcze nie dotarli na miejsce. Tym lepiej dla mnie.

– Sorry, Tom. Ty masz... znów masz Nicole, ale Ramzes Trzynasty jest mój – powiedziałem do kartki, którą trzymałem w dłoni.

Pomyszkowałem w przegródkach pod kontuarem. W jednej z nich znalazłem plany wyjść przeciwpożarowych i rozmieszczenia pokoi. Apartament, który miałem zająć, mieścił się na siódmym piętrze. Mogło być gorzej. Reflektorki w atrium to jedno, ale windy coś zupełnie innego. Nie było szansy, żeby działały. Pozostawały tylko schody.

Siedem pięter to niby niedużo, ale i tak wspinaczka zajęła mi ponad dwadzieścia minut. Oczywiście zabrałem z wózka cały majątek i targałem go w milczeniu na samą górę, robiąc co dwa, trzy piętra dłuższe postoje. Wciąż nie pozbyłem się atawistycznego lęku, że gdy spuszczę z oka jakąkolwiek rzecz, mogę jej już nie zobaczyć. Uwierzenie w to, iż jestem jedynym żywym człowiekiem w tym mieście, ba, w całym stanie, a może nawet w kraju, nadal przekraczało moje możliwości.

Wreszcie dotarłem na właściwe piętro. Złożyłem tobołki przy schodach i ruszyłem po galerii, szukając drzwi do mojego apartamentu. Widok z samego szczytu w głąb bezdennego niemal atrium na pewno przyprawiał o zawrót głowy, z perspektywy siódmego piętra jednak nie był spektakularny. Zatrzymałem się na chwilę i spojrzałem w górę. Pochyłe ściany stykały się wysoko nade mną. Szczyt piramidy zajmował potężny reflektor, który był kiedyś, jeśli wierzyć reklamówkom, jednym z niewielu obiektów widocznych gołym okiem z przestrzeni kosmicznej.

Kosmos kosmosem, ale ja potrzebowałem miejsca do wypoczynku. Ruszyłem dalej i ku swojemu zdziwieniu zobaczyłem, że drzwi apartamentu, którego szukałem, są otwarte. Wózek pokojówki ze stertami ręczników i środków czystości świadczył o tym, iż atak musiał zastać ją tutaj podczas sprzątania. Zdziwiło mnie to, bo czyszczenie pokoju o tak późnej porze nie było w hotelach rzeczą normalną, chociaż zważywszy na nazwiska zapowiadanych gości, mogło mieć sens... Myśląc o tym, poczułem niepokój. Perspektywa wynoszenia z apartamentu ciała kobiety nie była specjalnie kusząca, zwłaszcza że wciąż miałem w pamięci to, co przydarzyło się strażakowi w Amboy. Nie należałem wprawdzie do osób przesądnych i nie wierzyłem w duchy – gdyby te naprawdę istniały, nie miałbym sekundy spokoju po tym, co stało się ze światem – niemniej spanie w pomieszczeniu, w którym leży trup, też nie wydawało mi się zbyt rozsądne.

Popchnąłem palcami drzwi i zajrzałem do środka. Stojąc na galerii, widziałem jedynie wielkie łóżko, jacuzzi pod pochyłym oknem i drzwi do łazienki. Gwizdnąłem cicho. Wpuszczona w podłogę wanna z hydromasażem o rozmiarach solidnego basenu i utrzymanych w stylu egipskim ornamentach, z której mogłem oglądać panoramę Stripu, robiła naprawdę kolosalne wrażenie. Co ciekawe, w pomieszczeniu nie było wiele kurzu i przysiągłbym, że w powietrzu nadal unosi się ledwie uchwytna woń pachnideł. Jak dotąd nie zauważyłem nigdzie śladu pokojówki. Sprawdzałem więc dalej. Podzielony na dwie części apartament był naprawdę ogromny. Po wyniesieniu mebli można by w nim rozegrać porządnego debla. Osiemset stóp kwadratowych – niejeden dom nie miał takiej powierzchni.

Na wprost drzwi wejściowych, przed wnęką z jacuzzi, stało ogromne, starannie zaścielone łoże, obok niego zaś stylizowana szafa i regał z olbrzymim telewizorem. Po prawej za ścianką mieściła się część salonowa. Sofa i stolik w kolorze ciemnej wiśni stały na tle panoramicznego okna z widokiem na złote ściany kasyna „Mandalay Bay". Całości wystroju dopełniały wielkie wazy pełne sztucznych kwiatów – inne nie wytrzymałyby przecież tak długo bez wody, a nade wszystko, zabiłoby je promieniowanie. Obok wejścia znajdowała się dodatkowa łazienka pełniąca raczej rolę toalety, chociaż była tam też wpuszczona w ścianę kabina prysznicowa.

Widok ten, nawet przykurzony, zapierał dech w piersiach. Nie dziwiłem się teraz, że ludzie płacili dwadzieścia pięć kawałków za noc w podobnych warunkach. Gdybym miał przed wojną takie pieniądze, pewnie też spędzałbym tu każdą wolną chwilę. Wystrój apartamentu zaszokował mnie do tego stopnia, że na moment zapomniałem o poszukiwaniu pokojówki. Ale tylko na moment. Gdy przysiadłem na krawędzi łóżka i poczułem, jak wypełniony wodą materac ugina się pode mną i zaczyna falować z lekkim chlupotem, wróciłem do rzeczywistości. Przede wszystkim ściągnąłem pościel i wyrzuciłem ją za drzwi, przez poręcz, wprost na ludzi spoczywających daleko w dole, na podłodze atrium. Potem wyciągnąłem świeży zestaw prześcieradeł z samego dna wózka, żeby był jak najmniej zakurzony, i rozłożyłem z koszarową precyzją na wielkim łożu. Gdy skończyłem ścielenie, coś mnie tknęło – trudne do sprecyzowania przeczucie, które kazało mi sprawdzić wszystkie szafy i garderoby. Ale i tam nie znalazłem kobiety, która otworzyła przed trzema laty drzwi apartamentu, zanim dopadła ją śmierć.

Uznałem w końcu, że rozwiązanie tej zagadki przerasta moje możliwości. Zresztą to nie musiała być żadna tajemnica. Pokojówka mogła przecież wyjść po coś na chwilę tuż przed atakiem. Albo w napadzie paniki spadła z galerii... W każdym razie nie było jej w apartamencie, który wybrałem, choć dzięki niej nie musiałem rozwalać drzwi, aby wejść do środka. Zostawiła dla mnie cały ten raj, jakby wiedziała, że pojawię się tutaj, i za to byłem jej wdzięczny. Na tyle, że postanowiłem położyć na poduszce spory napiwek, kiedy będę się stąd wyprowadzał.

Wróciłem na klatkę schodową po swoje rzeczy i rzuciłem je na stół w salonie. Z barku, który był lepiej zaopatrzony niż kantyna w naszej bazie, zabrałem kieliszek, korkociąg i skromnie wyglądającą butelkę stojącego w głębi czerwonego merlota Niebaum-Coppola rocznik 1980. Wartego, jeśli wierzyć cennikowi, znacznie więcej, niż wynosiły moje miesięczne dochody.

Przed wojną, rzecz jasna.

Teraz serwowano go gratis.

Usiadłem w fotelu przed oknem, które zajmowało całą pochyłą ścianę. Za przyciemnioną szybą widziałem słońce odbijające się w złotych szybach sąsiedniego kasyna. Otworzyłem ostrożnie butelkę wina i powąchałem korek. Nie unosił się z niego lekki i słodki aromat wiśni, raczej rzadko spotykany wśród kalifornijskich win z Napa Valley. Na moje nieszczęście owoc wieloletniej pracy panów Niebauma i Coppoli podzielił los biokomponentów. Na moje nieszczęście, gdyż najlepsza nawet whisky nie może zastąpić smaku dobrego wina. A smutki tak wielkie wypada topić w czymś naprawdę szlachetnym.

Zakorkowałem butelkę, postawiłem ją na stoliku i sprawdziłem, co jeszcze kryje się w trzewiach apartamentowego barku. Sporo tego było, większości gatunków nigdy wcześniej na oczy nie widziałem, sięgnąłem więc po trzydziestoletniego laphroaiga cairdeas, głównie ze względu na wiek. Chociaż fakt, iż w tej limitowanej edycji wyprodukowano tylko tysiąc pięćset trzydzieści sześć flaszek, też miał niebagatelne znaczenie. Po dokonaniu wyboru przerzuciłem zawartość jednej z toreb, szukając racji żywieniowych. Wyjąłem pojemniki z pastylkami i witaminami, ale zaraz je odłożyłem. Zważyłem za to w dłoniach zabrane z motelu w Baker puszki orzeszków. Ściągnąłem wieczko jednej z nich i zdarłem folię dzielącą mnie od zawartości. Brązowe ziarenka pachniały wybornie. Dla pewności raz jeszcze przesunąłem nad nimi licznikiem Geigera. Były równie czyste jak pachnące. Spróbowałem jednego. Poczułem na języku sól, a potem smak samego miąższu. Nie był to wprawdzie posiłek godny tego miejsca i może niezbyt współgrał z wybranym trunkiem, ale w porównaniu z pozbawionymi smaku odżywkami zdawał się doskonałym uzupełnieniem tego wieczoru.

Przesiedziałem przy oknie do zachodu słońca, sącząc powoli ciepłą whisky, pogryzając orzeszki i rozmyślając o tym, co przyniesie następny dzień. Gdy zrobiło się całkiem ciemno, przeniosłem się ze szklaneczką do części sypialnej. Nie pamiętam nawet, kiedy zasnąłem, kołysząc się łagodnie wśród pościeli chłodnej i delikatnej niczym kobiece pocałunki.

Szedłem środkiem Stripu z łomem w dłoni, rozglądając się uważnie. Poprzedniego wieczora powziąłem pewne postanowienia. Jednym z nich, acz nie najistotniejszym, był chwilowy powrót do cywila. Bardzo wygodny kombinezon wojsk rakietowych, który towarzyszył mi od tamtej feralnej nocy, przypominał pomiętą szmatę. O bieliźnie wolałem nie wspominać. Hektolitry potu, jakie wsiąknęły w bawełnę w czasie przeprawy przez pustynię, wciąż dawały o sobie znać niezbyt przyjemną wonią i pieczeniem w pachwinie.

Usiłowałem przypomnieć sobie, gdzie w tej części miasta były jakieś porządne sklepy. W każdym kasynie można było znaleźć sporo butików, to fakt, ale nie o takich miejscach myślałem. Przy jakiejś okazji obiło mi się o uszy, że przy Stripie wybudowano nowe centrum handlowo-rozrywkowe, nie typowe kasyno, ale cały kompleks hotelowo-mieszkalno-handlowy. Ponoć gdzieś pomiędzy „Flamingo" a „Tropicaną", czyli całkiem niedaleko i po drodze. Z daleka dostrzegłem to miejsce – nawet w sercu stolicy krzykliwego stylu i szmiry nowe centrum wyróżniało się rozmachem. Po kilku minutach spokojnego spaceru zatrzymałem się na wprost futurystycznego miasteczka. Półkoliste budynki, sześćdziesięciopiętrowe wieże, graniaste giganty ze szkła i stali pyszniły się w słońcu poranka, ale jeden rzut oka wystarczył, by wiedzieć, że nie dostanę tutaj tego, na czym najbardziej mi zależy. Miliardy poszły w błoto, kryzys dopadł właścicieli, zanim naprawdę zaczęli robić na tej inwestycji pieniądze. A rachunki trzeba było spłacić. Nie ma zmiłuj, cud architektury dwudziestego pierwszego wieku poszedł pod młotek. Czy ktoś go kupił, tego nie wiedziałem, ale jedno było pewne: interes zamknięto wiele miesięcy przed atakiem. I przez następne dziesięciolecia raczej nikt go nie otworzy.

Musiałem wymyślić coś innego. Do głowy przychodził mi jednak wyłącznie kryty pasaż handlowy pod „Caesars Palace". Ale żeby tam dotrzeć, musiałem zbliżyć się do zaobserwowanej strefy paniki, a nawet w nią wkroczyć, może także pokonać linię wyznaczoną rozbitymi wozami i setkami ciał spoczywających na chodnikach. Wzdrygnąłem się, jednakże po chwili namysłu podjąłem to ryzyko. Z licznikiem Geigera w dłoni szedłem powoli ku białym kolumnadom prowadzącym do parterowego foyer jednego z najstarszych i najbardziej znanych kasyn tego miasta. W ilu filmach widziałem te charakterystyczne budowle? Szalał w nich Jackie Chan, George Clooney ze swoją jedenastką, nawet Iron Man zrobił sobie tutaj przystanek. Parę dekad historii tego miasta wiązało się z białym kasynem.

Minąłem linię rozbitych samochodów. Na razie było spokojnie. Wskazówka licznika nie wychylała się poza zielone pole, choć kierowałem go na każdy większy przedmiot stojący na mojej drodze. Głowice trineutrinowe okazały się rzeczywiście nadzwyczaj czyste.

Z każdym pokonanym jardem zauważałem więcej zwłok, ale ku mojemu zdziwieniu widok wielkiej liczby wyschniętych mumii nie zrobił na mnie aż tak wielkiego wrażenia, jak się spodziewałem. Już w czasie przejazdu z Baker do Vegas zauważyłem, że pozostałości ataku zaczynają mi powszednieć. Przy piętnastce nie było już tak spokojnie jak na pustkowiach. Mnóstwo rozbitych samochodów i leżące wszędzie szczątki ich pasażerów w pewien sposób uodporniły mnie na wszechobecny widok śmierci. Choć musiałem przyznać, że nadal czułem się nieswojo, widząc pergaminową skórę i poskręcane nienaturalnie ciała. Zwłaszcza gdy było ich tak wiele jak tutaj. Ale reakcje te były naprawdę dalekie od przerażenia, z jakim odwracałem wzrok od okien każdego mijanego budynku przy drodze do Twentynine Palms. Tak czy inaczej, teraz o wiele bardziej interesowało mnie, czy teren, na który wchodzę, nie jest „gorący". Nie powinien taki być i nie był, co przyjąłem z wielką ulgą. Przedostałem się do wejścia, stąpając ostrożnie wąskimi alejkami, tak aby nie nadepnąć na żadne ze zwłok.

To kasyno, w odróżnieniu od „Luxoru", nie miało baterii słonecznych, a w każdym razie nie korzystało z nich w takim stopniu jak konkurencja. Wnętrze budowli tonęło w ciemnościach. Na szczęście liczyłem się z taką ewentualnością i zabrałem dwie latarki. Większą trzymałem w ręce, a małą przyczepiłem do uchwytu na kasku. W ten sposób w razie problemów mogłem oświetlać sobie drogę w plątaninie korytarzy, mając wolne dłonie.

Pasaż handlowy był prawie pusty. Sklepy zamykano tu o zmierzchu, a bary i restauracje przed północą, choć sam kompleks był otwarty dużo dłużej, chyba nawet całą dobę. W mrocznych korytarzach w chwili wybuchu znajdowało się zaledwie kilka osób. Przeważnie turystów korzystających z chwili i migdalących się w pobliżu replik rzymskich fontann pod imitującymi niebo półkolistymi sufitami.

Omijałem ich z daleka, kierując snopy światła latarek ku szyldom kolejnych sklepów. Niedaleko wejścia znalazłem plan „Forum" z naniesionymi nazwami wszystkich lokali. Większość niewiele mi mówiła, ale kilka brzmiało nader obiecująco i znajomo. Zaznaczyłem je sobie na naprędce wykonanym szkicu terenu i ruszyłem na zakupy.

Większość butików oferowała wyłącznie pamiątki i gadżety związane z kasynem, jednak w niewielkim, lecz gustownie urządzonym sklepiku Armaniego znalazłem kilka rzeczy w sam raz na mnie. Musiałem wprawdzie użyć łomu, aby dostać się do środka, gdyż zabezpieczenia drzwi były solidne, a szyby kuloodporne, jednakże ten drobny incydent nie powinien spędzać snu z powiek martwym właścicielom. Przy świecach przymierzyłem garnitur za skromne pięć kawałków, dwie koszule, czarną i białą, oraz naręcze krawatów. Przejrzałem się w lustrze i uśmiechnąłem. Pomimo kilkudniowego zarostu i przetłuszczonych włosów wyglądałem zabójczo. Zwłaszcza w adidasach i z chlebakiem przewieszonym przez ramię. Podliczyłem zakupy i rzuciłem na ladę paczkę studolarowych banknotów zabranych z kasy w „Luxorze". Miałem ich jeszcze całą torbę.

— Reszty nie trzeba — powiedziałem do manekina, z którego zdjąłem garnitur. — Wujek trafił jackpota.

Dalej było jeszcze lepiej. Sklep z obuwiem znajdował się naprzeciw restauracji „Planet Hollywood". Dobrałem nieziemsko wygodne półbuty nowojorskiej firmy Father & Sons, a potem przymierzyłem traperskie camele. Będą jak znalazł, gdy trafię na kolejne bezdroża. Następna paczka banknotów klapnęła na ladę. Dziesięć kawałków za dwie pary butów? Wiem, przepłaciłem. Ale bogatemu wszystko wolno. Za kolejnym skrzyżowaniem trafiłem na trzy sąsiadujące z sobą butiki z firmową bielizną. Zajrzałem do każdego, znajdując dużą przyjemność w wybieraniu najmodniejszych modeli. Dopiero teraz zdałem sobie sprawę, jak ubogie było moje życie przed wojną. Jedwabne bokserki – to trzeba przeżyć, żeby zrozumieć. Po co milionerom kobiety? Wypełniłem bielizną dwie solidne reklamówki, zanim uznałem, że mam już wszystko, czego mi trzeba. I wtedy trafiłem na sklep z odzieżą sportową.

Dość powiedzieć, że wyszedłem stamtąd objuczony jak koń. Garniak od Armaniego trafił do kubła razem z krawatami i koszulami. Ale butów nie wyrzuciłem, za dobrze leżały. Poza tym wygodne szorty, cieniutkie polo, adidasy ze skarpetami pochłaniającymi pot i bejsbolówka. Idealny strój na dalszą drogę, zwłaszcza w takim upale. Tak mi się wydawało, ale przede mną była wciąż wizyta w salonie stylizowanej odzieży kowbojskiej. Nie powiem, z żalem rozstawałem się z lekkimi ciuchami, ale czy coś może zastąpić prawdziwe dżinsy, stetsona, flanelową koszulę i rasowe, twarde jak skała meksykańskie kowbojki? Nie ma szans... Lekkie ciuchy po chwili zastanowienia wylądowały w reklamówkach. W odróżnieniu od garnituru za pięć kawałków mogły mi się jeszcze przydać.

Stanąłem przed wystawą butiku Gianniego Versace. Postukałem w szybę łomem. Moją uwagę przyciągnęły tutaj tylko jedwabne koszule. Reszta wystawionych rzeczy wydała mi się zbyt pretensjonalna, zważywszy na okoliczności. Postanowiłem nie wspierać korporacji martwego projektanta. Szczególnie że z wielkiego zdjęcia w głębi wystawy szczerzył się odrażający blond potwór, który ostatecznie zniechęcił mnie do użycia łomu.

Wróciłem na słońce i załadowałem wszystkie zakupy do wózka. Vegas jest cholernie drogim miejscem, skonstatowałem, układając torby. W niespełna godzinę puściłem ponad pięćdziesiąt kawałków, nie licząc napiwków, a zostało za mną jeszcze sporo rzeczy wartych kupienia.

Słońce paliło niemiłosiernie, niemniej cieniutka kraciasta flanela okazała się zadziwiająco przewiewna, a szerokie rondo kapelusza dawało sporo cienia. Raz jeszcze przejrzałem zawartość reklamówek i znałem, że mam wszystko, czego mi trzeba. Przynajmniej w tej chwili. Mogłem już wracać do wygód Ramzesa.

Założyłem polaryzowane ray bany, nader skromne, jeśli wziąć pod uwagę niedawne zakupy, i pchnąłem wózek w stronę „Luxoru". Zanim jednak dotarłem do skrzyżowania, wypatrzyłem wyblakły plakat, którego przedtem, gapiąc się bez przerwy na licznik Geigera, nie zauważyłem. Teraz moją uwagę przykuł trójkołowy motor na pastelowym tle i napis „Światowa premiera".

Podszedłem do słupa, na którym wisiał plakat, i przeczytałem główny slogan reklamowy.

„Przyszłość zaczyna się dzisiaj".

Brzmiało to zachęcająco i ciekawie. Od dawna miałem hopla na punkcie choperów, a ten, replika harleya z 2010 roku, był naprawdę piękny. Co więcej, jeśli wierzyć reklamie, stanowił rewolucyjny przełom w motoryzacji. Pierwszy motor z napędem elektrycznym o parametrach porównywalnych ze spalinowymi maszynami. No, powiedzmy, że porównywalnych.

– A to sukinsyny... – mruknąłem, czytając zwięzłą notkę o tym cudzie techniki i miejscu jego wystawienia.

Kasyno „MGM Grand" znajdowało się blisko miejsca, w którym zamieszkałem, dosłownie po drugiej stronie ulicy, za skrzyżowaniem. I tak musiałem je minąć po drodze, postanowiłem więc wstąpić na tę prezentację, skoro tak gorąco mnie zapraszano.

Główne wejście było zamknięte, ale klucz uniwersalny firmy „Half Life" natychmiast usunął przeszkodę, zasypując całe przejście okruchami hartowanego szkła. W podobny sposób pokonałem drugie drzwi i wszedłem do przestronnego holu zamienionego przez stylistów w szmaragdowy ogród. Zachował tę barwę głównie dlatego, że niemal wszystkie drzewa i krzewy były sztuczne. Wspaniale imitujące naturę, ale wykonane w całości z tworzyw.

W „MGM Grand" także nie stawiano na baterie słoneczne, ale przez szeroki szklany dach wpadało wystarczająco dużo światła, bym nie musiał korzystać z latarek. Szedłem powoli i rozglądałem się po wielkim jak nawa katedry pomieszczeniu, wypatrując zapowiadanej wystawy motocykli. Zanim dotarłem do bramy ogrodu, zobaczyłem wysoko po lewej jaskrawy baner. A chwilę później same motory, choć niezupełnie tam, gdzie chciałbym je znaleźć.

Pięć maszyn wisiało na metalowych stelażach kilkadziesiąt stóp nad podłogą. Można je było podziwiać ze specjalnych galeryjek, na które prowadziły kręte schody i przeszklone tuby wind. Na każdej z nich znajdowały się tablice informacyjne ze zdjęciami i opisami poszczególnych modeli. Nie za bardzo docierał do mnie sens takiego wystawiania motorów, ale Vegas rządziło się innymi prawami niż reszta świata. Tutaj przede wszystkim liczyły się blichtr i efekt. A osiągnąć ten drugi w dzisiejszych czasach było niezwykle trudno. Stare pokolenie tutejszych gwiazd, takich jak Siegfried i Roy czy Yanni, odeszło już ze scen albo na tamten świat. Można powiedzieć, że niektórych zjadła rutyna. Białe tygrysy zostały zastąpione przez walki robotów, a pokazy światowej sławy iluzjonistów zmieniły się w wielkie przedstawienia przeładowane efektami specjalnymi najnowszych generacji. W tym mieście najciekawsza nawet wystawa motoryzacyjna musiała mieć niezwykłą oprawę, żeby ktokolwiek ją zauważył. I taką dostała, trzeba to było uczciwie przyznać.

Nie miałem wyjścia – wspiąłem się po schodach na wyższy poziom i przeszedłem na środek ażurowej galerii. Przeczytałem uważnie ulotkę reklamującą jedną z maszyn. Napisano w niej wyraźnie, że motor ten jest w stu procentach napędzany wysoko wydajnym silnikiem elektrycznym, który podczas jazdy potrafi uzupełniać częściowo ubytek energii za pomocą dwóch niezależnych alternatorów i niezwykle ciekawego, nieznanego mi wcześniej urządzenia montowanego przy amortyzatorach. Sprytny system wychwytywał i przekształcał w prąd każde wahnięcie na nierównościach. Jeśli właściciel nie miał zbyt ciężkiej nogi, wielkie żelowe akumulatory wymagały jedynie krótkiego doładowania co kilkaset mil. Nie miałem ciężkiej nogi, a pomysł podróżowania tym wspaniałym samowystarczalnym jednośladem wydawał się wręcz idealnym rozwiązaniem, zwłaszcza samotnemu milionerowi, który chwilowo powoził wózkiem podpieprzonym przez poprzedniego właściciela z podrzędnego supermarketu.

Już na pierwszy rzut oka mogłem mieć z tą maszyną co najmniej dwa problemy. Po pierwsze, elektronika motoru nie miała prawa przetrwać ataku, a po drugie, musiałem wymyślić, jak do cholery, opuścić go z wysokości czwartego piętra, nie rozwalając tak kruchej konstrukcji na kawałki. Sprawdziłem dokładnie mocowania. Wszystkie stalowe liny, na których wisiały eksponowane motocykle, znikały za panelem elektrycznego dźwigu. Martwego jak wszystko w tym mieście, może prócz paru reflektorów w „Luxorze". Kilkuminutowe oględziny uzmysłowiły mi powagę sytuacji. Uruchomienie tej maszynerii przekraczało moje zdolności techniczne i manualne. Naszpikowane elektroniką tablice rozdzielcze nadawały się jedynie na... złom? Nie wiedziałem, dokąd trafia elektroniczny szmelc, ale z pewnością te układy otrzymały trineutrinowy certyfikat do znalezienia się w takim właśnie miejscu poza wszelką kolejnością.

Spojrzałem na wiszące motory. Bez trudu mógłbym poprzecinać podtrzymujące je liny i obserwować, jak spadają. Tylko co by mi to dało? Jaki motor wytrzyma upadek z takiej wysokości na wypolerowany marmur? Musiałbym ułożyć na dole chyba wszystkie materace z tego hotelu, a może i z sąsiednich, żeby zamortyzować upadek ośmiuset funtów litego metalu.

Obserwując maszyny i przeciwną galerię, zauważyłem rozmieszczone w regularnych odstępach hydranty. To nasunęło mi pewną myśl. Znacznie ciekawszą od zwiedzania wszystkich pokoi w okolicy i wyciągania materacy spod zaschniętych truposzy. Jeśli tylko znajdę w pobliżu remizę... Sprawdziłem w mapniku. W promieniu kilku przecznic miałem dwie jednostki straży. Klasyczną na Flamingo Road i system przeciwpożarowy lotniska.

Zostawiłem wózek z zakupami w holu zielonego kasyna i wyszedłem na ulicę, gorączkowo obmyślając plan działania. Zacząłem od starej remizy, która była łatwiej dostępna. W bazie wielokrotnie przechodziliśmy szkolenia przeciwpożarowe, zarówno na powierzchni, jak i pod ziemią, znałem więc wszystkie procedury alarmowe, wiedziałem też, jakim sprzętem powinna dysponować podobna jednostka. I nie przeliczyłem się.

Włamanie do garaży nie trwało długo. Dostałem się do nich przez pomieszczenia biurowe. Najtrudniejszy był zjazd po rurze, ale i to jakoś mi poszło. Rozmasowując obite żebra, sprawdziłem wszystkie wozy stojące w równiutkim rzędzie. Zgodnie z moimi przypuszczeniami w każdym znajdowały się batuta i nadmuchiwany materac do ewakuacji ludzi uwięzionych na wyższych piętrach płonących budynków. Z informacji na metkach wynikało, że mają one wytrzymałość trzykrotnie większą, niż mi potrzebna. Jedynym problemem pozostawało dostarczenie ważących po trzysta funtów materacy na miejsce akcji, bo butle z gazem potrzebnym do ich napełnienia znalazłem bez trudu.

Trzysta funtów, bagatela! Nie byłem w stanie podnieść tego cholerstwa. Zrzuciłem jeden z nich na posadzkę, ale przeciągnięcie go pod drzwi wyczerpało mnie do tego stopnia, że z trudem łapałem powietrze. A co będzie na zewnątrz, w tym słońcu? Kilkanaście stóp i zgon, a przede mną jeszcze prawie mila drogi. Usiadłem na bujanym krześle pozostawionym przy rolowanych drzwiach w kącie garażu i zacząłem się zastanawiać. Na każdy wóz przypadało tylko kilku ludzi, ale przecież nie dźwigali wszystkiego na plecach. Musieli mieć jakieś wózki, zwykłe, mechaniczne, żadne tam cuda techniki. I musieli trzymać je gdzieś tutaj, pod ręką, aby po akcji złożyć to świństwo w ciasną paczuszkę i wcisnąć znów do schowka czerwonej drabiniastej rakiety. Niestety nie udało mi się nic znaleźć pomimo sprawdzenia każdego zakamarka. Może faktycznie strażacy byli masochistami i biegali z tym sprzętem na własnych plecach?

Ich problem.

Postanowiłem rozwiązać go po swojemu.

Najpierw zorganizowałem sobie narzędzia. Potem sprawdziłem całą trasę pomiędzy remizą a holem kasyna. Ustaliłem najkrótszą i najprostszą drogę. Za pomocą dostępnych materiałów wykonałem długą rampę, po której mogłem wtoczyć tak duży ciężar na krawężnik przed budynkiem kasyna. Na szczęście przepisy budowlane były po mojej stronie i do jednego z wejść prowadził wystarczająco szeroki podjazd dla wózków inwalidzkich, z którego mogłem skorzystać. W półtorej godziny cała trasa została wytyczona i przygotowana. Teraz musiałem zająć się zorganizowaniem transportu. Wózki ze sklepów odpadały – były zbyt wysokie i nieporęczne, miały też za słabe kółka. Należało zdobyć coś solidniejszego. Może na pobliskim lotnisku mają coś, co mi przypasuje, pomyślałem, siedząc pod lwem i zagryzając ostatnimi orzeszkami.

To był ciekawy pomysł, na dodatek jedyny, na jaki wpadłem. Lotnisko znajdowało się całkiem niedaleko, ale i tak od terminali dzieliła mnie ponad mila w linii prostej. Przespacerowałem się tam jednak i przez dziurę wyciętą w ogrodzeniu przyciągnąłem dwa największe wózki na bagaże, jakie zdołałem znaleźć. Połączyłem je wężami strażackimi we w miarę stabilną konstrukcję i na tak przygotowany transporter zrzuciłem następny materac. Po kilku metrach zaczął się zsuwać i nim zdążyłem zareagować, jeden jego koniec wylądował na betonie, przechylając mój wielokołowy transporter i unieruchamiając go na stałe.

Trzy godziny ciężkiej roboty poszły się kochać.

Nieodwołalnie.

Kopnąłem ściśnięty pakiet gumowanego płótna i zawyłem z bólu. Jak na złość musiałem trafić palcami w obudowę zaworu. Aż przysiadłem z wrażenia. Zdjąłem szybko but, ściągnąłem skarpetę i spojrzałem na pulsujący palec. Na szczęście chyba nic poważnego sobie nie zrobiłem. Paznokieć też był cały – Bogu dzięki przyciąłem wszystkie równo tuż przed wyjazdem z bazy, inaczej miałbym się teraz z pyszna. Ale bolało... Fajnie byłoby wymoczyć stopę w chłodnej wodzie, uznałem, skoro nie ma szansy na lepszą kurację.

Noga, kuracja, nosze...

Jaki baran ze mnie!

Miotam się, ciągam jakieś gówna przez pół miasta, a przecież nie ma lepszego środka transportu niż szpitalne nosze. Nie dość, że są wystarczające duże, żeby podtrzymać konstrukcję materaca, to jeszcze na pewno się pod nim nie załamią, a niektóre mają nawet sterowane hydraulicznie podpory, dzięki którym można regulować wysokość. Nosze, muszę mieć nosze. Nie kłopocząc się zakładaniem skarpety i buta, sięgnąłem po mapnik. Szpitale, przychodnie... Już po chwili znalazłem ich kilka. Trzy najbliższe mieściły się w mniej więcej takiej samej odległości od kasyna. W godzinkę powinienem obrócić... Ale czy to naprawdę będzie konieczne? Przecież w tych jaskiniach hazardu, przy tysiącach klientów przewijających się codziennie przy stołach, gdzie stawki są tak wysokie, że o zasłabnięcie nietrudno, też muszą mieć jakieś ambulatoria.

Zabrałem się do poszukiwań. W recepcji znalazłem wewnętrzny do izolatki i jej numer, potem na planie kasyna zlokalizowałem to miejsce. Bingo. Skromnie wyposażona salka mieściła się przy jednym ze służbowych wyjść na parterze. Zero schodów, drzwi prowadziły prosto na ulicę. Na dodatek od zaplecza, co oszczędzało mi sporo drogi. No i mieli tam aż trzy pary idealnych noszy. Trzyczęściowych, masywnych, z hydraulicznymi podnośnikami. Wypróbowałem je wszystkie, a potem przywiązałem jedne do drugich i pociągnąłem jak burłak w dół ulicy.

O siedemnastej trzydzieści miałem już na noszach trzy materace. Ułożone, przywiązane i gotowe do transportu. Ale byłem też wykończony. I choć korciło mnie, by dokończyć tę operację przed zachodem słońca, postanowiłem, że czas na fajrant. Ociekałem potem, nowa koszula cuchnęła jak kombinezon, który zostawiłem w mrocznych korytarzach pod „Caesars Palace". Dziękowałem Bogu, że okazałem się na tyle przezorny podczas porannych zakupów, że zabrałem ze sklepu kilka zmian ubrania.

Otarłem czoło. Przyda mi się kąpiel. Ale zanim zanurzę się w świeżej, czystej wodzie, minie jeszcze sporo czasu. Znów sięgnąłem po mapnik. Ostatnie zadanie na dzisiaj. Woda. Czysta woda. Dużo wody. W hotelach dostęp do niej nie powinien być wielkim problemem, uznałem. Na dole, w restauracjach, muszą mieć spore zapasy mineralnej, może nawet te wielkie dziesięciogalonowe butle, jakie instaluje się w biurach. Nie, nie, nie. Jak mam je wtargać na siódme piętro? Przecież każda z nich będzie ważyć co najmniej pięćdziesiąt funtów, a po piątym ciągu schodów nawet tonę. Schody... Czy naprawdę muszę z nich korzystać? Rozejrzałem się po garażu remizy – parę bloczków na pewno się tu znajdzie, lina też. Mogę wciągnąć bez trudu nawet spore ładunki, zwłaszcza że każda kolejna galeria wystaje dalej niż poprzednia. Wystarczy zrobić jakiś podest i po kłopocie.

Ten pomysł wydał mi się wart realizacji. Pomyszkowałem w wozach i znalazłem wszystko, czego potrzebowałem do zmontowania tego jakże użytecznego wynalazku. Czas kąpieli znacznie się przybliżył.

Nie ociągając się, ruszyłem najkrótszą drogą w stronę „Luxoru". Wpadłem tylko na moment do „MGM Grand" po torby z zakupami, a potem pomaszerowałem środkiem Stripu, marząc o chłodnej toni.

Gdy słońce zaczęło zachodzić, miałem pełną wannę spienionej wody i cały stos pełnych butelek pod ścianą na rano. Nie musiałem nawet montować wyciągu – wystarczyło przejść się po piętrze i ogołocić magazyny techniczne. W każdym z nich, a znalazłem po cztery takie pomieszczenia na siódmym i ósmym piętrze, znajdowało się po kilka zgrzewek wody mineralnej przeznaczonej do minibarów w apartamentach. Brałem tylko niegazowaną, a i tak zgromadziłem jej więcej, niż trzeba.

Bosko było zanurzyć się w pachnącej, choć zimnej wodzie i leżąc w wannie przy świecach, obserwować, jak wolno zapada zmierzch za panoramicznym oknem. Nie wiem nawet, kiedy opróżniłem butelkę jamajskiego rumu. Appleton rozgrzewał i koił ból, nie tylko ten fizyczny, a gdy zdmuchnąłem ostatnią ze świec i przyłożyłem głowę do miękkiej poduszki, natychmiast zapadłem w sen.

W niespełna godzinę dotarłem z pierwszym ładunkiem do holu kasyna. Zrzuciłem materac prosto pod interesującą mnie maszynę, ale po chwili wahania zmieniłem zdanie. Postanowiłem najpierw wypróbować skuteczność tej metody na innym egzemplarzu. Zyskiwałem dzięki temu możliwość naprawy błędu w obliczeniach w razie ewentualnego niepowodzenia. Przeciągnąłem wielki pakunek po marmurowej posadzce i zgodnie z instrukcją rozłożyłem go, tak by zrobił się całkowicie płaski. Potem sprowadziłem drugi materac i powtórzyłem tę procedurę, układając go na pierwszym, równiutko, ale rynną ewakuacyjną w drugą stronę. Czynności te zajęły mi kolejne dwa kwadranse, lecz przecież dzień dopiero się rozpoczynał. Miałem czas. Zrobiłem sobie nawet długą przerwę, by osuszyć pot i przekąsić małe co nieco. Orzeszki i butelka whisky. Może to nie było marzenie każdego podróżnika, ale wolałem ten słony smak i klejący się do zębów miąższ od chemicznej czystości tabletek odżywczych.

Do południa zdążyłem przywieźć trzeci i ostatni materac. Po jego rozłożeniu zająłem się sprowadzaniem butli. Za jednym zamachem mogłem przetransportować maksymalnie sześć stalowych cylindrów. I to pod warunkiem, że będą ułożone w poprzek noszy. Nie wiedziałem, ile ich potrzeba do napełnienia tak wielkich materacy – miałem tu do czynienia z prawdziwymi wielokomorowymi olbrzymami. Każdy z nich po nadmuchaniu miał siedem, może nawet osiem stóp grubości, sądząc po sflaczałych bokach, i rozmiary połówki kortu tenisowego. Sprawdziłem na ikonograficznej instrukcji obsługi. Wynikało z niej, że na każdą komorę zużyję jeden pojemnik z gazem. Trzy razy cztery... Czekał mnie zatem jeszcze jeden kurs.

A potem obiad.

Zdecydowanie duży obiad.

Zaszaleję, niech pęknie cała puszka orzeszków.

Zbliżała się piętnasta, gdy skończyłem sprawdzać zawory. Najpierw musiałem napompować materac na samym spodzie, żeby te z góry nie poprzesuwały mi się i nie pospadały. Ta część operacji nie trwała długo – potrzebowałem zaledwie kilkunastu sekund na napełnienie każdego segmentu. Ale robiłem to stopniowo, po ćwierć objętości do komory numer jeden, potem tyle samo do kolejnej i tak dalej, aż uzyskałem wyższą ode mnie i dość twardą, choć wciąż elastyczną poduchę. Potem zająłem się następnym materacem, pompując go w identyczny sposób, i wreszcie ostatnim. Ten zamierzałem wypełnić sprężonym powietrzem do maksimum, ponieważ motor, który zamierzałem opuścić pierwszy, był trójkołowcem i miał znacznie większą masę niż moja upatrzona sportowa maszyna.

Materace leżały idealnie, co przetestowałem, kładąc się na środku najwyższego, dokładnie pod obiektem eksperymentu. Teraz pozostało już tylko jedno. Wspiąłem się na galeryjkę i sprawdziłem, jak podwieszono trójkołowiec. Chociaż słońce stało jeszcze wysoko, plątanina lin pod szklaną kopułą była słabo widoczna, dlatego musiałem posłużyć się latarką. Promień światła wyłuskiwał kolejne fragmenty szarego takielunku. Zlokalizowałem właściwą linę, nie miałem jednak przy sobie odpowiednich narzędzi, by przeciąć grubą na cal stalówkę. Zdołałbym może przerżnąć ją piłką do metalu, choć na pewno nie w parę minut, gdybym miał do niej łatwiejszy dostęp, ale liny znajdowały się wiele stóp nad moją głową, praktycznie poza zasięgiem. A ustawienie na wąskiej galeryjce czegoś tak wysokiego jak na przykład drabina nie wchodziło w rachubę. Kratownica, z jakiej zmontowano podłogę, miała dość duże oczka i balansowanie na ostatnich szczeblach mogło się dla mnie zakończyć tragicznie.

Musiałem wymyślić coś innego.

Oparłem się o poręcz i odruchowo pogładziłem kolbę pistoletu. Dotyk ciepłej i szorstkiej powierzchni drewna sprawił, że w głowie zakiełkowała mi nowa myśl. Amunicji miałem niewiele, ale w każdym sklepie z bronią, a tych w okolicy powinno być mnóstwo, mogłem się zaopatrzyć w stopniu pozwalającym na wygranie małej wojny. Każdy celny strzał musi naruszyć choć kilka włókien liny. Niecelne co najwyżej zasypią mnie odłamkami zielonkawego szkła.

Nie miałem nic do stracenia, postanowiłem więc spróbować. Uniosłem pistolet i wymierzyłem w linę prowadzącą do platformy z trójkołowcem. Dziewiątka narobiła sporo hałasu, znacznie więcej, niż przypuszczałem. W tak wielkiej, pustej przestrzeni echo niosło się pięknie. Niestety, pomimo zaledwie kilkunastu stóp, jakie dzieliły lufę od liny, nie trafiłem. Ani za pierwszym, ani za siedemnastym razem. Dwu- albo trzykrotnie lina zadrżała jak naprężona struna, gdy pocisk musnął jej brzegi, ale nie zyskałem nic poza metalicznym dźwiękiem, który wibrował jeszcze dłuższą chwilę, i towarzyszącym mu rozkołysaniem podestu z motorem. Za to szkła sypało się co niemiara. Na szczęście miałem na sobie kask i pełną strażacką kurtkę. Pociłem się jak mysz w saunie, lecz uniknąłem pokaleczenia. No dobra, zgadliście. Olewałem strzelanie od kilku lat. Na cholerę mi umiejętność trafienia biegnącego szczura w oko, skoro mam zabijać naciskaniem guzika, tak sobie myślałem, sącząc zimne piwo przed telewizorem, gdy Frank i reszta kompanii dziurawili tarcze, deski albo i niebo za strzelnicą. Teraz tego żałowałem. Szczerze. Wystrzelam wszystkie naboje świata, a mój wymarzony motor będzie wisiał tam gdzie teraz. Potrzebny mi większy kaliber, uznałem. Potrzebny mi sklep z bronią. Znalezienie go w tym mieście nie powinno stanowić problemu. Wystarczy zajrzeć do książki telefonicznej. W najgorszym razie będę się musiał znowu przespacerować.

Schodząc z galerii, przypomniałem sobie, że niedaleko skrzyżowania Tropicany ze Stripem stał rozbity radiowóz. Policjanci powinni mieć przy sobie broń o większym kalibrze, a także specjalną, wzmocnioną amunicję. Pamiętałem, że ci na wzgórzu mieli przypiętego do deski rozdzielczej shotguna.

Wybiegłem na zewnątrz i odszukałem czarno-kremowego chryslera. Tak jak sądziłem, na chwytaku wisiał dorodny okaz mossberga. Model M 590A1 z pistoletowym uchwytem. Poręczne cacko, ale jak się okazało – nienaładowane. Sprawdziłem skrytkę pod chwytakami i znalazłem dwa pełne pudełka amunicji: granatowe loftki oznaczone literami RBA i czarne, z równie enigmatycznym napisem PMA. Za cholerę nie wiedziałem, co mogą oznaczać te skróty. Oba rodzaje wyglądały identycznie, może ten na P był nieco lżejszy.

Nie chcąc ryzykować, załadowałem po jednej loftce z każdego pudełka i wybrałem cel. Przy wyjeździe z podziemnego parkingu stał pontiac maximus z lekko wgiętym zderzakiem. Uszkodzenia pasowały do betonowego słupka uniemożliwiającego wjazd na chodnik. Najwidoczniej wóz opuszczał podziemia kasyna, gdy pół mili stąd nad lotniskiem eksplodowała pierwsza głowica. Jego właściciel nie wyrobił, a może konając, skręcił za bardzo kierownicę. Uderzenie nie było zbyt mocne, samochód odbił się od betonowego walca i odtoczył kilkanaście stóp. Mimo że nie widziałem nikogo za kółkiem, kierowca musiał być w środku. Tak blisko punktu zero nie sposób przeżyć dłużej niż ułamek sekundy. A skoro jego wóz stał się grobem, postanowiłem uszanować kabinę. Przesunąłem się tak, aby mieć w zasięgu wzroku maskę i błotnik. Wymierzyłem w podłużny reflektor i pociągnąłem za spust.

Nie wiem, co było gorsze: ogłuszający huk czy szarpnięcie, które omal nie wyrwało mi broni z rąk. W każdym razie gdy otworzyłem oczy, stałem twarzą w kierunku Stripu. Odwróciłem się szybko i muszę przyznać, że trochę zwątpiłem. Maximus wyglądał tak samo jak przed strzałem. Podszedłem jednak bliżej i zobaczyłem, że szkło reflektora jest mocno popękane, a wokół, na blachach, widać delikatne wgłębienia. Spojrzałem pod nogi, na chodnik – leżało na nim kilkanaście kuleczek. Schyliłem się i podniosłem jedną. Była jeszcze gorąca. A niech to cholera, granatowe naboje wypełnione były gumowymi kulkami. Pewnie służyły glinom do rozpędzania demonstracji i obezwładniania agresywnych pijaków. Nie uszczknąłbym nimi zwykłego sznura, nie mówiąc już o stalowej linie.

Do drugiego strzału przyłożyłem się lepiej. Do obolałych uszu wepchnąłem zrolowane chusteczki higieniczne. Wiedziałem już, i to dobrze, jak to bydlę kopie, więc tym razem po pociągnięciu spustu mnie nie obróciło. Nie wiem jednak, czy widok wyrywanej maski i unoszącego się wozu nie był bardziej przerażający niż zaskakujący huk pierwszego strzału. Chwilę po tym, jak pontiac opadł na ziemię, a zrobił to dosłownie, albowiem koło za rozerwanym na strzępy błotnikiem po prostu przestało istnieć, wyrwana z zawiasów maska przeleciała nad kabiną i spadła gdzieś z tyłu, czyniąc przy tym piekielny hałas.

Stałem z otwartymi ustami, patrząc na rosnącą w oczach chmurę pyłu wydobywającego się spod zniszczonego wozu.

Jezus Maria, gliny mają przeciwpancerną amunicję... Spojrzałem z niedowierzaniem na mossberga. Shotgun kojarzył mi się raczej z bronią, jakiej używali bohaterowie moich ulubionych gier komputerowych. Nawet tam jednak nigdy nie widziałem takich efektów jednego strzału, a podobno gry to czysta i niczym nieskrępowana fantazja autorów.

Wrzuciłem granatowe naboje do radiowozu i załadowałem do komory shotguna osiem czarnych. Przewiesiłem broń przez ramię i wycierając twarz z kurzu, ruszyłem do kasyna. W atrium było już dość ciemno, czas płynął nieubłaganie, więc musiałem mozolnie powtórzyć proces wyszukiwania właściwej liny. Stanąłem pod nią i wymierzyłem prosto w górę. Już miałem nacisnąć spust, gdy pomyślałem, że stoję zbyt blisko celu. Kilka stalowych kulek mogłoby zrykoszetować od sprężystej liny, a i ona sama, pękając, mogłaby mnie smagnąć. Przesunąłem więc wylot lufy bliżej walca wyciągarki dźwigu, ale na tyle daleko od niego, by nie naruszyć pozostałych lin. Wydawało mi się, że potrafię mniej więcej ocenić rozrzut koszyka. Chwilę później zrozumiałem, jak bardzo przeceniłem swoje umiejętności.

Składałem się do tego strzału dość długo, ale wreszcie palec wskazujący pokonał opór spustu. W zamkniętym pomieszczeniu strzał wydał mi się jeszcze głośniejszy. Zanim umilkły ostatnie echa eksplozji, usłyszałem wysokie akordy pękających włókien liny i brzęk tłuczonego szkła, które posypało się w olbrzymiej ilości na podłogę i sztuczną roślinność. Większość wystrzelonych przeze mnie ołowianych kulek minęła liny i pomknęła ku oddalonemu o dziesięć pięter sufitowi, gdzie rozbiła kilka sąsiadujących z sobą ogromnych szyb. Usłyszawszy towarzyszący temu okropny dźwięk, cofnąłem się szybko do załomu galerii, pod wąski okap. Z góry posypał się nań grad ostrych jak brzytwa odłamków. Na kratownicy tuż przede mną rozpadł się na miliony kawałków długi na cztery stopy grot zielonkawego hartowanego szkła. Z przerażeniem spojrzałem najpierw na drżącą spazmatycznie linę, a potem w dół. Widziałem, jak kolejne kryształowe ostrza wbijają się w miękką powłokę wierzchniego materaca, szatkując ją na moich oczach. W tym samym momencie lina z przeciągłym, żałosnym jękiem pękła. Osiemsetfuntowy motor przechylił się lekko i zsuwając z podestu, runął bokiem w dół.

Dzięki adrenalinie wydawało mi się, że opada bardzo powoli, majestatycznie, wykonując pełen przewrót, ale w rzeczywistości działały na niego wszystkie znane mi prawa fizyki i sekundę później uderzył w sflaczały już mocno pierwszy materac z prędkością pędzącego ekspresu. Na szczęście dwa pozostałe wciąż się trzymały. Widziałem, jak strumienie powietrza wydostającego się z nich przez wentyle bezpieczeństwa i rozcięcia podnoszą wielkie chmury kurzu i pyłu z marmurowej podłogi.

Huk uderzenia z dołu zmieszał się z kolejnymi przeciągłymi jęknięciami dochodzącymi z góry. Podniosłem głowę i zamarłem. Druga część przerwanej liny wystrzeliła jak bicz i uderzyła przed momentem w kabinę dźwigu, który utrzymywał całą konstrukcję. Musiała przy okazji trafić w bęben. Cztery nadal wiszące motocykle zakręciły się niepokojąco wokół własnej osi, co było widocznym znakiem, że podtrzymujące je liny powoli zaczynają się poddawać. Zagryzłem wargi, modląc się, by na tym się skończyło, ale kolejne metaliczne trzaśnięcia uzmysłowiły mi, że całość misternej sieci rozpada się jak domek z kart.

Trwało to nie więcej niż sekundę, może dwie. Motory znikały kolejno w morzu pyłu, który wypełnił atrium aż do piątego piętra. Huk, z jakim kruche, artystyczne konstrukcje stykały się z marmurową posadzką, świadczył dobitnie o tym, że nie miały prawa przetrwać upadku.

Rzuciłem feralnego mossberga za barierkę w ślad za maszynami i usiadłem na krawędzi galeryjki. Tępo spoglądałem w dół na kłębiące się obłoki kurzu, czekając, aż opadną i odsłonią obraz zniszczeń, jakich dokonałem.

W końcu się doczekałem.

Ech...

Opuszczałem Vegas z poczuciem żalu. Zostawiłem za plecami Strip, kolorowe kasyna, sklepy pełne rzeczy, o jakich kiedyś mógłbym jedynie pomarzyć, i wyjechałem na międzystanową w tym samym miejscu, którym dwa tygodnie wcześniej przybyłem do stolicy hazardu. Niekłamaną przyjemność sprawiało mi mieszkanie w najlepszych i najdroższych apartamentach kolejnych hoteli.

Powoli zapoznawałem się z topografią miasta, a właściwie tej jego części, którą mogłem zwiedzać, nie zbliżając się zbytnio do punktu zero, jak nazwałem karambol za „Caesars Palace". Karen Avenue stała się linią graniczną, za którą starałem się nie wychodzić. Górny Strip należał już do strefy zakazanej. Ale nie przejmowałem się tym specjalnie. Po tej stronie było i tak zbyt wiele dobrego jak dla mnie.

Cztery dni zajęło mi doprowadzenie trójkołowca do stanu używalności. Mechanicznie nie mogłem mu nic zarzucić – materace strażackie ochroniły go w wystarczającym stopniu przed rozbiciem, a nadwerężone teleskopy z przedniego koła i sporo innych części udało mi się wymienić na podobne z klasycznego motoru, który znalazłem przed barem „Harley Davidson" dwie przecznice dalej; nie na darmo reklamowano go jako wierną replikę. Tam też „pożyczyłem" ze sklepiku firmowego ubranie pasujące do mojego nowego pojazdu – ciężką skórę, głęboki kask i zadziwiająco lekki kombinezon z tworzywa sztucznego, który miał więcej atestów na metce niż Bill Gates kart kredytowych w portfelu.

Niestety dość szybko okazało się, że mechanika jest najmniejszym z moich problemów. Nowoczesne systemy elektroniczne sterujące silnikiem i kilkoma innymi rzeczami nadawały się jedynie do wyrzucenia. Na szczęście dysponowałem elementami zastępczymi i wiedzą potrzebną, by je zamontować. Ale żeby je odzyskać, musiałem wrócić na szczyt wzniesienia do porzuconego quada i wyszabrować z niego wszystkie potrzebne części. To była prawdziwa mordęga – omal nie padłem, idąc sześć mil pod górę w pełnym słońcu – ale ten wysiłek opłacił mi się po stokroć.

Skłamałbym, mówiąc, że postawiłem ten motor na nogi. Wprawdzie potrafiłem go odpalić, zmieniać biegi i dodawać gazu, ale na tym kończyły się moje możliwości. Komputer szlag trafił, a elektronika z quada nie mogła go nawet w części zastąpić, dlatego trójkołowiec został pozbawiony wszelkich bajerów. Alternatory ładowały jednak jak trzeba, a wiatraki i składane panele baterii słonecznych, ukryte w przemyślnej skrytce pod siedzeniem, gwarantowały szybkie odzyskanie utraconej energii przy dobrym słońcu, którego o tej porze roku w tej części kontynentu miałem aż nadto. Producent nie zapomniał nawet o tradycyjnej, papierowej mapie drogowej tego regionu Stanów z zaznaczonymi wszystkimi stacjami, na których można było podładować akumulatory. Przestudiowałem ją uważnie, planując dalszą trasę. Wątpiłem wprawdzie, by któraś z tych instalacji nadal działała, ale jak to mówią: strzeżonego Pan Bóg strzeże. Od celu wciąż dzieliło mnie prawie trzy tysiące mil.

Po skończeniu roboty i odbyciu pierwszej jazdy próbnej byczyłem się przez całe dwa dni. Nie do wiary, jak człowiek potrafi się namęczyć, żeby nic nie robić. Szóstego dnia pobytu w Vegas przeniosłem się z „Luxoru" do „Venetian", niemal na skraj dozwolonej strefy, gdzie odkryłem jeszcze wykwintniejsze apartamenty, i to nie tak wysoko położone jak te w piramidzie. Tutaj, niestety, nie było już magicznych reflektorków, lecz odkryty magazyn ogromnych świec pozwolił mi na oświetlenie całego apartamentu Dożów. Co więcej, dzięki cysternie z wodą źródlaną, która utknęła przy rampie rozładowczej na zapleczu kasyna, mogłem się wreszcie kąpać, kiedy chciałem, w wannie wielkością przypominającej składany basen z ogrodu siostry Stapleton w Kansas City, gdzie spędziłem kawał dzieciństwa.

Napełnienie wanny wodą nie nastręczało wielkich problemów – strażacy mieli naprawdę fantastycznie wydajne pompy ręczne, a przekładnie quada dostarczyły potrzebnej ilości smaru, by robota przebiegała sprawnie. Każdego popołudnia zanurzałem się we wspomnieniach i chłodzie wody, zaopatrzony w butelkę porządnej whisky z tutejszej piwniczki i suszone według starych indiańskich receptur płaty mięsa, które zalegały na pobliskich stacjach benzynowych i miały tak odległy termin przydatności do spożycia, że od razu stały się moim chlebem powszednim.

Tydzień później, pod koniec cysterny, zacząłem poważniej myśleć o dalszej drodze. Znajdowałem się dopiero na początku trasy, która liczyła najmarniej trzy tysiące mil. Nigdzie mi się wprawdzie nie śpieszyło, a posiadając taki środek transportu, nawet przy najgorszych założeniach mogłem dotrzeć na Wschodnie Wybrzeże w trzy, góra cztery tygodnie. W najlepszym razie panoramę Manhattanu powinienem zobaczyć za nieco więcej niż tydzień. Tak więc co najmniej dwa miesiące dzieliły mnie od pogorszenia się pogody i pierwszych jesiennych chłodów. Ale bezczynność, nawet jeśli oznaczała pławienie się w luksusie, była dla mnie zbyt męcząca. Ileż można siedzieć w wannie, patrząc na zachodzące słońce, paląc hawańskie cygara i sącząc glen coś tam rocznik tysiąc dziewięćset sześćdziesiąt? Cóż z tego, że w kominku obok huczy ogień podsycany prawdziwymi banknotami? Niektórzy ludzie potrafili spędzić w podobny sposób całe życie, ale nie ja. Te kilka dni wystarczyło, by włożyć kombinezon, kask i pożegnać najbardziej krzykliwe bezguście dawnego świata.

Stanąłem przed pewnym wyborem. Z Vegas mogłem pojechać dalej dwiema trasami. Wariant pierwszy zakładał kontynuację podróży piętnastką w stronę Utah, do którego granicy miałem zaledwie sto mil, aby potem skierować się jak w dupę kopana Dorotka prosto na Kansas City – na co, powiem szczerze, nie miałem specjalnej ochoty. Wariant drugi oznaczał drogę przez Boulder City i zaporę Hoovera prosto na międzystanową czterdziestkę. Z tą drugą trasą wiązało się jednak pewne ryzyko. Według mojego mapnika tama mogła być celem klasycznego ataku nuklearnego. I nie miałem niestety dokładnych danych na ten temat. Czujniki sejsmiczne zarejestrowały wprawdzie charakterystyczny wstrząs w końcowej fazie ataku, chwilę po tym, jak padł system obserwacji satelitarnych, ale nie uzyskałem potwierdzenia tego faktu z innych źródeł podających z wielką precyzją czas, siłę, a nawet wysokość, na jakiej nastąpiła eksplozja.

W przypadku Las Vegas wszystko było od początku jasne i zgadzało się co do joty. Otrzymałem kompletny obraz sytuacji. A przy zaporze widniały same znaki zapytania. Niektóre stacje w ogóle nie zarejestrowały tej eksplozji, inne podawały mocno rozmijające się dane. A ja nie miałem bladego pojęcia, o co może chodzić. Na zdrowy rozsądek albo system sejsmiczny bazy źle interpretował napływające dane, albo miałem do czynienia z eksplozją na naprawdę niskim poziomie, może nawet podziemną – to by tłumaczyło brak danych z czujników niżej i dalej położonych. Przyglądając się mapie i analizując układ wzniesień, doszedłem do jeszcze jednego rozwiązania – głowica mogła eksplodować w kanionie u podstawy tamy.

Dysponując tak skąpymi informacjami, mogłem wymyślić nieskończenie wiele teorii i każda byłaby równie prawdopodobna. Także ta, że miałem do czynienia ze zwykłym błędem systemu, który zarejestrował setki, jeśli nie tysiące podobnych sygnałów w ciągu zaledwie paru minut; pierwsza lepsza interferencja z łatwością doprowadziłaby do mylnego odczytu albo pokręconej interpretacji danych. Ale jeśli jakakolwiek głowica nuklearna naprawdę spadła w pobliżu zapory, miałbym z jej powodu spory problem. Nie dość, że przejazd do czterdziestki byłby mocno utrudniony, a nawet niemożliwy, to jeszcze trafiłbym na teren mocno skażony radioaktywnie. W sam środek jednej z kilkudziesięciu podobnych plam. Rzadkich, bo rzadkich, ale nieskończenie niebezpiecznych.

Musiałem podjąć niezwykle trudną decyzję.

Albo krótsza jazda przez tereny, na które nie chciałem wracać, albo bardziej pożądana, lecz i niepewna droga, która mogła mnie kosztować nie tylko dodatkową stratę czasu, ale i zdrowia.

I bądź tu mądry.

Nie potrafiłem się zdecydować, więc postawiłem na ślepy los. Dwa dni temu, podczas wycieczki pożegnalnej po kasynach, znalazłem lśniącą srebrną półdolarówkę. Nie pamiętam już, czy to było w „Harrah's" czy w „Venetian", gdyż alkohol zdążył zamącić mi w głowie. W każdym razie leżała obok zasuszonej mumii byłego właściciela, tuż przy ladzie recepcji, gdzie facet padł jak długi pomiędzy bagaże, ściskając w ręku klucz do pokoju, dokumenty i tę właśnie monetę. Pewnie przynosiła mu szczęście, wygrał ją kiedyś albo postawił na właściwą kartę czy numer, i od tej pory, przyjeżdżając do Vegas albo Atlantic City, traktował jak talizman. A może stanowiła prezent od ukochanej osoby albo najzwyczajniej w świecie resztę z kwoty wydanej przy barze. Było mi to, szczerze powiedziawszy, całkowicie obojętne. Wiedziony impulsem zabrałem ją na pamiątkę i teraz trzymałem chłodny, karbowany krążek metalu w dłoni, stojąc opodal gigantycznego czerwonawego budynku na środkowym pasie piętnastki, tuż przed węzłem drogowym przy wylocie z miasta. Zacisnąłem palce. Tego dnia naprawdę chciałbym nazywać się Dent, chociaż byłem mocno przywiązany do swojej twarzy.

Obama to piętnastka, zadecydowałem. Orzeł – próba przejazdu przez góry. Mogłem przypuszczać, że stawianie własnego losu na demokratów jest głupotą, niestety nikt w tym kraju nie wpadł ostatnio na pomysł, aby bić monety z podobizną republikańskiego polityka.

Przeczucie mnie nie myliło. Rzucona wysoko moneta spadła na asfalt u moich stóp i wirowała przez chwilę, aby ukazać mi w całej okazałości profil dawno zmarłego prezydenta. W pierwszym odruchu chciałem rzucić nią jeszcze raz, ale sam siebie zganiłem za tę myśl. Skoro już zdałem się na los, nie miałem wyjścia. Zresztą obie drogi prowadziły do tego samego celu. Tyle że jedna była mi zbyt bliska...

Motor sprawował się znakomicie. Początkowo bałem się, że łożyska i inne części obrotowe, pozbawione należytej ilości smarów, zatrą się, ale z papierów wynikało, że w piastach i przegubach zastosowano technologie, które służyły nie tak dawno w medycynie do rekonstrukcji stawów, dodatkowo udoskonalając je skomplikowanymi luźnymi strukturami molekularnymi. Przyznam, że gdy dotarłem do skomplikowanych wzorów, z niesmakiem przerwałem lekturę. Przekartkowałem potem instrukcję i tylko w tabelach na końcu sprawdziłem żywotność tych części. Była liczona w latach stałej eksploatacji.

Osiągi maszyny sprawdziłem już pierwszego dnia po zakończeniu remontu na Stripie przy hotelu. Wprawdzie trudno było mówić o przyśpieszeniach godnych silnika benzynowego, ale trójkołowiec zbierał się całkiem nieźle, zważywszy na jego masę – same akumulatory żelowe ukryte pod kanapą ważyły ponad dwieście pięćdziesiąt funtów. Dzisiaj, po podpięciu niewielkiej przyczepki, w której upchałem wszystko, co posiadałem i uznawałem za cenne, łączna waga maszyny z ładunkiem musiała przekraczać dziewięćset funtów, a mimo to na prostej i wcale nie z górki rozpędziłem ją do sześćdziesięciu mil na godzinę.

Niby nic dla kogoś, kto przed laty spędził na siodełku kilka tysięcy godzin, ale przy takim obciążeniu wolałem nie przesadzać. Droga hamowania ciężkiego motoru nie była dużo krótsza od tej, którą przebywa w podobnej sytuacji średniej klasy tankowiec. Czterdziestka wydawała mi się odpowiednią szybkością, zwłaszcza że na międzystanowej o niebezpieczeństwo nietrudno, a czasu miałem ile dusza zapragnie. Chociaż wojna rozegrała się w środku nocy, w okolicach miasta minąłem sporo wraków. Niektóre wozy były mocno porozwalane, inne spalone, bywało, że powbijane w siebie blokowały oba pasy ruchu, a nawet pobocza (dotyczyło to zwłaszcza osiemnastokołowców). Na tych odcinkach musiałem zjeżdżać na szutrowe albo piaszczyste pobocze, aby ominąć miejsca kolizji. Wolałem więc nie ryzykować niepotrzebnie. I tak nikt na mnie nie czekał na końcu tej drogi, więc mogłem się spóźnić o dzień, tydzień, a nawet miesiąc.

Rozparty wygodnie na miękkim siedzeniu sączyłem dobrą, chłodną whisky z termosu i obserwowałem monotonny krajobraz spod polaryzowanych szkieł, pogryzając od czasu do czasu strzępki suszonego mięsa. Najbardziej niesamowite w jeździe elektrycznym motorem było to, że nie słyszałem silnika. Szum opon na asfalcie był o wiele głośniejszy niż pomruk dobiegający gdzieś spomiędzy moich ud.

Wydostałem się z północnych dzielnic Vegas, które nie przypominały w niczym stolicy światowego kiczu, i rozpocząłem mozolną wędrówkę w stronę zdobiących horyzont szczytów. Nie ujechałem jednak daleko. Według licznika niespełna piętnaście mil. Musiałem zrobić jeszcze jedną małą przerwę w podróży. Szlag by mnie, miłośnika sportów motorowych.

Las Vegas Motor Speedway.

Miałem go przez cały czas pod nosem... i aż dotąd o nim nie pamiętałem.

Zjechałem z piętnastki na bulwar Speedway, potem w Checkered Flag Lane i dalej, wzdłuż trybun, robiąc rundkę wokół półtoramilowego toru, dotarłem do mrocznych wylotów tuneli prowadzących na legendarny owal, gdzie tyle razy ścigano się o puchar Nextela. Podjechałem do trzech bliźniaczych bram wiodących do wnętrza zaklętego kręgu, jak zwykliśmy nazywać te podobne, a jednak nie takie same tory rozsiane po całym kraju. Spoglądałem w czerń, na której końcu czaiła się prawdziwa przygoda, potem przeniosłem wzrok na drzemiącą pode mną maszynę. Nie, nie dzisiaj, nie tutaj. Muszę się najpierw do niej przyzwyczaić. Muszę ją sprawdzić i poczuć. Dopiero kiedy staniemy się jednością, zaryzykuję rundkę na pełnym gazie.

Pożegnałem niebiesko-biało-czerwone trybuny z niekłamanym żalem i wróciłem na piętnastkę, aby po dwu godzinach opuścić Nevadę. Na granicy stanów pożegnały mnie krzykliwe reklamy kasyn i nocnych klubów. Tuż za Mesquite wkroczyłem na moment na terytorium Arizony, o czym poinformowała mnie jaskrawoniebieska tablica z żółto-czerwonymi pasami i złotą chyba kiedyś gwiazdą, ale już trzydzieści mil dalej – za niedawno żyzną, zieloną doliną i grafitowymi, lecz za to niesamowicie malowniczymi górami – rozciągały się już tylko monotonne pustkowia Utah z charakterystycznymi dla tego stanu samotnymi szczytami wyrastającymi z niezmierzonej rdzawoszarej równiny. Przez kilka następnych godzin księżycowy krajobraz nie zmienił się ani na jotę. Przemierzałem na przemian wykute w skałach wąwozy, którymi wiła się wstęga asfaltu, i szerokie, martwe równiny prowadzące ku następnym, równie szarografitowym wzniesieniom.

Do popołudnia pokonałem jeszcze sto dwadzieścia mil autostrady, mijając zaledwie jedną większą miejscowość i sporadycznie trafiając na blokujące drogę wraki. Żaden z nich nie stanowił jednak przeszkody nie do przebycia. W Utah piętnastka omijała większość gór, ciągnąc się wzdłuż nich po dość równym terenie. Szerokie i płaskie pobocza pozwalały na swobodne manewry, niemniej każda niespodzianka wpływała na tempo jazdy.

Właściwie oznaczone odbicie na siedemdziesiątkę zobaczyłem w momencie, gdy czerwonawe słońce dotknęło szczytu stojącej samotnie góry. Zatrzymałem motor i sięgnąłem po cygaro. Gdy już się dobrze rozjarzyło, wyjąłem mapę z zaznaczonymi punktami doładowań. Najbliższy, ten, do którego zmierzałem, znajdował się w Salinie, pięćdziesiąt mil od miejsca, w którym stałem. Przy odrobinie szczęścia i braku korków powinienem dotrzeć do miasteczka jeszcze przed zmrokiem.

Skręciłem na północny wschód i przyśpieszyłem nieco, chcąc znaleźć porządne lokum, zanim zapadną ciemności. Kompletnie nie znałem tych okolic i nie zamierzałem spędzać nocy w śpiworze. Po wodnych materacach Vegas taka możliwość wydawała mi się prawdziwą torturą, chociaż podczas służby na Bliskim Wschodzie nierzadko spałem na gołej ziemi z hełmem pod głową zamiast poduszki.

Albo się zestarzałem, albo wygodnictwo weszło mi już w krew. Pokonałem niemal pustą drogę w niespełna godzinę i zjechałem z trasy w kierunku widocznego na horyzoncie miasteczka na długo przed tym, nim słońce dotknęło horyzontu. Zaznaczona na mapie stacja benzynowa znajdowała się na obrzeżach, co oszczędziło mi masę czasu i błąkania się po centrum. Skręciłem na drogę numer osiemdziesiąt dziewięć i minutę później stanąłem przed brązowym parterowym budynkiem mieszczącym Burger Kinga. Obok, pod wiatą, widziałem ciąg dystrybutorów i zabudowania stacji Salina Express.

Jaskrawożółta tablica nad jednym z ostatnich stanowisk przyciągała wzrok jak magnes. Podjechałem pod nią i zaparkowałem. Żując kolejny płat suszonego mięsa, sprawdziłem gniazda podłączeń do generatorów. Cztery duże wirniki umieszczone na kilkunastometrowych masztach za stacją kręciły się leniwie, ale napięcia nie było na żadnym wyjściu. Obszedłem futurystycznie wyglądający dystrybutor i ruszyłem w kierunku wiatraków, mając pewność, że przerwanie obwodu musiało nastąpić gdzieś przy nich.

Znalazłem to miejsce dość szybko. Można powiedzieć, że rzucało się w oczy – była to jedyna okopcona przybudówka na stacji. Otworzyłem wygięte od wysokiej temperatury drzwi i rzuciłem okiem na pobojowisko. Pożar wygasł już dawno, nawet bardzo dawno. Nie wiem, co go spowodowało, ale jedno było pewne: pozbawiony obsługi generator grzał się tak długo, aż się przepalił. System przeciwpożarowy nie zadziałał, bo i jak miał zadziałać, skoro nie było zasilania. Na szczęście konstruktorzy i budowlańcy wykonali swoją robotę solidnie i nie wpakowali do tych budynków niczego łatwopalnego. Ogień strawił tylko wnętrze i wygasł, pozbawiając mnie przy okazji złudzeń co do łatwego uzupełnienia zapasów energii w akumulatorach.

Instrukcja obsługi motoru kłamała w żywe oczy. Albo przeszacowano dopuszczalne obciążenie, albo ja miałem pecha i trafiłem na wybrakowany egzemplarz. A może upadek z tak wielkiej wysokości, pomimo gruntownych napraw, miał jednak dużo poważniejsze skutki? W każdym razie po kilku godzinach niezbyt szybkiej jazdy poziom napięcia w akumulatorach zbliżał się do minimum. Nie pozostawało mi nic innego, jak tylko znaleźć nocleg i rozstawić własne wiatraki. Przez noc, zważywszy na porywisty wiatr, jaki zerwał się tuż przed zmierzchem, powinny uzupełnić to, co zużyłem na trasie z Vegas. Taką przynajmniej miałem nadzieję. A jeśli i tego będzie mało, poczekam. W dzień mogę dodać jeszcze panele słoneczne, co powinno wydatnie przyśpieszyć ładowanie.

Spojrzałem na neon Burger Kinga. Hamburgerownia, podobnie jak stacja, była całodobowa. Po chwili zastanowienia wsunąłem łom w cholewę kowbojek i ruszyłem w stronę przeszklonej sali. W holu zgarnąłem większość zakurzonych folderów i rozsiadłem się przy pierwszym stole. W ciągu kwadransa miałem w mapniku zanotowane adresy sześciu całkiem sensownych moteli. Postanowiłem zajrzeć do najbliższego. Mieścił się niecałe pół mili od stacji, przy South State. Nie sposób było nie trafić – właściciele „Best Western Inn" zadbali o to, by każdy kierowca zauważył ich cholernie różowe tablice reklamowe.

Nie uwierzyłem w napis „Brak miejsc" wiszący obok podjazdu. Ten motel wybrałem i nie zamierzałem szukać dalej, zwłaszcza że obok znalazłem wzgórze idealnie nadające się do rozstawienia wiatraków. Zajechałem na podjazd i przyjrzałem się szeregowi drzwi prowadzących do pokoi. Przed wieloma stały samochody, ale kilka było otwartych. Według danych z mapnika okolica ta nie stała się celem bezpośredniego ataku – najbliższy wybuch nastąpił wiele mil stąd, za górami, dlatego przypuszczałem, że kilku gości mogło się zorientować w sytuacji i nawet próbować uciec. O takiej wersji wydarzeń świadczył chociażby ciemnozielony sedan japońskiej produkcji wbity w uschnięte drzewo opodal wyjazdu, a także kilka ciał leżących przy otwartych samochodach w odległej części parkingu. Ci ludzie mogli mieć dwie, trzy minuty na reakcję. Na pewno nie więcej.

Zsiadłem z motoru i z latarką w ręce sprawdziłem jeden z otwartych pokoi. Był kompletnie rozbebeszony – zmięta pościel zwisała z łóżka, kartony po chińskim żarciu na wynos walały się po podłodze, na wpół przymknięte walizki wciąż leżały na ławie przy drzwiach. Poprzedni lokatorzy wynieśli się stąd w ekspresowym tempie. Jedyną wskazówką przyczyn tego nagłego zniknięcia były wciąż widoczne na drewnianej podłodze ślady pierwszych objawów choroby popromiennej. Mógłbym postawić stówkę, że wszystkie te rzeczy należały do nieszczęśników, którzy próbowali uciekać japończykiem. Świeć, Panie, nad ich duszami.

Najpierw rozstawiłem wiatraki, potem rozłożyłem wszystkie panele baterii i ustawiłem maszty tak, aby kolektory mogły chwytać promienie słoneczne od bladego świtu. Gdy monotonny szum wirujących łopat i zapalające się kolejne ledy oznajmiły mi, że maszyneria działa jak należy, zająłem się pokojem. Zmieniłem pościel na świeży komplet wyciągnięty z pobliskiego magazynku i zabrałem się do czyszczenia podłogi. Na szczęście nie pokrywała jej typowa wykładzina, tylko jakieś łatwo zmywalne ohydztwo. Gdy godzinę później skończyłem, pokój zaczął przypominać miejsce, w którym zwykli nocować ludzie.

Z pobliskiego sklepu spożywczego przywiozłem dwa wózki butelkowanej wody mineralnej. Oczyściłem nią umywalkę. Niestety w tym przybytku zainstalowano wyłącznie kabiny prysznicowe, więc nie mogłem liczyć na porządną kąpiel. Po kwadransie kombinowania udało mi się jednak stworzyć substytut prymitywnego prysznica, takiego, jaki można zobaczyć na wielu westernach. Wielka konewka zabrana z kwiaciarni zawisła na skomplikowanym rusztowaniu z desek, a dzięki kawałkowi lekko sparciałej linki mogłem się wreszcie poczuć jak biały człowiek. Skorzystałem z toalety, tyle że w sąsiednim pokoju, po czym położyłem się w chłodnej pościeli.

Pora była jeszcze wczesna, minęła dopiero dwudziesta druga. Nie chciało mi się spać. Z drugiej strony nie miałem czego szukać w tej miejscowości. Wyprawa po wodę do pobliskiego marketu Dilliona wyczerpała mój zapał do zwiedzania miasta, którego mieszkańcy z pewnością wiedzieli o wojnie. Ślady paniki były widoczne wszędzie. Porozbijane samochody wciąż stały na podjazdach. Zasuszone zwłoki leżały na środku ulicy. Ci ludzie nie zdawali sobie sprawy, że pozostały im najwyżej minuty życia. Wybiegali więc z domów w panice, szukając schronienia przed promieniowaniem.

Tylko jeden człowiek nie pasował mi do tego obrazu – sprzedawca w całodobowym sklepie, który odwiedziłem. Nadal siedział za kontuarem nad kubkiem, z którego dawno wyparowała kawa, z głową zwróconą w stronę okna, za którym rozgrywały się dantejskie sceny, jakby był jedynie biernym obserwatorem, a nie uczestnikiem tych zdarzeń.

Wstałem i wyjąłem z juków napoczętą butelkę macallana z tysiąc dziewięćset trzydziestego dziewiątego. Była warta wielu moich wypłat, choć przed wojną nie zarabiałem mało. Nie, nawet Fine & Rare w tej ilości nie zetrze dzisiaj z moich oczu widoku śmierci. Wyszedłem na zewnątrz, spojrzałem na majaczącą w ciemności podręczną elektrownię i skierowałem się do hotelowego holu. Za nim, w głębi budynku, znajdował się mały bar. Na szczęście pusty. Przejrzałem półki i sięgnąłem po butelkę nieznanego mi malta. Ciemnozielona nalepka. Ardbeg. Nic mi ta nazwa nie mówiła, podobnie jak miejsce pochodzenia, ale zawartość butelki pachniała ciekawie, choć dziwnie. Dlatego zgarnąłem jeszcze na wszelki wypadek pękatą i wciąż zapieczętowaną flaszkę chivasa. Pożyczyłem spod kontuaru szklankę i wróciłem do pokoju.

Wstawiłem butelki do wody w umywalce, żeby je chociaż trochę ochłodzić, i usiadłem w fotelu na wprost drzwi, po zawietrznej od ogniska, które rozpaliłem tuż przed zmierzchem. Przyjemny chłód owiewał mi nogi, gdy wpatrywałem się w czarne niebo pełne gwiazd, a kiedy chwilę później opuściłem wzrok, dostrzegłem na parapecie nieregularny kształt. To była książka, zwykły paperback pozostawiony przez jednego z lokatorów w dość nietypowym miejscu, które i ja przeoczyłem podczas sprzątania. Podniosłem ją, strzepnąłem zalegający na okładce kurz i rzuciłem okiem na kolorową ilustrację. Tania powieść fantastyczna dla nastolatków. Ale ledwie zacząłem przewracać pożółkłe kartki, pomyślałem, że czytanie może być doskonałą metodą zabicia czasu.

Dopiero teraz uświadomiłem sobie, że odkąd trafiłem do obozu treningowego w Fort Wallace, nie miałem w ręce żadnej książki. Czytałem jedynie czasopisma specjalistyczne oraz gazety pozostawione przez zmienników, od wielkiego dzwonu kupowałem też „Playboya". Ale ten tytuł służył mi raczej do oglądania. Zwłaszcza żartów rysunkowych.

Jaki tytuł nosiła ostatnia książka, którą przeczytałem od deski do deski? *Budowa umocnień polowych w trudnych warunkach bojowych...* Tak, dokładnie tak. Kazano nam wykuć ją na pamięć przed wylotem do Wenezueli. Potem stroniłem już od słowa pisanego. Wolałem spędzać czas w barach, kinie albo u siebie przed telewizorem, oglądając relacje z Superligi w doborowym towarzystwie i prując całymi nocami do anonimowych graczy z całego świata. Tyle że dzisiaj podobne rozrywki są już nieosiągalne. Żaden telewizor nie działa, a gdyby nawet udało mi się uruchomić jakiś odbiornik, i tak nie zobaczyłbym wiele więcej niż szum statyczny. Kina są równie martwe jak ich operatorzy. Nikt już nie nakręci nowego filmu, a najbliższy mecz zostanie rozegrany za jakieś pół wieku, o ile wszystko pójdzie dobrze.

Nie miałem też szans na znalezienie jakiegokolwiek sprzętu, na którym dałoby się odtworzyć obraz czy dźwięk, a bateria w moim i-Podzie wytrzyma jeszcze tylko kilkanaście godzin... Czy uda mi się ją jakoś naładować? Sprawdzę, gdy zamilknie. Wolę nie ryzykować pozbawienia się ostatnich dźwięków łączących mnie z dawnym życiem.

Aby nie oszaleć w bezsenne noce ani nie popaść w totalny alkoholizm, musiałem chociaż czytać. Jako dzieciak lubiłem książki, czytałem, co mi w ręce wpadło, wtedy również nie miałem wielu rozrywek...

Ale ta noc będzie należała jeszcze do whisky, zdecydowałem. Importowane cudo okazało się dziwaczne w smaku. Nie złe – w żadnym razie nie mógłbym powiedzieć, że mi nie zasmakowało. Z nalepki wyczytałem, że destylarnie z Islay znane są na całym świecie z dymnego posmaku wytwarzanych tam alkoholi. I jakkolwiek dziwnie to brzmiało, pijąc ardbega, czułem na języku także ten ulotny smak, jaki pozostawia dym papierosowy. Albo cygaro.

Wypiłem szklaneczkę, niepełną, i już miałem dosyć. Upijanie się tym rodzajem alkoholu nie było dobrym pomysłem. Tego wieczora bracia Chivas okazali się znacznie milszymi towarzyszami niedoli.

Dotarcie w pobliże Grand Junction, miejscowości oddalonej o zaledwie sto pięćdziesiąt mil od gościnnych przedmieść Saliny, zajęło mi całe dwa dni. Jeszcze dobrze nie rozpocząłem podróży, a już coś zaczęło szwankować w motorze.

Z hotelu wyjechałem dopiero koło południa. Wyspałem się za wszystkie czasy, potem pozwoliłem wyparować resztkom alkoholu. Na śniadanie oprócz suszonego mięsa zjadłem całą puszkę „świeżych" orzeszków zdobytych na zapleczu marketu. Słowem, długo odwlekałem moment wyruszenia w drogę, dając tym samym dodatkowy czas bateriom słonecznym i wiatrakom. Miałem świadomość ich niewielkiej mocy, ale i tak bardzo się zdziwiłem, kiedy zmusiły mnie do zatrzymania już po niespełna czterech godzinach wcale nie takiej szybkiej ani forsownej jazdy.

A potem było jeszcze gorzej. Godzina, góra dwie na trasie i ładowanie na całego. Traciłem czas. Traciłem sporo czasu. Nie miałem jednak wyjścia – trzeba było przejechać na drugą stronę gór, do Kolorado. Dopiero tam, na równinach, zaczynały się gęściej zaludnione tereny, gdzie mógłbym pomyśleć o poszukaniu części zamiennych i gruntowniejszej naprawie środka lokomocji.

Niestety nie dane mi było dotrzeć do granicy stanów. Chcąc nie chcąc, zatrzymałem się w zapadłej dziurze noszącej, nomen

omen, nazwę Harley Dome. Do zachodu było jeszcze daleko, zjechałem więc pod niewielką, mocno zaniedbaną stację benzynową i zaparkowałem maszynę obok wejścia do zagraconego warsztatu. Nie rozglądałem się specjalnie po zabudowaniach. Nie miałem ochoty na nocleg w tak ponurym i brudnym miejscu. Zabrałem się od razu do roboty. Rozłożyłem derkę i zacząłem rozkręcać lewy alternator.

Gdzieś za moimi plecami porywisty wiatr poruszał zbitymi z kilku desek drzwiami sporego hangaru, wydobywając z nich niskie, skrzekliwe dźwięki. Początkowo starałem się je ignorować, ale po kilkunastu minutach zaczęły mnie mocno drażnić. Wstałem z kolan, odłożyłem klucz do skrzynki narzędziowej i podszedłem do uchylonego wejścia. Już wyciągałem rękę, aby zatrzasnąć cholerne drzwi, gdy coś we wnętrzu warsztatu zwróciło moją uwagę. Mimo że słońce stało jeszcze wysoko, w pomieszczeniu było bardzo ciemno. Jedyne okno, znajdujące się na bocznej ścianie, dawno zarosło brudem. Ostatni raz przetarto je pewnie na długo przed wojną. Dzisiaj, po kilku latach nieobecności właścicieli, nie przepuszczało światła prawie wcale.

Nie wiem, co tak naprawdę przyciągnęło mój wzrok, może jakiś refleks, może znajomy kształt. W każdym razie, zamiast zamknąć drzwi na skorodowany skobel, otworzyłem je na całą szerokość. Wnętrze warsztatu cuchnęło stęchlizną, smarem i mieszaniną chemikaliów. Obwiązałem nos bandaną, wyjąłem z kieszeni latarkę i zanurzyłem się w mrok.

Właściciel tego przybytku, kimkolwiek był, zgromadził całkiem pokaźną kolekcję samochodów. Stały równo obok siebie szczelnie okryte pokrowcami. W tak słabym oświetleniu, pod grubą warstwą kurzu i pyłu naniesionego przez wiatr, trudno było rozpoznać, co kryje się pod impregnowanym płótnem, ale wiedziałem jedno – seryjnie produkowane wozy nie mają tak fantazyjnych kształtów. Przeszedłem na drugą stronę hali, przyglądając się obłym, nieregularnym i przeważnie bardzo niskim bryłom.

Ciekawe...

Przyklęknąłem i rozciąłem nożem linki mocujące materiał na przednim kole niziutkiej maszyny stojącej z samego brzegu pod oknem. Potem zrobiłem to samo z węzłami na tylnym kole i szarpnąwszy plandekę, rzuciłem ją i zalegające na niej pokłady kurzu prosto na ścianę. Cofnąłem się i poczekałem, aż powietrze zrobi się ponownie czyste, a ja będę mógł skupić wzrok na przepięknym czarnym lamborghini diablo. Spojrzałem na znacznie wyższą i dłuższą bryłę widoczną w drugim rzędzie. Nóż znów błysnął w snopie światła latarki, plandeka wylądowała ostrożniej na ziemi. Maybach zeppelin, limitowana edycja, nówka metalik. Zerknąłem w prawo. Kolejna sportowa maszyna, jeszcze niższa niż lambora.

– A niech mnie... – syknąłem przez zęby, obchodząc to cacko dookoła.

Taki widok w zapadłej dziurze, na samym krańcu świata, był wręcz niesamowity. Wygląd pobliskiego domu, jak i tego warsztatu nie świadczył bynajmniej o wielkiej zamożności właściciela, ale te fury? Każda z nich musiała kosztować majątek... Na długą godzinę zapomniałem o rozkładaniu alternatora. Zdejmowałem kolejne plandeki i rozkoszowałem się widokiem najpiękniejszych wozów, jakie kiedykolwiek zaprojektował i wyprodukował człowiek.

Znałem się na samochodach, lubiłem je od dziecka, ale i tak miałbym problemy z rozpoznaniem kilku z nich. Na przykład to myszowate cudo przypominające nieco kształtem kabinę bombowca B-2. Koenigsegg... Jak to się w ogóle wymawia? SSC aero TT, saleen S11, bugatti veyron, mcLaren F1 mach, zonda cinque. Cholera, przy tych cudach nawet ford GT 11 wygląda jak ubogi krewny, a każde ferrari to zabawka. Przede mną stały dwadzieścia cztery takie maszyny. Każda inna, piękniejsza i droższa od poprzedniej. Mało kogo na naszej planecie, a już w szczególności w tej okolicy, byłoby stać na utrzymanie choćby części tych cudów techniki. O ile pamięć mnie nie zawodziła, w okolicznych górach notowano znikomą zawartość szejków na jeden akr.

Ta myśl sprawiła, że nagle zobaczyłem wszystko z zupełnie innej perspektywy. To była dziupla, ordynarna dziupla! Nie potrafiłem znaleźć innego wytłumaczenia dla obecności tylu najdroższych samochodów świata w tej ruderze. Niewiele ich jeździło po Kalifornii, a co dopiero tutaj, u podnóża Gór Skalistych. Pokręciłem głową z niedowierzaniem i przesunąłem dłonią po chłodnej, lśniącej masce maybacha. Spojrzałem na zamek – nie wyglądał na naruszony. Sięgnąłem do klamki, a ta poddała się lekko. Drzwi otworzyły się z cichym chrupnięciem, ale wnętrze pozostało ciemne. Usiadłem na skórzanym, białym, idealnie czystym fotelu. Kurz nie miał szans w starciu z tak wydajnym systemem filtrów i uszczelek. Życzyłbym sobie podobnej solidności w konstrukcji normalnych wozów, ale z czegoś w końcu musiała się brać tak wielka różnica w cenie.

Omiotłem kabinę wzrokiem i zauważyłem plik papierów w foliowej torbie wystający z kieszeni drzwi po stronie kierowcy. Sięgnąłem po nie. Były to dokumenty wozu. Sprawdziłem dokładnie wszystkie schowki, potem osłonę przy podsufitce. Znalazłem kluczyki. Oryginalne... Zatem nikt nie ukradł tego wozu. Przynajmniej nie w klasyczny sposób.

W pozostałych przypadkach było podobnie. Tablice świadczyły o tym, że wszystkie samochody zarejestrowano w obrębie trzech sąsiednich stanów. Niektóre na wiele miesięcy przed atakiem, jak choćby bentleya stojącego na samym końcu hali. Najnowszy wóz z tej kolekcji w chwili uderzenia miał zaledwie dwa tygodnie. Coraz dziwniej wyglądała ta sprawa. Żadne z nazwisk, na które zarejestrowano te samochody, nic mi nie mówiło. Nie byli to ludzie z pierwszych stron gazet. W *Good Morning America* też o nich nie mówiono. Upewniłem się tylko co do jednego – nie miałem do czynienia z dziuplą wyrafinowanego gangu złodziei samochodów.

Co zatem pozostawało?

Czyżby paczka miliarderów przyjechała w odwiedziny do kumpla z wojska?

Uśmiechnąłem się. Kimkolwiek byli ci ludzie, i tak już nie żyli. Raczej nie mieli szans zauważyć rozbłysku za górami, może zdążyli pomyśleć, że nagłe nudności to tylko kolejny efekt nadmiernego pijaństwa. Cholera wie, ale nie zamierzałem się nad tym głębiej zastanawiać. Wychodząc, pomyślałem, że niektórzy mają wielkiego pecha.

Świat kończy się dla nich w momencie spełnienia największych marzeń.

Nagle i nieodwracalnie.

Wróciłem na podjazd stacji i rozpocząłem przegląd kolejnych części motoru. Prawy alternator wyglądał na nieuszkodzony, podobnie lewy. Silnik także sprawiał wrażenie nietkniętego. Sprawdziłem wszystkie połączenia, kabel po kabelku. Nic. Usiadłem na skraju derki i zacząłem przyglądać się z dystansu wybebeszonej maszynie. Myśl, chłopie, myśl.

Jeśli silnik jest sprawny...

Akumulatory!

Poderwałem się w jednej sekundzie i podniosłem siedzisko. Cztery potężne baterie tkwiły na swoich miejscach, ale gdy odłączyłem pierwszą z nich i wyjąłem z leża, wszystko stało się jasne. Mikropęknięcia obudowy, które musiały powstać podczas upadku, teraz były widoczne gołym okiem. Straciłem niemal siedemdziesiąt procent życiodajnego żelu. Dwa kolejne akumulatory były w jeszcze gorszym stanie. Nadawały się tylko do wyrzucenia. Zastanawiałem się, czy nie dałoby się wybrać z aluminiowej komory resztek oleistej cieczy, ale nawet na moje chłopskie oko było jej tam o wiele za mało. Resztę zgubiłem na trasie. Splunąłem na beton i kopnąłem ze złości zabytkowy dystrybutor. Ciężki, podkuty but zostawił na nim wyraźne wgniecenie. Miałem przed sobą najtrudniejszy i najbardziej pokręcony odcinek trasy. Przejazd przez Góry Skaliste prowadzący do równin Kolorado i dalej, na wschodnią część kontynentu. I właśnie tutaj moja największa nadzieja musiała odmówić posłuszeństwa. Wyjąłem z torby pozycjoner i sprawdziłem najbliższą okolicę. Od następnej miejscowości dzieliło mnie około dwudziestu pięciu mil księżycowego krajobrazu. Cały dzień spaceru. Pod warunkiem że zostawię tutaj większość dobytku.

Grand Junction wydawało się całkiem sporym miasteczkiem. Położone tuż obok jednego z najpiękniejszych parków krajobrazowych, z pewnością przyciągało masy turystów. A tam, gdzie pojawiają się zmotoryzowani goście, musi istnieć rozbudowana infrastruktura związana z ich obsługą. Czułem, że w Grand Junction znajdę co najmniej kilka w miarę sprawnych akumulatorów żelowych. Przy odrobinie szczęścia za jakieś trzy dni wrócę tutaj i będę mógł dokończyć naprawę motoru. Jeśli...

Spojrzałem na stojące w równym rzędzie akumulatory.

Równy rząd...

Odwróciłem się powoli, jakbym nie chciał spłoszyć iluzji, która kryła się w hangarze za moimi plecami.

Zdziwiłem się. I to mocno.

Najpierw podniosłem maskę maybacha. Tak wielka kolubryna powinna mieć akumulatory zdolne poruszyć czołg – w końcu dorównywała masą niektórym pojazdom wojskowym. I miała je... kiedyś. Teraz widziałem tylko pustą komorę, w której smętnie zwisały rozkręcone klemy. Podobnie rzecz się miała z bentleyem, fordem GT i tuzinem innych wozów. Reszty już nie sprawdzałem.

To nie mógł być przypadek. Ktoś wyjął akumulatory ze wszystkich aut. Jakby się spodziewał, że prędko nie wyjadą z tego hangaru. Jakby przygotował je na naprawdę długi postój. Sprawdziłem dokładniej. Smród smarów, który tak raził mnie na początku, naprowadził mnie na coś jeszcze. Położyłem się na betonowej posadzce i przyjrzałem częściom zawieszenia. Każde łożysko, każdy sworzeń, każda część narażona na korozję została jakiś czas temu starannie nasmarowana. Wszystkie wozy tkwiły na stalowych podporach ustawionych pod elementami ramy. Ktoś zadbał, żeby ujście powietrza nie uszkodziło z czasem opon. Ale... ten proces mógł trwać latami!

Usiadłem, opierając się o drzwi szarego maserati.

O co tu, kurwa, może chodzić? Kumple z wojska, nawet miliarderzy, przyjeżdżając z wizytą, raczej nie rozbierają swoich luksusowych fur i nie przygotowują ich na zimowanie. A skoro nie chodziło tutaj o doroczny spęd klubu najdroższych czterech kółek ani o dziuplę... Chociaż... Tak! Zaczynałem podejrzewać, że jednak trafiłem na dziuplę. Tyle że nie zwyczajną.

Wyszedłem przed hangar i rozejrzałem się uważniej. Po drugiej stronie lokalnej drogi zauważyłem kilka sporych budynków należących bodajże do lokalnej kopalni, a za jednym z nich składowisko pordzewiałych kontenerów. No proszę... Wszystko pasuje. Zakup na lewe papierki, leasing albo raty, parę miesięcy ciszy, aż umilknie wrzawa – za takie pieniądze na pewno nikt wcześniej nie popuści – a potem auto trafia do kontenera i wkrótce ktoś na drugim krańcu świata staje się szczęśliwym posiadaczem jednego z cudów techniki. To by nawet tłumaczyło, dlaczego wozy rozbebeszono i przygotowano na dłuższy postój.

Ślicznie pomyślane, uznałem, no i ten rozmach. Dwadzieścia cztery takie fury w kilka miesięcy? Na coś takiego mogli się porwać chyba tylko Chińczycy albo któryś z karteli narkotykowych.

– No, skurwe synki – sapnąłem. – Chcieliście się nachapać, a tylko wyświadczyliście mi przysługę. Ale gdzie schowaliście te wszystkie akumulatory?

Przetrząsanie zabudowań nie trwało długo. W końcu po tej stronie drogi nie było ich wiele, a akumulatory miały sporą wagę i objętość, więc byle gdzie nie dało się ich schować.

Leżały wszystkie, fachowo zabezpieczone, w jednej z przybudówek hangaru. Rozłożono je na długim stole jeden obok drugiego, równiutko jak od linijki. Co ciekawe, do wszystkich końcówek ogniw doczepione były przewody. Przeszedłem na drugą stronę zagraconego pomieszczenia i przyświecając sobie latarką, sprawdziłem, dokąd biegną te kable. Tuż przy stole trafiały do przykrytej deskami rynny wyżłobionej w podłodze i niknęły w ścianie.

Bez trudu namierzyłem miejsce, w którym przewody wychodziły na zewnątrz. Po tej stronie rynna została zastąpiona żeliwną rurą, która biegła – przez pokryte piachem i kamieniami zaplecze stacji – mniej więcej na północ. Zaciekawiony ruszyłem wzdłuż niej, ale nie uszedłem daleko, gdyż jakieś trzysta jardów dalej rura zniknęła w betonowym przepuście pod szosą prowadzącą do kopalni. Po drugiej stronie zaraz skręcała, by nagle skończyć się na brzegu niewielkiego strumienia. Płynąca z gór woda zasilała niewielki, widoczny dość dobrze z tego miejsca staw, ale to nie on przykuł moją uwagę, tylko miniaturowa elektrownia wodna. Przyklęknąłem na brzegu i przyjrzałem się uważnie maleńkim łopatkom obracającym się monotonnie pod powierzchnią strumienia. Prosty mechanizm, a jakże skuteczny. Właściciele tej dziupli pomyśleli o wszystkim.

Obmyłem twarz i ręce w chłodnej wodzie, a potem wróciłem do magazynu z akumulatorami, aby przyjrzeć im się bliżej. Na stole przede mną leżały wielkie litowo-żelowe potwory, mniejsze baterie niklowe, a nawet futurystycznie wyglądające smukłe tuby ogniw litowo-polimerowych. Do wyboru, do koloru. Sprawdziłem miernikiem kilka z nich. Dzięki elektrowni wodnej były naładowane mniej więcej do połowy. Sprytny mechanizm składający się z sieci żarówek dbał o to, aby nie zużyły się zbyt szybko. Dzięki temu można je było podtrzymać przy życiu nawet przez kilka lat.

Najchętniej wziąłbym te pierwsze, ale były stanowczo za duże – zapewne pochodziły z maybacha albo bentleya. Rozmiarami pasowałyby raczej do czołgu niż motoru, nawet trójkołowego. Pewnie w ogóle bym ich nie udźwignął. Ale po co się męczyć, skoro tak naprawdę potrzebowałem jedynie tego, co kryły w sobie. A żel mogłem spuścić nawet w najbardziej chamski sposób, dziurawiąc obudowy tych kolosów. Wystarczy kilka prostych narzędzi – a tych miałem wokół w bród – i czyste wiaderko.

Zanim ruszyłem w stronę wybebeszonego motocykla, aby przygotować się do tej operacji, zrozumiałem, że to wcale nie będzie takie proste. Obudowy moich akumulatorów były popękane w tylu miejscach, że wlewanie do nich nowego żelu mijało się z celem. Rozwarstwiony plastik sypał się na moich oczach. I nie miałem niczego, czym mógłbym go solidnie uszczelnić. W najlepszym razie udałoby mi się uzyskać trzydzieści procent dawnej pojemności. Zbyt mało, aby myśleć o dalszej jeździe.

– Kurwa mać! – zakląłem, odwracając się ponownie do wyeksponowanych akumulatorów.

Niklowe pudła odpadały. Były o wiele mniejsze, ale też słabsze. Nie ta generacja, nie te osiągi. Sądząc z danych na tabliczkach znamionowych, wystarczyłyby mi na jakieś dwie godziny jazdy. Za mało, stanowczo za mało. Przyjrzałem się więc czarnym prętom leżącym na samym końcu regału. Nigdy wcześniej nie widziałem podobnych akumulatorów. Kojarzyły mi się raczej z filmami science fiction niż z klasycznymi bateriami. Podniosłem jeden. Był niezwykle lekki jak na swoje rozmiary. Ważył niespełna dziesięć funtów. Obejrzałem go ze wszystkich stron, poszukując tabliczki znamionowej, ale nigdzie nie było żadnych napisów. Tylko dwa znaki po przeciwnych stronach. Plus i minus. I bądź tu mądry, pomyślałem, odkładając go na miejsce.

Musiałem się zdecydować na jedno z dostępnych rozwiązań. Albo uszczelniam w bliżej jeszcze niesprecyzowany sposób moje żelowe akumulatory i napełniam je, albo wyrzucam je w diabły i pakuję do komory motocykla trzy baterie niklowe. Rozwiązanie pierwsze groziło mi powtórką z rozrywki w ciągu najbliższych kilku dni, jeśli nie znajdę gdzieś nieuszkodzonych akumulatorów tego typu, drugie natomiast niemiłosiernym wleczeniem się z wielogodzinnymi postojami co najmniej dwa razy dziennie.

Włożyłem ręce do kieszeni i wyczułem zimny dysk monety. Może powinienem się zdać na instynkt Obamy? To nawet nie taki głupi pomysł, zważywszy na to, że poprzednim razem skierował mnie tutaj. Za tamą mogłem mieć mniej szczęścia. Takie dziuple nie trafiają się na każdym zakręcie. Wyjąłem półdolarówkę i zakręciłem nią w palcach. Podrzuciłem ją lekko raz i drugi. Wreszcie zdecydowałem się i poszybowała wyżej. Ułamek sekundy później usłyszałem głośny metaliczny klang, a odruchowo uniesiony snop światła latarki omiótł kołyszący się mocno klosz lampy. Moneta odbiła się od niego i poleciała gdzieś w bok. W świetle latarki widziałem jedynie strugi zawiesistego kurzu opadającego na podłogę.

– Żeby cię... – zmełłem w ustach przekleństwo i natychmiast skierowałem latarkę w stronę, w którą poleciała moneta.

W tym samym momencie dotarło do mnie, że nie usłyszałem uderzenia metalu o beton. Szybko omiotłem wzrokiem cały róg pomieszczenia i odetchnąłem. Była tam, pod ścianą, w sporej skrzyni z piachem. Wbita do połowy na sztorc.

Wyjąłem ją, otarłem z brudu i natychmiast wsunąłem do kieszeni.

– No i licz tu na demokratów – westchnąłem, stając znów przed wyborem: uszczelnianie czy słaba moc.

A może...?

Trzecie rozwiązanie.

Zanim nacisnąłem starter, zamknąłem oczy i przygryzłem nerwowo dolną wargę. Trzy, dwa, jeden. W szum wiatru wdał się dodatkowy cichy pomruk. Spojrzałem na zegary. Wskazówka napięcia zawędrowała na koniec skali. Zapaliłem reflektor – ani drgnęła. Dodałem obrotów, nie wysprzęglając, a ona nadal tkwiła jak przykuta do końca skali.

Poklepałem się po kieszeni, w której spoczywał Obama. Gdyby nie to, że wybory odeszły bezpowrotnie, przy najbliższej okazji na pewno zaznaczyłbym na mojej karcie kandydata demokratów.

Dwa rzuty i dwa trafienia.

Podniosłem oczy ku niebu.

– Dzięki i za to – szepnąłem, wrzucając jedynkę i ruszając gładko ze stacji benzynowej w Harley Dome.

Choć straciłem całe popołudnie, sporą część nocy i dwie godziny poranka, byłem szczęśliwy jak norka, widząc pod siedzeniem trójkołowca sześć czarnych prętów, które jeszcze nie tak dawno służyły do napędzania hybrydowej wersji saleena raptora. Gdyby komputer tego niesamowitego wozu nie został usmażony na amen, byłbym zapewne najszczęśliwszą istotą na świecie. Ale nie mogłem nic z nim zrobić. O ile motor dał się uruchomić i kierować z pominięciem bardziej skomplikowanych podzespołów, o tyle ten cud techniki musiał mieć działające elektroniczne serce albo pozostać martwy na wieki. Z bólem serca wybebeszałem więc tę nieziemską brykę, żeby wymontować z niej specjalne leża, w których osadzane były litowo-polimerowe pręty. Poświęciłem temu wiele godzin i zdarłem dłonie, ale opłaciło się. I to w dwójnasób.

Choć na samych akumulatorach nie było informacji o ich pojemności, wszystkie dane znalazłem w książce pojazdu. To naprawdę była kosmiczna technologia. Moje li-ony, w końcu jedne z najnowocześniejszych akumulatorów, chowały się w porównaniu z tymi cackami. Jeden dzień opóźnienia dał mi niewiarygodną moc pod siedzeniem. Jeśli producenci nie wciskali kitu, mogłem po czterogodzinnym ładowaniu przejechać nawet czterysta mil. Nie dbając o przyśpieszenia i wykorzystanie mocy.

– Born to ride – wyszeptałem wczesnym popołudniem, gdy wszystkie pręty były naładowane, a cały majątek trafił na powrót do przyczepki. Chwilę później pęd powietrza starł z mojej twarzy kilka łez, które zakręciły się w kącikach oczu.

Wracałem na siedemdziesiątkę.

Godzinę później dotarłem do Grand Junction. Mieścina była całkiem spora, miała trzydzieści parę przecznic, nie licząc przedmieść, i nieco ponad pięćdziesiąt tysięcy mieszkańców, co wyraźnie napisano na tablicy informującej o przekroczeniu granic miasta. Zatrzymałem się na moment na stacji benzynowej, tuż za zjazdem na drogę krajową numer sześć zwaną w granicach miasta Aleją Północną, aby zapoznać się z miejscowymi broszurami dla turystów. W czerwonej chatce, za którą znajdował się potężny parking dla tirów, znalazłem coś więcej. Bogato ilustrowany przewodnik po mieście i parku krajobrazowym Colorado National Monument – którego granice widziałem nawet z tego miejsca – autorstwa Sheridana O'Malleya, czarnoskórego i cholernie dumnego obywatela Grand Junction, a zarazem pastora największej tutejszej parafii oraz burmistrza trzech ostatnich kadencji.

Alleluja, brachu!

Oszczędziłeś mi sporo czasu.

Książeczka była bardzo szczegółowa, o wiele dokładniejsza niż mój mapnik. Po dziesięciu minutach wiedziałem, gdzie zanocuję i dokąd udam się na zakupy. Także po strawę duchową. Wprawdzie panowie Barnes and Noble wciąż gardzili takimi miejscami, ale lokalni księgarze, przynajmniej według przewodnika, stanowili obrotną i liczną grupę zawodową w lokalnej społeczności.

Szóstka dzieliła miasto na część mieszkalną i przemysłową. Jadąc nią w kierunku zajazdu, który wybrałem na dzisiejszą noc, musiałem ominąć kilka poważnych wypadków. Zdaje się, że godzina trzecia nie była dla tutejszych środkiem nocy. Przy rampach ogromnych magazynów widziałem kilkadziesiąt otwartych naczep, wózki widłowe i szare kształty, które musiały być ciałami robotników z trzeciej zmiany. Na drodze, i to w obu kierunkach, było więcej trucków niż aut osobowych. Większość stała na szerokich poboczach, kilka jednak blokowało pasy ruchu, stojąc lub leżąc w poprzek dwupasmowej szosy.

Zajazd „Peachtree Inn" wyglądał bardzo obiecująco. Przede wszystkim był pusty. Z bardzo prostego powodu – zamknięto go kilka dni przed atakiem w związku z remontem linii energetycznej, o czym obwieszczał ogromny napis na podjeździe. Dzisiaj nie miało to najmniejszego znaczenia. Liczyło się tylko jedno: że mogłem zaparkować koło otwartej przestrzeni i rozłożyć moją podręczną elektrownię, nie wspinając się na drzewa czy dachy. Dodatkowym atutem był narożny market oddalony o jedną przecznicę i księgarnia „Over the Rainbow" znajdująca się niemal na zapleczu motelu. Żyć nie umierać. Pokochałem to miejsce od pierwszego wejrzenia.

Ruszyłem na zakupy, jak tylko rozstawiłem wiatraki i ogniwa. Najpierw do ciągu sklepów na rogu Dwudziestej Czwartej. Musiałem rozwalić solidne drzwi, zanim dostałem się do wielkiej hali pełnej kolorowych reklam i ton nienadającego się do niczego jedzenia. Pobieżnie przejrzałem kilka działów, wrzucając do koszyka rozmaite drobiazgi, na które analitycy nie przeznaczyli miejsca w zestawie przetrwania. Potem odwiedziłem dział alkoholowy. Sporą część półek zajmowały tanie albo średnio tanie trunki z kalifornijskich winnic i nieprzekraczające pułapu dwudziestu dolarów importy z Europy. Nawet w szafie kipera nie zauważyłem niczego godnego zainteresowania. Przyjrzałem im się tylko z czystej ciekawości, wiedziałem przecież, i to aż za dobrze, jak smakuje wino potraktowane cząstkami trineutrina. Na szczęście prawdziwi Amerykanie muszą mieć pod ręką coś mocniejszego. Nawet na takich zadupiach. I chociaż trudno było mówić o wielkim wyborze, nie wyszedłem z „Walmartu" z pustymi rękami. Wziąłem z najwyższej półki dwie ostatnie butelki osiemnastoletniego glenliveta i zgarnąłem z kosza kilka puszek solonych orzeszków. Tradycyjnie uzupełniłem łupy suszonym mięsem.

Zaniosłem zakupy do pokoju, jeszcze raz sprawdziłem, czy wszystko gra w generatorze, i skracając sobie drogę przez wyschnięty trawnik, ruszyłem do księgarni. Też była zamknięta, ale wystarczył rzut kamieniem z pobliskiego gazonu, aby gruba szyba wystawowa rozprysła się na miliony kawałków, dając mi dostęp do przestronnego pomieszczenia o ścianach wykładanych imitacją cegieł. Stanąłem przed gęstymi rzędami niskich regałów. Dłuższą chwilę zastanawiałem się, na jaki gatunek mam ochotę. Jako dzieciak uwielbiałem przygodówki. Teraz jednak wcale mnie do nich nie ciągnęło. Przy niewielkiej ladzie zauważyłem display z dziesiątką największych hitów kwietnia. Odrzuciwszy powieści dla kobiet i poradnik dla „początkujących" rozwodni-

ków, zostałem przy trzech pozycjach. Stephena Kinga znałem
dość dobrze – wprawdzie nie przeczytałem żadnej jego książki,
ale obejrzałem wiele ich ekranizacji. I nie powiem, nawet mi się
podobały. Rzuciłem okiem na tylną stronę okładki, pominąłem
zachwyty krytyków i kolegów po piórze i skoncentrowałem się
na kilkuzdaniowym streszczeniu.

Trzymałem powieść o amerykańskim turyście, który budzi się
pewnego ranka gdzieś w Europie i odkrywa, że wszyscy mieszkańcy miasteczka, które odwiedził, są martwi. Biorąc pod uwagę
okoliczności, akcja nie wydała mi się specjalnie nęcąca. Doświad-
czałem na własnej skórze tego, co przeżył bohater *Wszystkich
dróg, które prowadzą do Rzymu*. King wrócił na półkę, a ja zważyłem w dłoniach pozostałe dwa bestsellery.

Pierwszy, opasłe tomiszcze w twardej oprawie, był kolejnym
dziełem Toma Clancy'ego, autora technothrillerów o bliskiej
przyszłości i konfliktach na skalę globalną. Przerzuciłem kilka
kartek. Odrodzeni terroryści islamscy przeprowadzają przemyśl-
ny zamach, traktując gazem bojowym głowy państw zebrane
na pogrzebie angielskiej królowej. Świat Zachodu pogrąża się
w kryzysie i panice... Serdu, pierdu. Wprawdzie Tomowi udało
się opisać uderzenie samolotem pasażerskim w budynek na długo
przed jedenastym września, ale symulowanego ataku nuklearnego, który pozbawił kraj całej osłony, nie przewidział. Do kosza.

Ostatnia książka miała kolorową okładkę, z której spoglądał na mnie postawny mężczyzna w kombinezonie lotnika albo
astronauty stojący na ogromnej, archaicznie wyglądającej ma-
chinie bojowej. O jego nogę ocierał się wielki kot, a w tle widać
było wysokie mury jakiejś twierdzy i górującą nad nimi kopułę
Fullera. Nazwisko autora niewiele mi mówiło, było zbyt obco
brzmiące. Andr... Andrz... Andrez, tfu, Andrew Ziemianski,
ponoć objawienie europejskiej fantastyki przełomu tysiącleci.
Książka nosiła tytuł *Autobahn nach Poznan*. Przerzuciłem kilka

stron, czytając dialogi, i spodobało mi się. Żywa akcja, humor, czegoś takiego potrzebowałem. Dwa miliony moich rodaków nie mogły się mylić. Sprawdziłem po nazwisku na regale. Mieli jeszcze jakąś trylogię tego autora. Zabrałem komplet, dołożyłem do niego parę broszurowych wydań Clive'a Cusslera – tego autora zapamiętałem z dzieciństwa – a na koniec dorzuciłem do koszyka pół metra bieżącego komiksów z komisu. Sprawę lektur miałem załatwioną na dłuższy czas.

Po upojnej nocy spędzonej w jednym z luksusowych kurortów nad jeziorem Dillon wyruszyłem z samego rana w kierunku leżącego opodal tunelu Eisenhowera. Z lokalnego przewodnika dowiedziałem się, że przejeżdżając na jego drugą stronę, pozostawię za sobą nie tylko najwyższe szczyty Gór Skalistych, ale i linię kontynentalnego wododziału, czymkolwiek ona jest, i stanę u wrót Denver, od którego dzieliło mnie już niespełna siedemdziesiąt mil.

Dwupasmowa szosa wiodła dnem wąskiej doliny, z czasem wspinając się na łagodniejsze zbocza znajdujące się naprzeciw majestatycznego masywu Tenderfoot Mountain, które kiedyś zieleniły się nie tylko latem, a teraz przypominały jedno wielkie cmentarzysko. Pozbawione kory i igieł, nagie, połamane przez wichury pnie wiekowych świerków i modrzewi, z których słynęły kiedyś te okolice, zalegały jak okiem sięgnąć. Nawet spora część obu pasów ruchu prowadzących na zachód była nimi pokryta. Chyba dopiero tutaj po raz pierwszy zdałem sobie sprawę z ogromu zniszczeń, jakie poczyniło promieniowanie. Z natury półpustynne, górzyste krajobrazy Kalifornii, Arizony i Utah nie sprawiały tak przygnębiającego wrażenia, momentami trudno było tam zauważyć zmiany spowodowane wojną. Gdyby nie spotykane od czasu do czasu wraki samochodów i mumie ich pasażerów, mógłbym uwierzyć, że wybrałem się na całkiem normalną przejażdżkę.

Ale tutaj pozbawiona życia okolica na każdym kroku przypominała mi, kim jestem i co zrobiłem...

Sześć mil dzielących mnie od tunelu pokonałem najszybciej jak mogłem; tylko dwa razy musiałem przeciskać się poboczem, aby ominąć większe karambole. Dziesięć minut po opuszczeniu hotelu zatrzymałem się u wylotu mrocznej paszczy jednego z bliźniaczych wjazdów. Zdjąłem kask i pociągnąłem łyk wody. Pomimo tak wczesnej pory słońce przypiekało bardzo mocno – międzystanowa wspinała się na tym odcinku na ponad dziesięć tysięcy stóp ponad poziom morza – a gruba skóra kombinezonu sprawiała, że pociłem się jak mysz.

Spojrzałem w mrok przed sobą. Biały klinkier, którym wyłożono ściany tunelu, niknął kilkadziesiąt stóp dalej, ustępując nieprzeniknionym ciemnościom.

Przeniosłem wzrok na sporą tablicę stojącą tuż obok szerokiego pobocza. Oprócz innych informacji zawierała kategoryczny zakaz wjazdu pojazdów jednośladowych. Uśmiechnąłem się pod nosem. Przepisy o ruchu drogowym, razem z całą resztą praw, przeszły już do historii. Dzisiaj byłem jedynym użytkownikiem tej autostrady. Nikt mi nie mógł niczego zabronić. Pociągnąłem ostatni łyk wody, rzuciłem pustą butelkę za siebie i włożyłem kask.

To tylko niecałe dwie mile, pomyślałem, najwyżej trzy minuty jazdy. Powiedzmy, że będę nadzwyczaj ostrożny w ciemnościach i zwolnię, co wydłuży czas przejazdu o minutę. Przy kompletnym braku ruchu, nawet bez działającego systemu wentylacji, nic nie mogło mi grozić.

Wrzuciłem jedynkę i zanurzyłem się w ciemność.

Na wszelki wypadek postanowiłem nie przesadzać. Reflektor oświetlał spory kawałek asfaltu, gładka powierzchnia ścian rzucała dodatkowe odblaski, ale już po chwili zwolniłem do trzydziestu mil na godzinę. Przypomniały mi się szczeniackie czasy, kiedy to w gęstej mgle pruliśmy po stanowych drogach siedemdziesiątką, chociaż nie widzieliśmy niczego prócz trupiej poświaty. Głupich nie sieją, za to często zeskrobują. W wąskiej gardzieli tunelu podczas ataku na pewno znajdowało się kilka samochodów. Gruba warstwa skał powinna zapobiec natychmiastowej śmierci kierowców – zwłaszcza że najbliższa eksplozja nastąpiła dopiero nad Denver – a to oznaczało, że przy wylocie mogę się natknąć na jakąś niespodziankę.

Myliłem się.

Akurat spojrzałem na licznik, aby sprawdzić, jak daleko już zajechałem, gdy tuż przede mną pojawił się stojący w poprzek drogi van. Wojskowy, oliwkowy, pociągnięty matowym lakierem. Wszystkie szyby miał powybijane, więc nic nie odbijało światła z mojego reflektora. Gdybym patrzył na drogę, jak Bozia przykazała, zyskałbym pewnie dwie, może trzy dodatkowe sekundy na reakcję, ale pech chciał, że akurat w tym momencie przeniosłem wzrok na przyrządy.

Odbiłem instynktownie w lewo, tam gdzie pozostało więcej miejsca, kurczowo zaciskając dłonie na manetkach. Zdołałem ominąć wóz, ale zahaczyłem lewym kołem o leżące za nim zwłoki. Zarzuciło mnie mocno, rozległ się głośny zgrzyt, coś wyprysnęło spod motoru i uderzyło z trzaskiem o kafelki na ścianie. Na szczęście nie odwróciłem głowy, koncentrując się na tym, co wciąż miałem przed sobą. Sekundę później depnąłem z całej siły na hamulec.

W tym miejscu zaczęli ginąć.

Pierwsza ofiara promieniowania straciła panowanie nad samochodem, kolejni kierowcy, najwidoczniej też już mocno osłabieni, wjeżdżali w siebie, rozbijając wozy. Pewnie dodawali gazu, sądząc, że zawroty głowy i mdłości są efektem zatrucia spalinami, i chcąc jak najszybciej wydostać się z matni. Grozę z pewnością potęgował fakt, że w momencie ataku wszystkie światła zgasły. Któryś, wbijając się w karambol, skrzesał feralną iskrę i nagle kilkanaście sczepionych wraków zapłonęło jasnym ogniem. Wybuch musiał mieć ogromną moc. Niektóre wypalone karoserie były rozerwane na strzępy, spora część ściany została ogołocona z glazury. Ale nie to było w tym obrazie najgorsze.

Przed oczami miałem kilkanaście ton wypalonego, poskręcanego metalu blokującego oba pasy ruchu. Gdy nieco ochłonąłem, zrozumiałem, że tędy na pewno się nie przedostanę.

Nie przejąłem się tym zupełnie. Według licznika przejechałem ponad milę, zatem do wylotu pozostało mi naprawdę niewiele. Skoro ta nitka jest zablokowana, muszę cofnąć się do pierwszego łącznika technicznego – a te powinny się znajdować co kilkaset jardów – i przedostać się nim do równoległego tunelu.

Zawróciłem, nie tracąc czasu na badanie zapory. Wiedziałem, że gdyby nawet okazała się o wiele mniej zwarta, niż podejrzewałem, rozmontowanie jej w tych warunkach kosztowałoby zbyt wiele wysiłku. Poza tym długie światła pochłaniały naprawdę sporo energii i chociaż poprzedniej nocy naładowałem akumulatory do pełna, istniała groźba, że wyczerpię je, zanim zdołam się stąd wydostać.

Pierwszy łącznik, zgodnie z moimi przypuszczeniami, znajdował się dwieście jardów od miejsca wypadku. Był wystarczająco szeroki, aby zawrócił w nim spory van. Przetoczyłem się wolniutko do drugiej nitki tunelu i ruszyłem pod prąd w stronę niewidocznego jeszcze wylotu. Na pierwszych trzystu jardach nie napotkałem ani jednego wraku, ale podobnie było w pierwszym tunelu, nie przywiązywałem więc do tego większej wagi. Skoro eksplozja zabiła tamtych ludzi, mimo że dotarli tak głęboko, to i ci po tej stronie...

Nie, nie, nie.

Błąd.

Ludzie z tej strony byli o wiele bardziej narażeni na promieniowanie niż nadjeżdżający z przeciwka. Uświadomiłem to sobie w tym samym momencie, w którym natrafiłem na wbity w ścianę autobus. Zapewne linii „Greyhound", ale nie mogłem być tego pewien, gdyż karoserię, podobnie jak wraki z pierwszego tunelu, niemal doszczętnie strawił ogień. Tym razem jechałem o wiele wolniej, więc bez trudu zatrzymałem się kilkadziesiąt stóp od zwałów stopionego metalu.

Ściągnąłem kask i zsiadłem z motoru. Obejrzałem dokładnie końce wraku. Przód wprasował się w zewnętrzną ścianę tunelu dosłownie trzy jardy od wyjścia awaryjnego, wypalony tył znajdował się niespełna półtorej stopy od przeciwległego końca szosy. Wcisnąłem się w tę szczelinę i oświetliłem latarką następną sekcję tunelu. Z mroku wyłoniło się jeszcze więcej zniszczeń. Wprawdzie było tutaj znacznie mniej samochodów, ale i tak zatarasowały one oba pasy ruchu na sporym odcinku. Nie miałem najmniejszych szans na przedostanie się przez to pobojowisko.

Wracając, rzuciłem okiem na wyjście awaryjne. Zardzewiałe drzwi otworzyły się z przeraźliwym zgrzytem po kilkakrotnym szarpnięciu, drugie, przeciwpożarowe, ustąpiły o wiele szybciej, ale wiedziałem, że nie mogę z nich skorzystać. Były zbyt wąskie, aby przepchnąć przez nie motocykl, a bez niego nie zamierzałem się stąd ruszać.

Musiałem wracać. Na wszelki wypadek pojechałem znaną już trasą, przez łącznik. Wskazówka napięcia zdążyła opaść do trzech czwartych pojemności prętów, a według zakładanego planu powinienem tego dnia dojechać do centrum Denver.

I miałem szczery zamiar tego dokonać.

Tyle że objazdem.

O tym, że zbliżają się kłopoty, wiedziałem od połowy podjazdu. Nie musiałem używać lornetki, by stwierdzić, iż na drodze stało się coś poważnego. W tym miejscu szóstka wspinała się ostro na przełęcz pomiędzy Grizzly Peak a bliźniaczymi szczytami Hooverta. To były, praktycznie rzecz biorąc, ostatnie zakręty przed powrotem na siedemdziesiątkę, którą musiałem porzucić godzinę wcześniej, cofając się z zablokowanego tunelu aż do jeziora Dillon. Szóstka była jedyną trasą, jaką mogłem pokonać te góry. Jedynym rozsądnym objazdem tunelu. Każda inna droga oznaczała dziesiątki, jeśli nie setki mil dodatkowej jazdy, nie wspominając już o ryzyku napotkania podobnych przeszkód.

Pierwszym sygnałem, że coś jest nie tak, był leżący w dolinie po lewej wypalony wrak ciężarówki. Wielkie jak cholera głazy, które tworzyły wokół niego gęste rumowisko, też dały mi do myślenia. Zatrzymałem motor i spojrzałem w górę. Część barierki na kolejnym zakręcie, mniej więcej pięćdziesiąt stóp wyżej, była zerwana. Poza krawędź przepaści wystawała ponad połowa czarnej naczepy, stercząc pod nienaturalnym kątem jak wzniesiona trąba słonia albo samobieżna wyrzutnia rakiet. Nie było widać, co przygniotło ciągnik i spowodowało tę deformację, ale domyślałem się, że mógł to być głaz podobny do tych, które przegradzały teraz koryto wąskiego strumienia płynącego leniwie pod wrakiem wypalonej ciężarówki.

Do zakrętu dojechałem bardzo wolno – wskazówka licznika nie oderwała się nawet na moment od podpórki na dole skali. Skoro kamieniste lawiny schodziły w tej okolicy na tyle często, że co kilkaset jardów ustawiono ostrzegające przed nimi tablice, to teraz, gdy zabrakło nadzoru i roślin wiążących korzeniami ziemię na pobliskich stokach, zagrożenie musiało wzrosnąć wielokrotnie. Każdy głośniejszy dźwięk mógł wywołać kolejną lawinę skał i ziemi. Na szczęście trójkołowiec posuwał się bez najmniejszego szmeru. Słyszałem nawet, jak pod jego oponami chrzęszczą kamyczki, które na tym odcinku pokrywały niemal całą powierzchnię szosy. Ostry, szerszy niż sama droga nawrót znajdował się już kilka jardów przede mną. Dodałem nieco gazu, żeby płynniej pokonać rosnącą stromiznę, i niemal natychmiast zahamowałem.

Zgodnie z moimi przypuszczeniami szosa została zablokowana przez skalną lawinę. Jezdnię tarasowała postawiona w poprzek ciężarówka, a raczej to, co z niej zostało. Fioletowoszary odłamek skały o średnicy co najmniej sześćdziesięciu stóp zmiażdżył ciągnik siodłowy, dosłownie wprasowując go w asfalt. Uniesiona tak potężnym uderzeniem naczepa nie wypięła się jednak i zadziałała jak dźwignia, spychając wszystko na swojej drodze, w tym leżącą teraz w dole wypaloną ciężarówkę. Nie dość, że zablokowała cały pas asfaltu, to wystawała jeszcze daleko poza jego krawędź. Zatrzymałem się tuż za zakrętem, opodal pierwszych większych odłamków, i kontemplowałem ten obraz przez dłuższą chwilę.

Nie wyobrażałem sobie, abym mógł przesunąć czy choćby skruszyć ten głaz. Musiał ważyć setki, jeśli nie tysiące ton. Naczepy też nie zdołałbym wypiąć, niemal całe siodło bowiem kryło się pod wielkim głazem. Przejazd pod nią również nie wchodził w rachubę. Prześwit pomiędzy asfaltem a podwoziem tuż przy krawędzi rumowiska był co najmniej o dziesięć cali za mały.

Zsiadłem z motoru, ustawiwszy go kierownicą w stronę zakrętu, na wypadek gdybym musiał się stąd szybko ewakuować, i przycupnąłem na kamiennym słupku przy skraju przepaści. Wyjąłem z kieszeni skórzane etui na trzy cygara, które znalazłem we wraku limuzyny, przeszukując parking najbardziej luksusowego hotelu w Dillon. Poprzedni właściciel już go nie potrzebował, podobnie jak sporego zapasu kubańskich Esplendidos spoczywających bezpiecznie w kanciastym humidorze. Wysunąłem jedno z nich, obciąłem gilotynką końcówkę i przypaliłem, pociągając mocno kilka razy.

Musiałem się zastanowić, a najlepsze na zastanowienie są chwila ciszy, dobre cygaro i łyk bourbona. Miałem to wszystko pod ręką, ale rozwiązania problemu nie udało mi się znaleźć. A rozważyłem chyba każdą możliwość.

Najpierw pomyślałem o wysadzeniu blokującej drogę naczepy. To byłoby proste, miałem w przyczepce jeszcze trzy laski dynamitu, tyle że... Wystarczył rzut oka na nawis skalny znajdujący się mniej więcej sto stóp powyżej, z wyraźnym, wciąż jaśniejszym od pozostałych fragmentem, abym stracił ostatnie złudzenia. Huk eksplozji i wstrząs zwaliłyby na drogę kolejne masy skał, co oznaczałoby, jeśli nie moją natychmiastową śmierć, to na pewno absolutną blokadę szóstki i konieczność znalezienia innej drogi.

Rozłożywszy na kierownicy mapę pobliskich kurortów, skupiłem się więc na najmniej mi odpowiadającej ewentualności. Aby dostać się do Denver, musiałbym się cofnąć aż za Wheeler Junction, tam odbić na ósemkę i dotrzeć nią w pobliże Leadville, skąd drogą numer dwieście osiemdziesiąt dziewięć pokonałbym ostatnie pasma górskie i wydostał się w końcu na równiny w pobliżu miejsca, do którego prowadził tunel Eisenhowera. To jednak oznaczało nadłożenie stu pięćdziesięciu mil w równie górzystym terenie, gdzie mogłem napotkać wiele podobnych przeszkód. Przestudiowałem uważnie mapę, sprawdzając kolejne odcinki alternatywnej trasy, i zdecydowałem, że to naprawdę ostatnia deska ratunku.

Wydmuchiwałem powoli aromatyczny dym, pociągając z piersiówki Jacka Daniel'sa, i patrzyłem w nabożnym milczeniu na stado mustangów pędzących przez prerię ku zachodzącemu słońcu składającemu się z dwu stylizowanych liter. Ktoś zadał sobie mnóstwo trudu, aby wymalować realistyczny obrazek na blaszanym poszyciu czarnego trailera.

Kolejne rozwiązanie, na jakie wpadłem, było tyleż szalone, co proste. Musiałbym tylko znaleźć jakiś sposób na rozładowanie tej naczepy, wyciąć otwory w obu jej burtach, potem ułożyć z kamieni i drzewa rampę, po której wjechałbym do niej i wydostał się na szosę z drugiej strony. Im dłużej się nad tym zastanawiałem, tym bardziej zapalałem się do swojego pomysłu. Przyda mi się trochę rozrywki i odrobina gimnastyki. Mógłbym nawet tutaj przenocować, gdyby się okazało, że robota idzie jak po grudzie. Miałem w przyczepce puchowy śpiwór, a nie dalej niż pięćset jardów od zakrętu widziałem porzuconego towncara, który stanowiłby jakąś ochronę przed nocnym chłodem.

Wstałem ze słupka i zbliżyłem się do naczepy. Jedyny problem polegał na tym, że jej boczne drzwi znajdowały się kilka stóp poza skrajem drogi, a pod nimi miałem co najmniej pięćdziesięciostopową przepaść. Przyjrzałem się uważniej zmiażdżonemu pojazdowi, przeszedłem nawet na drugą stronę rumowiska, ale nie znalazłem innej drogi. Chociaż ciągnik został kompletnie zmiażdżony, naczepa wydawała się nienaruszona.

Nie wiedziałem też, jak dobrać się do niej i do ładunku, nie robiąc hałasu. Wróciłem więc na swój punkt obserwacyjny po kolejną szklaneczkę bourbona i kwadrans później, rozgrzany jego smakiem, zdecydowałem się na pewien eksperyment. Wsiadłem na motor i zjechałem na zakręt. Wyjąłem z olstra przy siedzeniu mossberga i wymierzyłem w niebo.

– Na trzy – powiedziałem do siebie. – Na trzy.

Nie wiem, czy to nerwy czy zbyt wiele alkoholu, ale już przy dwójce palec sam zacisnął się na spuście i ogłuszający huk odbił się stukrotnym echem od ścian pradawnej doliny. Byłem na to przygotowany. Doświadczenia z Vegas nauczyły mnie korzystać z tej broni. W sklepie myśliwskim w Salinie znalazłem doskonałe zatyczki do uszu, dzięki którym miałem teraz prawdziwy komfort i przy kolejnych strzałach nie musiałem czekać, aż gwizdy w uszach ustąpią na tyle, abym słyszał własne złorzeczenia.

Od razu podniosłem wzrok na nawis. Nawet nie drgnął. Wprawdzie z góry posypały się strumyczki drobnych kamieni i szutru, ale jaśniejsza skała wyglądała na niewzruszoną. Wpatrywałem się w nią przez kilka sekund w kompletnej ciszy, licząc na cud, ten jednak nie nadszedł. Uznałem więc, że kolejna próba nie zaszkodzi. Amunicji mi nie brakowało, a celów wręcz przeciwnie. Może za drugim albo trzecim razem osiągnę zamierzony efekt. Czy powinienem wymierzyć raczej w kierunku skał? Przeładowałem broń z głuchym trzaskiem i nagle, bez jakiegokolwiek ostrzeżenia, na moich oczach rozpoczął się najbardziej niesamowity spektakl, jaki w życiu widziałem. Zupełnie jakby dźwięk przesuwanej komory stanowił sygnał potrzebny do rozpętania kataklizmu.

Stłumiony trzask i lekki wstrząs kazały mi przenieść spojrzenie na drogę. Zauważyłem duży obłok pyłu wzbijającego się po drugiej stronie wraku osiemnastokołowca. W tym samym momencie kątem oka dostrzegłem jakiś ruch na stoku. Podniosłem głowę, w chwili gdy od nawisu oderwał się drugi głaz, tym razem wielkości samochodu, i majestatycznie runął w dół, zgarniając po drodze całą masę mniejszych odłamków. Zanim uderzył w krawędź drogi pięć, może dziesięć stóp od naczepy, ze zbocza zaczęły się osuwać dwa niemal identyczne kawałki skały.

A potem rozpętało się piekło.

Setki głazów różnej wielkości jednocześnie pomknęło w dół. Większość odbijała się od zbocza, od siebie wzajemnie, przelatywała obok drogi i znikała w przepaści, ale nawet ta skromna ich część, która spadła na asfalt, poczyniła ogromne zniszczenia. Kilka uderzeń serca po rozpoczęciu lawiny gigantyczny fragment trafił w najdalej wysunięty kraniec naczepy, wyrywając ją w mgnieniu oka z siodła i posyłając w przepaść. Niewiele widziałem przez tumany kurzu wzniesionego przez potok opadających skał i małych kamieni, ale przeraźliwy, oddalający się zgrzyt miażdżonego metalu podpowiadał, w którą stronę pomknęło stado malowanych ogierów. Ucieszyłem się, lecz natychmiast w mojej głowie pojawiła się inna myśl. Właściwie pytanie. Czy na miejscu naczepy nie pojawiła się teraz bardziej kłopotliwa przeszkoda? Chwilę później przestało mnie to interesować.

Głaz, który zniszczył naczepę, stoczył się w przepaść, za to następne, już mniejsze kamienie spadające z okaleczonego zbocza odbijały się od niego, coraz bardziej rozpryskując na boki. W niemym przerażeniu obserwowałem, jak jeden z nich wypada z powiększającej się wciąż chmury pyłu i leci wprost na mnie. Był ogromny, nieregularny, jakby spłaszczony z jednej strony. Wielki kawał litej skały opadł długim łukiem na asfalt i odbił się od niego jak piłka, wyrywając spory kawałek nawierzchni. Upadł na pobocze zaledwie dziesięć jardów ode mnie.

Widziałem, jak zwalnia, naprawdę to widziałem.

Wszystko wokół mnie zaczęło się poruszać w żółwim tempie.

Kamień wbił się w równą jak stół nawierzchnię drogi i nagle pojawiła się na nim rysa. Poszerzała się w oczach, gdy pruł asfalt niczym dziób lodołamacza spiętrzoną krę. Zanim zdążył się obrócić i ponownie wzbić w powietrze, został przepołowiony. Obie części były większe od samochodu osobowego i oddalały się od siebie. Przysiągłbym, że minęły mnie w odległości mniejszej niż wyciągnięcie ręki. Mimo to ani drgnąłem. Stałem jak sparaliżowany, patrząc na powolne, jak mi się wtedy zdawało, wirowanie lecącej tuż obok skały.

Zasypał mnie grad odłamków, a ja nie byłem w stanie się zasłonić. Poczułem dziesiątki lżejszych i mocniejszych szarpnięć, potem zaś ostry ból na policzku. To mnie otrzeźwiło. Rzuciłem mossberga na siedzenie trójkołowca, uruchomiłem silnik i pognałem jak oszalały w dół drogi, za zakręt, tam gdzie mogły mnie osłonić skały, zarazem jednak nie na tyle daleko, żeby znów trafić w wodospad odłamków sypiących się na dno doliny.

Wtedy też zrozumiałem, że znalazłem się w potrzasku. W każdej chwili kolejny wielki głaz mógł zmiażdżyć moją iluzoryczną kryjówkę i pogrzebać mnie pod rumowiskiem. Nie miałem czasu na szukanie innego, pewniejszego schronienia. Skręciłem pod siedmiostopową, niemal pionową ścianę, wokół której zakręcała droga, i zahamowałem ostro. Zeskoczyłem z motoru i nie oglądając się za siebie, podbiegłem do niewielkiego zagłębienia. Pozostawiony sobie trójkołowiec toczył się dalej, skręcając z wolna w stronę środka drogi. Zobaczyłem to, gdy przywarłem plecami do skalnej ściany. Wiedziałem, że nie mogę po niego wrócić, ale wbrew sobie zrobiłem krok do przodu. Kolejny kamień minął mnie o włos, krzesząc iskry i rozpadając się na setki niewielkich odłamków. Kilka z nich trafiło mnie w nogę. Zawyłem z bólu i cofnąłem się zrozpaczony. Przylgnąłem do chłodnej skały, mając nadzieję, że nie spadnie już nic tak wielkiego jak ten głaz, który zmiażdżył naczepę.

Stałem tam, wpasowany w niewielką szczelinę, przerażony i całkowicie zdezorientowany, spowity obłokiem duszącego pyłu, który opadł razem z lawiną. Stałem i modliłem się, by żaden z kamieni nie trafił w motor, który przed chwilą porzuciłem, wydając na pastwę rozszalałego żywiołu. Bez niego, bez mojego sprzętu i zapasów byłem skazany na pewną śmierć, jeśli nie w tych górach, to po drugiej ich stronie.

Torba z syntetyczną żywnością i lekarstwami leżała gdzieś tam, spowita skłębionym tumanem kurzu. Była zaledwie kilka kroków ode mnie, ale wciąż niedostępna, ponieważ bałem się ruszyć z bezpiecznego miejsca, słysząc i czując, jak wokół mnie nadal trzeszczą i drżą skały. Każda wibracja spowodowana uderzeniem spadającego w pobliżu odłamka zdawała się ostatnim akordem dzieła zniszczenia, ale gdy w końcu wszystko umilkło, gdy powoli opadły tumany pyłu, zobaczyłem, że trójkołowiec nadal stoi opodal miejsca, w którym go zostawiłem. Zasypany masą szutru i niewielkich kamieni, lekko przechylony na bok, ale chyba naprawdę cały.

Odczekałem jeszcze chwilę, zanim zdecydowałem, że jest już bezpiecznie i mogę wyjść z kryjówki. Natychmiast rzuciłem się w stronę maszyny. Z bliska prezentowała się znacznie gorzej niż z daleka. Była poobijana, miała wgnieciony bak, rozdarte w kilku miejscach siedzenie, lekko skrzywioną kierownicę i rozbite lusterko. Ale najbardziej niepokojący był przechył – na szczęście spowodowany najzwyklejszą dziurą w asfalcie, w której utkwiło lewe koło, a nie uszkodzeniem zawieszenia.

Odetchnąłem z ulgą.

Oparłem ręce na atrapie baku, głaszcząc miejsce, z którego odprysnął lakier, i rozpłakałem się jak dziecko. Gdy chwilę później spojrzałem w dół, na błękitną ramę motoru, zobaczyłem, że nie tylko łzy kapią na rozgrzaną powierzchnię metalu. Krew sącząca się z ran na czole i policzku pokryła w jednej chwili cały bok maszyny.

Denver.

Sądząc z odczytów, powinno być czyste jak łza, czego niestety nie mogłem powiedzieć o sobie. Prawie dwa miesiące przedzierania się przez góry nie tylko nadwerężyły moje zdrowie, ale i pozbawiły mnie sporej części zapasów. Obawy, jakie żywiłem w związku z objazdami międzystanowej, okazały się słuszne. Nie znalazłem prostej drogi.

Dwudziestka czwórka kończyła się w Leadville. Trzęsienie ziemi, i to całkiem nieliche, zrównało z ziemią to malownicze kiedyś miasteczko, a osuwiska ziemi i skał zablokowały obie doliny, którymi można było je opuścić. Próbowałem szczęścia, szukając innych dróg, ale na próżno. Potem pomyślałem o przebiciu się na północ, do czterdziestki, lecz to rozwiązanie okazało się jeszcze gorsze. Od drugiej z wielkich tras przelotowych dzieliło mnie zaledwie czterdzieści mil, jednak każda lokalna droga przez góry, jaką wyszukałem na mapie, kończyła się po kilku, maksymalnie kilkunastu milach gigantycznymi osuwiskami skalnymi albo błotnymi, jakby sama natura sprzysięgła się, aby przywrócić tym terenom ich dawno utraconą dziewiczość.

W końcu, po kilkunastu godzinach błąkania się tam i z powrotem, zostały mi dwa wyjścia: wracać na zachód po własnych śladach aż do Utah i tam wybrać piętnastkę, aby dotrzeć do Salt Lake City i forsować góry od północy, nadkładając przy tym niemal tysiąc mil, albo spróbować szczęścia w wyższych partiach sąsiedniego masywu. Przez Glenwood Springs mogłem się dostać do Aspen, a potem, traktując tę miejscowość i okoliczne kurorty jako bazę wypadową, sprawdzać wszystkie drogi na wschód i południe. W ciągu trzech, czterech dni – tak sądziłem – zyskam pewność, czy nie ma szans na przedarcie się przez te pasma, i będę mógł z czystym sumieniem wybrać powrót na trasę północną. Wprawdzie powoli zaczynała się jesień, ale słońce wciąż mocno prażyło i miałem naprawdę sporo czasu na podobne eksperymenty. Tak mi się przynajmniej wydawało, kiedy późnym wieczorem zaznaczałem w mapniku Aspen jako następny cel podróży.

Przenocowałem w Glenwood Springs, tam też w lokalnych sklepach zaopatrzyłem się na dalszą drogę. Do kurortów dotarłem po dwu godzinach spokojnej jazdy bardzo uroczą trasą wiodącą najpierw wzdłuż rzeki, a potem, za Basalt, szeroką, płaską doliną.

Na tym jednak skończyło się moje szczęście.

Choć w połowie września było zdecydowanie za wcześnie na śnieg, już nazajutrz trafiłem na potężne załamanie pogody. Gwałtowne ulewy, wichury i burze sprawiły, że przez kilka dni nie opuściłem chałupy, którą sobie wypatrzyłem na jednym ze zboczy przy trasie wylotowej na przełęcz Independence.

Była to niezgorsza rezydencja – sądząc po zdjęciach i pamiątkach, należąca do któregoś z producentów filmowych – zaopatrzona we wszystkie dobra, o jakich mogłem pomarzyć. Nawet studnię głębinową miała na podwórzu. Zwykłą, ręczną, lecz całkiem wydajną, dzięki czemu mogłem nie tylko pić lekko przeterminowaną herbatę, ale i kąpać się do woli w wielkiej wannie, z której miałem fantastyczny widok na pobliską dolinę i odległe ośnieżone szczyty.

Przynajmniej tak było pierwszego wieczora.

Zlekceważyłem nadciągające z północnego zachodu chmury. Uśmiechałem się nawet, gdy leżąc w stygnącej wodzie, wsłuchiwałem się w bębnienie grubych kropel o dach. W nocy spałem jak zabity, ale była to raczej zasługa znakomitego wyboru i ilości skonsumowanych trunków niż zmęczenia, a rano...

Rano zacząłem planować kolejne ruchy, siedząc w bujanym fotelu naprzeciw wielkiego kominka, w którym radośnie buzował ogień. Deszczem nadal się nie przejmowałem, chociaż gdy pod wieczór wciąż lało jak z cebra, poczułem pierwsze ukłucie niepokoju. Taka masa wody mogła narobić niezłego zamieszania na stokach. Nie tutaj, przy samym mieście, gdzie wszystko było uporządkowane i dobrze zabezpieczone, lecz na dalszych, dzikszych odcinkach tras, gdzie trzyletni brak nadzoru mógł oznaczać dla mnie poważne problemy.

Drugiego dnia, kiedy nawet przez chwilę nie widziałem słońca, a porywy wiatru wzmogły się na tyle, że musiałem pozamykać większość okiennic, zacząłem się martwić. Stałem przy drzwiach na taras i obserwowałem ołowiane niebo rozświetlane od czasu do czasu błyskawicami. Za mną, na stole, leżała dokładna mapa hrabstwa i zaznaczone na niej lokalne drogi, których mogłem użyć. Ponumerowałem je od jedynki do czternastki, w kolejności, w jakiej powinienem je sprawdzać. Jedynka była najsensowniejszą, najłatwiejszą i najkrótszą trasą na równiny. Czternastka prowadziła z powrotem do Glenwood Springs. Czekałem tylko na zmianę pogody, aby wyruszyć na rekonesans, a każda godzina lewy zmniejszała szanse powodzenia tej operacji.

Przed oczami stanęły mi obrazy widziane na północ od siedemdziesiątki. Czyżby wszystkie te osuwiska były efektem podobnych załamań pogody? Do tej pory sądziłem, że spowodowały je ruchy tektoniczne, być może echa kataklizmu, który nawiedził okolice Leadville rok albo dwa lata temu. Teraz uznałem, że mogłem się jednak mylić, a widok lejących się z nieba potoków deszczu tylko utwierdzał mnie w tym przekonaniu.

Trzeciej nocy nie potrafiłem zasnąć. Nie pomagał nawet wierny Jack Daniel's. W ciągu kilku zaledwie godzin nad doliną przeszło siedem potwornych burz. Pioruny biły tak często, że pajęczyny błyskawic przypominały sztuczne ognie, jakie widywaliśmy na paradach w LA z okazji czwartego lipca. A gdy obudziłem się następnego dnia z obolałą głową, w pierwszym odruchu pomyślałem, że ogłuchłem. Nie słyszałem łomotania deszczu o dach ani wycia wiatru za oknem.

Podniosłem żaluzje w sypialni i spojrzałem załzawionymi oczami na błękitne niebo majaczące zza setek czarnych, gołych gałęzi świerków. Ubrałem się szybko i wybiegłem na taras. Po ołowianych chmurach nie było nawet śladu, za to wciąż wiało, i to nieźle.

Nie chciałem tracić więcej czasu, zrezygnowałem więc z herbaty i tylko włożyłem do ust kilka płatów suszonego mięsa, aby mieć co żuć podczas karkołomnego zjazdu na szosę. Poprzednim razem zmiana pogody też nastąpiła nagle. Wiedziałem, że ta sytuacja może się powtórzyć. Dlatego ruszyłem od razu, składając sobie obietnicę, że jeśli pierwsze cztery trasy okażą się nieprzejezdne, olewam resztę i wracam na zachód. Jedynką oznaczyłem trzydziestopięciomilowy odcinek osiemdziesiątki dwójki, przy której chwilowo zamieszkałem.

Już poprzedniego dnia, wiedząc, że w tę trasę przyczepki nie zabiorę, dokonałem selekcji mojego skromnego majątku. Pozbyłem się wszystkiego, czego naprawdę nie potrzebowałem, wszystkich tych maneli gromadzonych od zakupów w Vegas, a także części zabranego z bazy sprzętu, który do tej pory okazał się nieprzydatny. Wziąłem za to trochę narzędzi, wielką piłę, siekierę, młot, przecinak oraz spory kawał krowiego łańcucha. Parę dni temu na bezdrożach udało mi się dzięki podobnemu sprzętowi pokonać kilka mniejszych przeszkód. Byłem zdania, że teraz mogą okazać się niezastąpione.

Akumulatory miałem naładowane tylko w połowie, sprawdziłem to, wyprowadzając trójkołowca z garażu. Ostatnimi czasy wolałem nie ryzykować rozstawiania wiatraków, a słońca praktycznie nie widziałem od pierwszego wieczora. Ale nawet przy tym poziomie energii powinienem zrobić ponad dwieście mil, co dawało mi rozsądny zapas mocy na wszelki wypadek.

Pierwszy odcinek pokonałem bez większych problemów, chociaż musiałem jechać wolno, żeby omijać naniesione strumieniami deszczu gałęzie, a nawet, od czasu do czasu, pnie. Wzdłuż szosy rosły przepiękne brzozy. Ich białe, wysmukłe pnie nawet teraz wyglądały o wiele radośniej od poczerniałych, powykrzywianych dębów i świerków. Pamiętałem je z dzieciństwa – były tak miękkie i sprężyste, że uwielbiałem się na nich bawić w „spadochroniarza". Wspinałem się po odpowiednio grubym pniu niemal na szczyt, tam odchylałem się mocno w bok, puszczałem nogami i powoli opadałem na ziemię, gdy brzoza uginała się pod moim ciężarem. Trzeba było jednak dobrze wybierać, jeśli bowiem pień okazał za cienki, potrafił trzasnąć jak zapałka. Nieraz miałem problemy z siadaniem do kolacji, nie mówiąc już o chodzeniu.

Mijając kolejne białe zagajniki, poczułem wielki żal. Za bardzo przypominały mi o rzeczach, o których chciałbym zapomnieć.

Na pierwszy poważniejszy problem natknąłem się po dwudziestu minutach jazdy, przy punkcie widokowym zwanym „Eską" Wellera. Od pionowej, wysokiej na niemal dwieście stóp skały odpadł spory głaz. Leżał teraz wbity w asfalt, blokując przejazd. Na szczęście, kiedy rozwaliłem kawałek metalowej dalmy, jaką zabezpieczono na tym odcinku pobocze, udało mi się przeprowadzić motor na drugą stronę, choć gdyby zabrakło niecałych trzech cali, operacja ta mogłaby się nie udać.

Na odcinku kilku następnych mil było spokojnie, brzozy ustąpiły miejsca martwym, wyłysiałym świerkom. Do jeziorka zwanego Lost Man Reservoir dotarłem po kolejnych dwu godzinach i usunięciu z szosy trzech pni, których nijak nie dało się ominąć. Tam, przy brzegu, zrobiłem sobie pierwszy odpoczynek. Zapiłem płaty mięsa solidnym łykiem Daniel'sa, a potem przepłukałem usta wodą, podziwiając otaczające mnie szczyty. Za mną była łatwiejsza część trasy, kolejny odcinek, z tego, co widziałem na mapach i zdjęciach, zapowiadał się o wiele groźniej. Zwłaszcza liczący niecałą milę fragment tej drogi wykuty wysoko w grani Twining Peak. Za tym szczytem w odległości niespełna piętnastu mil leżało Leadville.

Poczułem irracjonalny niepokój i dość szybko okazało się, że i tym razem instynkt mnie nie zawiódł. Kwadrans później spoglądałem przez lornetkę na gigantyczne osuwisko. Ciągnąca się na wysokości sześciuset stóp nad dnem doliny szosa przestała istnieć. Miliardy ton skał osunęły się na prawie milowy odcinek osiemdziesiątki dwójki, unicestwiając ją w jednej chwili. Tylko na samym środku, tam gdzie łączyły się dwa masywy, pozostał zaczynający się i kończący w próżni fragment asfaltu.

Nie miałem czego tu szukać. W okolicy nie było żadnej rozsądnej drogi, którą udałoby mi się ominąć ten odcinek. Zresztą gdyby nawet była, nie pchałbym się dalej, wiedząc, że następne kilkanaście mil serpentyn znajduje się w jeszcze bardziej niedostępnym terenie. Zawróciłem do kurortu, aby sprawdzić trasę numer dwa.

Droga biegła po drugiej stronie masywu góry Aspen i zaczynała się tuż przy szpitalu. Na pierwszym odcinku była to szeroka asfaltowa szosa o dumnej nazwie Castle Creek Road. Chociaż faktycznie widziałem przy niej prawdziwe, choć współczesne zamki. Wielgachne, kolorowe, warte wiele milionów rezydencje. W innych okolicznościach pewnie chciałbym je zwiedzić, ale dzisiaj parłem naprzód, byle dalej, wykorzystując każdą minutę dobrej pogody. Od północy znów zaczęły napływać ciemniejsze chmury, a jeszcze nie minęła dwunasta.

Rezydencje skończyły się, zanim dotarłem do Richmond Hill. Zaraz za nim szosa wkraczała w nieco szerszą dolinę. Tutaj nie spodziewałem się niespodzianek. Na tak równym terenie mogłem omijać powalone drzewa poboczami, a nawet korzystać z licznych szlaków turystycznych i bocznych tras prowadzących do punktów widokowych, gdyby przeszkody okazały się trudniejsze do pokonania. Od wyjazdu z Aspen nie natrafiłem na ani jedno auto, droga nawet w dzień była słabo uczęszczana, a co dopiero nocą, poza sezonem. Cieszyło mnie to, wiedziałem bowiem, że dalsza jej część nie będzie już tak równa i łatwa.

Kilka mil dalej minąłem tablice reklamujące opuszczone westernowe miasteczko zwane Ashcroft i skręciłem w boczną, szutrową drogę prowadzącą na przełęcz Taylora. Tutaj zaczęły się schody. Musiałem mocno zwolnić, gdyż ostatnie opady wyżłobiły bardzo głębokie bruzdy w kamienistej nawierzchni. Trzeba było trzy albo cztery razy ostro popracować łopatą, aby motor mógł je pokonać, ale ostatecznie bez większych przygód dotarłem do plątaniny szlaków otaczających staw Taylora. Tutaj zaplanowałem drugi krótki postój i posiłek.

Zbliżała się czternasta, zaczynało mnie ssać w żołądku, bo te kilka plasterków suszu nie było w stanie zaspokoić potrzeb organizmu. Zapiłem dwie pastylki wodą z manierki i zakąsiłem trzecim płatem, by mieć po obiedzie jakiś smak w ustach. Jedząc, przyglądałem się ciemnym pasmom na horyzoncie. Wiatr nie był zbyt silny, więc kolejna partia chmur burzowych nie powinna pojawić się tutaj prędzej niż za dwie, trzy godziny. Po drodze, zarówno na osiemdziesiątce dwójce, jak i na tej trasie, bacznie przyglądałem się zboczom. Widziałem, jak bardzo ziemia jest nasiąknięta. Rozmycia, na które trafiłem przed godziną, po kolejnej fali deszczy mogą uczynić tę trasę całkowicie nieprzejezdną.

Musiałem zdecydować, czy pojadę dalej, ryzykując odcięcie od Aspen w razie kilku kolejnych dni niepogody, czy wrócę do którejś z pobliskich rezydencji i przeczekam tam zbliżającą się nawałnicę. To pierwsze rozwiązanie wydało mi się bardziej ryzykowne. Wprawdzie na mapach pozaznaczałem wszystkie chaty w okolicy, ale zważywszy na to, co zastałem w Leadville, nie miałem pewności, czy będę mógł z nich skorzystać.

Dwie, trzy godziny. Przy odrobinie szczęścia cztery. Sprawdziłem raz jeszcze mapnik. Do doliny, w której leżało właściwe jezioro Taylora, miałem niespełna dwadzieścia mil, przy czym zaledwie trzy albo cztery w trudniejszym terenie. Obok wielkiego zbiornika wodnego znajdowało się kilka osiedli, w tym sporo chat do wynajęcia oferowanych turystom i wędkarzom. Powinienem się tam dostać w godzinę, półtorej. Ukształtowanie terenu wróżyło brak większych trudności. Dolina była bardzo szeroka, płaska i doskonale zmelioryzowana. Płynęły nią też dwa spore strumienie.

Jeszcze rzut oka na północ i decyzja: raz kozie śmierć. Jeśli dotrę teraz do osiedli, znajdę się zaledwie dwadzieścia mil od Buena Visty i drogi numer dwieście osiemdziesiąt pięć. Drogi, która pozwoli mi się wydostać z tych cholernych gór.

Jezioro w parku Taylora zobaczyłem pięć godzin później. Zziajany, przemoczony i wściekły jak cholera. O ile zjazd do drogi, którego najbardziej się bałem, okazał się łatwy i prosty, o tyle strumień zasilany ostatnimi ulewami poczynił spore spustoszenia w dolinie. Tam gdzie to było możliwe, korzystałem z drogi, tam gdzie kryła się wciąż pod wodą, przemierzałem wolniutko pobliskie podmoknięte łąki, uważając na każdą nierówność, każdy kamień. Złamanie osi albo skrzywienie koła uziemiłoby mnie w tym zapomnianym przez Boga i ludzi miejscu co najmniej do wiosny.

Drugi front burzowy dotarł nad te okolice o wiele później, niż sądziłem, ale i tak mnie dogonił. Gdy minąłem rozjazd na Crested Butte i przejechałem przez lekko już naruszoną konstrukcję mostu, poczułem uderzenia pierwszych kropel deszczu o kask i plecy. Na szczęście do pobliskiego osiedla miałem już tylko kilka minut jazdy po względnie równej i bezpiecznej drodze.

Wparowałem do pierwszej chaty, na jaką trafiłem. Ustawiłem motor na zadaszonej werandzie i szarpnąłem za klamkę. Drzwi nie ustąpiły pod naciskiem dłoni, więc wykopałem je bez namysłu. Wolałem tę metodę niż wybijanie maleńkich okien. Przeciskanie się przez taki otwór, gdy wokół leży pełno szkła, nie należało do moich ulubionych zajęć. Zwłaszcza że na dworze rozpętywało się kolejny raz piekło.

Wparowałem do przestronnej izby, sprawdziłem, czy jest w niej kominek i zapas drewna na opał, a potem szybko wrzuciłem do środka torby z dobytkiem, okryłem motor brezentem i obwiązałem go dokładnie. Dwa łańcuchy przykuły go do bali podtrzymujących strop werandy. Szarpnąłem je kilka razy, aby upewnić się, że trzymają wystarczająco mocno. Wolałem, żeby porywisty wiatr nie zepchnął mi maszyny ani jej nie przewrócił, a mając w pamięci to, co działo się przez ostatnie dni, mogłem się spodziewać najgorszego.

Unieruchomiłem drzwi, przesuwając pod nie jedną z ciężkich szafek. Mimo to, targane silnym wiatrem, łomotały bez przerwy. Musiałem zamknąć je lepiej. Przyjrzałem się futrynie i zamkowi. Nie było szans, żeby trzymał. Okucia wylazły z miękkiego drewna razem ze śrubami. Mogłem tylko zabić te drzwi dechami, przynajmniej na jedną noc. I tak nie zamierzałem nigdzie wychodzić. Chociaż...

Jeśli coś zacznie się dziać z motorem...

Każda minuta może być wtedy cenna.

Przeszukałem pobieżnie domek. Była to prosta konstrukcja, bez podpiwniczenia i strychu, więc nie straciłem zbyt wiele czasu. Nie znalazłem jednak żadnych narzędzi; właściciel albo zabierał wszystkie ze sobą, albo trzymał w osobnej szopie. Trudno. Pozostało wykorzystać to, czym sam dysponowałem. Po chwili namysłu wyjąłem z brezentowej torby siekierę. Odsunąłem szafkę do połowy, a gdy wiatr przycichł na moment, zamachnąłem się mocno i wbiłem ją w drewnianą podłogę tuż przy drzwiach. Siekiera zadziałała jak porządny rygiel. Ostrze siedziało mocno, przypierając skrzydło do futryny.

Pół godziny później leżałem na materacu ściągniętym z łóżka przykryty futrem niedźwiedzia, przyglądając się płomieniom szalejącym w kominku i wsłuchując w wycie wiatru.

Znów mam z głowy dwa albo trzy dni, pomyślałem.

Chyba jeszcze nigdy nie myliłem się aż tak bardzo.

Przestało padać po tygodniu, ale dosłownie na chwilę. Niebo nie przejaśniło się zbytnio, lecz chmury, które je zakrywały, straciły typową ołowianą barwę, były też o wiele rzadsze. Wiatr gnał je z północy z ogromną prędkością. Przemykały, zdawać się mogło, tuż nad moją głową, gdy stałem przed chatą, spoglądając z obawą na horyzont. Postanowiłem, że wykorzystam ten moment na krótki pieszy rekonesans i doładowanie mocno wyczerpanych akumulatorów.

Rozstawiłem wszystkie wiatraki, narzuciłem na ramiona pelerynę wyszabrowaną w jednej z sąsiednich chat i ruszyłem w stronę jeziora. Zrezygnowałem jednak już w połowie drogi, ślizganie się w sięgającym powyżej kostek błocie groziło bowiem w każdej chwili upadkiem. Nie miałem zamiaru stłuc sobie tyłka ani tym bardziej złamać nogi. Od najbliższego lekarza dzieliły mnie nie tylko góry, ale i całe lata.

Sprawdziłem przez lornetkę, o ile podniósł się poziom wody. Mogłem to ocenić jedynie orientacyjnie, gdyż żadnego z palików, które wbiłem przed kilkoma dniami, nie było widać. Albo woda podniosła się tak bardzo, albo ziemia rozmokła i porywy wiatru zrobiły w końcu swoje.

Nie bałem się powodzi. Wyższe osiedle znajdowało się ponad sto pięćdziesiąt stóp nad dawnym poziomem wód jeziora, znacznie powyżej krawędzi zapory spiętrzającej wody tego zbiornika, a gdyby i to z jakichś przyczyn okazało się niewystarczające, dysponowałem szybką drogą odwrotu w głąb sąsiedniej dolinki i zapadłej dziury zwanej Tincup, leżącej siedem mil dalej na jednym z dwóch interesujących mnie teraz szlaków.

Zostawiłem jezioro i przyjrzałem się szutrowym drogom prowadzącym przez park, zwłaszcza tym, którymi mogłem dotrzeć na skróty do Crested Butte i dalej na przełęcz Cottonwood. Dziesięć mil od mojej chaty zaczynała się porządna asfaltowa droga. Dziesięć cholernych mil, których nigdy nie pokonam przy takiej pogodzie.

W oddali rozległ się stłumiony dźwięk gromu. Żeby to wszystko szlag trafił! Zostało mi tylko trzynaście butelek gorzały – i to w większości taniego gówna – oraz dwie książki do przeczytania. Nie licząc stosów prasy dla wędkarzy, ale tej nie potrafiłem strawić i służyła mi tylko za podpałkę. Przeryłem wszystkie domy w obu osiedlach, wyprawiłem się nawet w tym piekielnym deszczu do cholernego Tincup, ale wszystko na nic. Okoliczni mieszkańcy nie należeli do wielbicieli książek, a miastowi przyjeżdżali tutaj na łono natury połowić rybki, schlać się, wygrzmocić kochanki i paść na pysk do wyra.

Moczenie kija z wiadomych powodów odpadało, zalewanie robaka od samego rana było zbyt męczące, zwłaszcza że rozbestwiłem się i nie brałem do ust byle księżycówki, a ileż można, do kurwy nędzy, spać? Na szczęście w pastylkach oprócz substancji odżywczych znajdowały się też jakieś środki, które uspokajały mnie, a nawet hamowały popęd, bo gdybym jeszcze myślał o kobietach...

Ta nuda mnie zabije, pomyślałem.

W ciągu ostatniego tygodnia co najmniej sto razy zastanawiałem się, czy nie byłoby warto ponownie spróbować szczęścia z pistoletem i zakończyć tych męczarni, ale niezmiennie uznawałem, że nie po to wpieprzyłem się aż tutaj, w sam środek tych cholernych gór, żeby teraz się poddać. Dwadzieścia pierdolonych mil do zbawienia, tylko tyle musiałem jeszcze przebyć. I zrobię to, choćbym nawet musiał spędzić tu całą zimę. Wybebeszę i spalę te chaty do ostatniej dechy, najpierw dolne osiedle, potem górne, a jak zabraknie mi drew na opał, przeniosę się do Tincup.

Tabletek wystarczy mi do wiosny. Czystej wody mam nadmiar. Tylko czy wystarczy zdrowych zmysłów na tkwienie w tej cholernej dziurze, i to na trzeźwo, przez kolejne pięć albo i sześć miesięcy?

Słońce wyjrzało dzień po tym, jak skończyła się gorzała. Sprawdziłem w kalendarzu. Siedemnastego dnia. Zaraz... Przemyłem twarz i raz jeszcze przeliczyłem kreski wyryte na ścianie. Było ich osiemnaście. Zacząłem je wycinać nożem po pierwszym tygodniu. Zatem zsumujmy... Osiemnaście i siedem daje dwadzieścia pięć. Dwadzieścia pięć dni na pierdolonym odludziu w towarzystwie flaszki i tego przygłupa Steve'a?

Można się załamać.

Wyszedłem przed dom, oparłem się o słupek werandy i spojrzałem w niebo, starając się obliczyć dokładną datę. Jeśli opuściłem bunkier dwudziestego pierwszego sierpnia – szybko pododawałem na palcach – dziesiątego albo jedenastego września dotarłem do tunelu, potem trzy, nie, cztery dni na dotarcie do Aspen i te dwadzieścia pięć tutaj.

– Dziesiąty października? Jedenasty? Dziewiąty? Pieprzyć to. Ważne, że niebo przestało płakać – mruknąłem.

– Na moje oko mamy dziś dziesiątego – powiedział Steve z charakterystycznym wieśniackim zaśpiewem.

Spojrzałem na niego. Siedział tam gdzie zwykle, na pieprzonym bujanym fotelu, i szczerzył się do mnie jak głupi.

– Akurat. Chyba dlatego, że umiesz liczyć tylko do dziesięciu, synu karła i kozy.

Zamknął się natychmiast. Wiedziałem, jak mu przygadać. Wysoki nie był, a ta jego rzadka bródka też kojarzyła się jednoznacznie.

Przeciągnąłem się.

– Muszę teraz poczekać dzień albo dwa, aż ziemia nieco przeschnie, a potem ruszam w drogę.

Nie odpowiedział. Bujał się w tym swoim cholernym fotelu i patrzył w stronę jeziora.

– Nie liczyłeś chyba na to, że zostanę tu z tobą na zawsze.

W odpowiedzi wydął tylko wargi i odwrócił się jeszcze bardziej.

– Sądziłeś, że zabiorę cię z sobą?

– Owszem – odburknął.

– Chłopie, znamy się dopiero od... no właśnie, od kiedy?

– Od tygodnia – przypomniał mi.

Tak, będzie już tydzień, jak znalazłem go w kowbojskiej chacie niedaleko zapory. Siedział w kącie, trzęsąc się jak osika. Sądząc z ciuchów, był jednym z pracowników obsługujących tamę. Na piersi miał naszywkę z napisem „Steve" i na to imię reagował. Zabrałem go ze sobą, zdaje się, że z radości nawijałem całą drogę, nie dając mu dojść do słowa. Dopiero wiele godzin później, przy kominku, kiedy wysechł i ogrzał się, a mnie gardło rozbolało od gadania, wysłuchałem jego historii. W sumie była dość prosta i krótka. Urodził się w Buena Vista, przyjechał do parku Taylora, kiedy miał sześć lat – jego stary dostał pracę przy budowie tamy – tutaj też dorósł i został, zauroczony pięknem tej dziczy, kiedy rodzice zdecydowali się wrócić do cywilizacji. Był odludkiem, wyciągnięcie z niego każdego faktu kosztowało mnie sporo perswazji i cierpliwości. Nie pił, czym w ogólnym rozrachunku, po pierwszej urazie, mnie ujął. Gdyby był podobnym do mnie chlorem, wyżłopalibyśmy gorzałkę już dawno i pewnie pozabijali się wzajemnie, siedząc o suchym pysku w długie, nudne, deszczowe wieczory.

– Nie możesz jechać ze mną – bąknąłem.

– Dlaczego? – zapytał tak cicho, że ledwie go usłyszałem.

– Steve... – Długo szukałem jakiegoś sensownego argumentu. – Ktoś musi pilnować tej pierdolonej tamy.

– Przecież już dawno się przelała.

Miał rację – poziom wody przekroczył wszystkie granice i dzisiaj lała się szerokim strumieniem do gardzieli poniżej, zamieniając płynący tam strumyczek w rwącą rzekę. Widzieliśmy to obaj.

– Ale nadal stoi – odparowałem. – Chłopie, jesteś świetnym kompanem, ale uwierz mi: tam, gdzie jadę, nie będzie dla ciebie miejsca. To nie twój świat. Poza tym, jak chcesz się ze mną pomieścić na motorze? – Wreszcie znalazłem wytłumaczenie nie tylko sensowne, ale i prawdziwe.

– Zostawisz mnie tu samego? – zapytał płaczliwie.

– Wytrzymałeś trzy lata, wytrzymasz kolejne siedem – odparłem uspokajającym tonem.

– Sam?

Tu mnie miał. Parę tygodni samotności doprowadziło mnie na skraj szaleństwa, a jemu chciałem zafundować siedem lat karceru. Spojrzałem na trójkołowiec.

Może udałoby się upchnąć go jakoś na tyle kanapy? Albo przymocować krzesło na jednym z szerokich błotników? Pewnie umiałbym to zrobić, dysponując odpowiednią ilością czasu. Ech, Steve, gdybyś był kobietką, nie facetem...

I nagle mnie olśniło!

– Nie będziesz sam, obiecuję! – powiedziałem tak żarliwie, że aż spojrzał na mnie zaciekawiony.

– O czym ty mówisz, u licha?

Wieśniak, nawet porządnie zakląć nie potrafił.

– Znam fajną laskę. Z Tincup... – zawiesiłem znacząco głos.

Musiał od czasu do czasu bywać w tej zapadłej dziurze, na pewno znał tamtejsze dziewczęta. Kto wie, może nawet uderzał do którejś. Patrzyłem mu prosto w przymknięte oczy. Skrzywił się. Che, che. Trafiłem.

– No, nie wiem...

– Która ci się podobała, gadaj!

Zrobił dziwną minę, znów spojrzał na jezioro.

– Hanna – odparł po chwili.

– Hanna, Hanna... – mruczałem, jakbym się zastanawiał, czy ją znam.

– Nauczycielka – dodał.

– Wysoka brunetka przy kości – opisałem ją po chwili milczenia. Skinął głową, nic nie mówiąc, a ja uśmiechnąłem się tryumfalnie. – Jeszcze dzisiaj pojadę do Tincup...

– Daj spokój, ona mnie zawsze ignorowała – przerwał mi.

– Nie, stary – zapewniłem go. – Tym razem cię nie zignoruje. Jeszcze dzisiaj pójdę do niej i poproszę, żeby się tu sprowadziła. Chyba że wolisz przenieść się do niej...

Pokręcił wolno głową.

– Nie. Z Tincup nie widać jeziora... i tamy.

– Jeśli Hanna powie „tak", nie będziesz się na mnie gniewał? Pozwolisz mi odjechać?

Zastanawiał się dłuższą chwilę, ale w końcu pokiwał głową i nawet uśmiechnął się pod nosem.

– Pozwolę – powiedział i wystawił twarz na mocniejszy powiew wiatru, który rozwiał mu włosy. Założę się, że już marzył o tych chwilach, które nadejdą, gdy wyjadę.

Też mu ich zazdrościłem.

Cztery dni czekałem, aż morze błota stwardnieje na tyle, bym nie zakopał się w nim po przejechaniu stu jardów. Na szczęście deszcze chyba minęły bezpowrotnie. Albo im się tam w niebie woda skończyła, albo uznali, że dość już tego chrzczenia jak na jednego faceta.

A może szykują coś jeszcze gorszego?

Ta myśl sprawiła, że poczułem ciarki na plecach. Pewnie bym przetrzymał śniegi i mrozy. Drewna na opał i żarcia miałem do wiosny, sprawdzałem to wielokrotnie. Ale tyle miesięcy na tym zadupiu? Bez gorzały? W towarzystwie Steve'a i jego panienki?

Spojrzałem na tę jego wiecznie wyszczerzoną gębę.

– Na mnie już czas – powiedziałem, patrząc, jak bujają się oboje, trzymając się za ręce, przytuleni na huśtaweczce, którą przywlokłem z górnego osiedla. Hanna była od niego co najmniej dziesięć lat starsza i o wiele wyższa, ale pasowali do siebie. Steve potrzebował kobiety, która mogła mu pomatkować, a ona, nauczycielka przecież, z pewnością miała w sobie nadmiar matczynej opiekuńczości.

– Zaczekaj! – zawołała za mną, gdy schodziłem z ganka z kaskiem w ręku.

– Tak?

– Czy... mógłbyś nam zrobić zdjęcie na pamiątkę? – zapytała, a Steve natychmiast wtulił jej głowę w ramię.

Wyglądali tak uroczo. Uśmiechnąłem się i sięgnąłem do jednego z juków. Zabrałem aparat z bazy, ale jeszcze ani razu z niego nie skorzystałem. Dopiero Steve podrzucił mi myśl, że mogę dokumentować swoją podróż. Stary polaroid błysnął, trzasnął i po chwili trzymałem jaśniejący w oczach prostokąt. Podałem go rozradowanej Hannie i nagle wpadła mi do głowy inna myśl.

– Wyrzuć je – powiedziałem.

– Dlaczego? – Steve poderwał się w proteście.

– Spokojnie. Posuńcie się, zrobię jeszcze jedno, całej naszej paczki.

Ustawiłem samowyzwalacz na dwa ujęcia i przysiadłem obok nich. Byli na tyle wątli, że bez problemu objąłem ich ramieniem.

– Powiedzcie „dżem" – poprosiłem, szczerząc zęby do obiektywu.

Dziesięć mil, niby niewiele, doświadczony piechur wyruszający w te góry pokonywał taki szlak w trzy godziny, wliczając postoje. Ja musiałem poświęcić na to cztery dni. Dopiero po takim czasie ujrzałem szeroki parking, szosę i oczko wodne.

Za cholerę bym tu nie dojechał – przez te podmycia spowodowane deszczem – gdybym nie znalazł w przewodniku pieszego szlaku, który stanowił skrót. Biegł dnem doliny, zalesionymi terenami, gdzie musiałem się zdrowo namachać siekierą, ale za to nie trafiałem na przeszkody nie do pokonania.

Musiałem się śpieszyć. Drugiego dnia po wyjeździe, gdy wyszedłem z namiotu, wokół siebie ujrzałem morze bieli. Śnieg wprawdzie roztopił się po godzinie, ale napędził mi stracha. Pierwsza połowa października na takiej wysokości to już nie jesień. A nawet kilka cali śniegu może mnie tu unieruchomić na kolejne pół roku. I pozbawić motoru. Spojrzałem za siebie, na wciąż widoczne w oddali jezioro i wąską strużkę dymu przecinającą błękit nieba. Steve grzeje się teraz w cieple. Pewnie siedzi znów na werandzie przykryty kocykiem i tuli się do swojej nauczycielki.

Sięgnąłem do kieszeni i wyjąłem pomięte zdjęcie.

Poszarzałe bale ściany, zbita z drewna huśtawka, dwie wyschnięte mumie i ja wyszczerzony, jakbym pozował do jakiejś reklamy. Życie potrafi być popieprzone, zwłaszcza jeśli suto zakropi się je whiskaczem. Podniosłem dłoń, żeby schować zdjęcie, i nagle zdałem sobie sprawę z bezsensowności tego gestu. Przywleczenie do chaty zwłok jakiegoś nieszczęśnika i gadanie do nich to jedno, ale noszenie takiego zdjęcia przy sobie? Na pamiątkę czego – przyjaźni, spotkania?

Zmiąłem twardy, połyskujący papier i cisnąłem go między martwe świerki.

– Sorry, Steve... – mruknąłem. – Wracam do swojego świata.

Nie było łatwo, ale dałem radę. Następne pięć mil to była czysta radocha. *Highway to heaven!* Nie zatrzymałem się ani razu, co mnie z jednej strony niezmiernie cieszyło, a z drugiej martwiło. Czułem, podskórnie czułem, że lada moment stanie się coś, co odbierze mi radość życia i stoczy ponownie w objęcia jakiegoś Steve'a. Piąta mila, prawie połowa drogi przez przełęcz. Bajora zwane Holywater Beaver Ponds. Kiedyś atrakcja turystyczna, teraz rozlewisko blokujące całą dolinę na przestrzeni kilkuset jardów.

Zatrzymałem się w miejscu, w którym równiutki asfalt znikał

w mętnej wodzie. Przez lornetkę widziałem parkingi po drugiej stronie i spory kawał niczym niezablokowanej drogi. Tak bliskie i tak odległe zarazem.

Zsiadłem z trójkołowca i odruchowo sięgnąłem do juków po flaszkę. Niestety. Najbliższa gorzała znajdowała się za tą górą. No, może troszkę bliżej. W zajeździe na przełęczy, do którego dotrę, jak tylko mróz skuje te pieprzone bagna!

Za tydzień albo za miesiąc.

Przysiadłem na skraju drogi i zacząłem się zastanawiać.

Woda pokrywająca szosę nie wyglądała na zbyt głęboką. To tylko trzysta, może czterysta jardów. Pochyliłem się i zanurzyłem dłoń w mętnej cieczy. Była zimna, cholernie zimna. Pomysł, aby wejść do niej i sprawdzić głębokość osobiście, odrzuciłem jako niemądry. Nie zamierzałem się przeziębić. Obszedłem kawał rozlewiska z jednej i z drugiej strony. Po prawej miałem gęste lasy, ziemia była tam podmokła, nie zauważyłem też żadnego szlaku, nawet najwęższego. Po lewej grunt podnosił się dość mocno. Z trudem mogłem utrzymać się tam na nogach, przejazd motorem, nawet trójkołowym nie wydawał się możliwy. Zatem pozostawała mi tylko droga przez wodę albo rezygnacja. Wybrałem przeprawę.

Z siekierą w dłoni wszedłem do lasu. Ciąłem wszystko, co mi pod ostrze podeszło. Jeśli pnie nie były całkiem zbutwiałe, ściągałem je na szosę. Przed wieczorem miałem ich już całkiem sporo, byłem też wykończony. Rozbiłem namiot na niewielkim wzniesieniu i padłem jak długi, zanim zrobiło się całkiem ciemno.

Sklecenie tratwy, kiedy nie ma pod ręką wystarczającej ilości lin, sznurów czy innych taśm, przysparza problemów. Wykorzystałem wszystko, co się do tego nadawało. Łańcuchy, linki od namiotu, nawet płótno, z którego był zrobiony. Ale wciąż mi brakowało spoiwa. Spuszczona na wodę tratwa musiała udźwignąć spory ciężar. Mnie i motor. Tymczasem zanurzała się niebezpiecznie, nawet wtedy gdy tylko ja na niej stałem. Nie pomogło dorzucenie dodatkowych pni.

Wyporność tej jednostki wciąż była za niska.

O wiele za niska.

Zszedłem na brzeg i przemyślałem raz jeszcze sytuację. Docinałem pnie do mniej więcej dwunastu stóp... Wtedy wydawały mi się wystarczająco długie, ale teraz zrozumiałem, że są zbyt krótkie. Potrzebowałem czegoś solidniejszego.

Sprawdziłem, jak duży pień potrafię przyciągnąć. Po godzinie miałem na szosie dwa dwudziestostopowe, ale za to cieńsze. W tym tempie nie zbiorę wystarczającej ilości odpowiedniego materiału przez najbliższy tydzień, uznałem. Budowa nowej tratwy odpada. Zwłaszcza że musiałbym to robić, stojąc po kolana w wodzie. Nie. Zdecydowanie muszę wymyślić coś innego. Może rozbiorę maszynę na części i przetransportuję ją na drugi brzeg po kawałku?

Im dłużej się nad tym zastanawiałem, tym bardziej mi się to podobało. Narzędzia mam, czas też. Mogę obwiązywać ładunek brezentem, wtedy nawet głębsze zanurzenie mu nie zaszkodzi. Od razu zabrałem się do roboty i przed siedemnastą wykonałem dziewiczy rejs z kierownicą i przednim kołem, sprawdzając przy okazji, z jak głęboką wodą mam do czynienia.

Cztery stopy w najgłębszym miejscu.

Niby niewiele, ale i tak o cztery za dużo.

Wolałbym nie siedzieć na swoim harleyu, gdy woda sięga do kierownicy. Oczami wyobraźni już widziałem ten slogan: „Najszybsze krzesło elektryczne świata".

Uśmiechnąłem się.

Nie, to mi na razie nie groziło.

Przeprawa trwała piętnaście minut w jedną stronę. Potem powrót, kolejny rejs i tak dalej. Motor udało mi się podzielić na dziewięć części. Dzięki temu żadna nie ważyła więcej niż osiemdziesiąt funtów i mogłem je przewieźć, nie ryzykując ich uszkodzenia. Gdy płynąłem po raz ostatni, trzymając kurczowo kanapę, nagle zrozumiałem, jak wielkim jestem idiotą. Mogłem to wszystko załatwić o wiele prościej i szybciej, chociaż i tak nie obeszłoby się bez rozłożenia motoru na części i dłuższej kąpieli w tym bajorze. Gdybym z płótna namiotu i linek zrobił hol, który przywiązałbym z jednej strony do tablicy informacyjnej stojącej nie dalej niż piętnaście stóp od brzegu rozlewiska, a z drugiej do któregoś z drzew, mógłbym... Nie, chyba jednak bym nie mógł. Nie złożyłbym trzystu pięćdziesięciu jardów liny potrzebnej do przeciągnięcia tratwy na drugą stronę. Gdybym nawet pociął cały brezent, i tak sporo by jeszcze brakowało. Zresztą, co tu rozpamiętywać, skoro już kończę robotę. Jeszcze tylko pół godzinki i trójkołowiec będzie złożony. To, co wymontowywałem po jednej stronie, montowałem natychmiast po drugiej, aby części jak najkrócej pozostawały osobno. Teraz do kompletu brakowało już tylko wysłużonej kanapy.

Usiadłem za kierownicą z bijącym sercem. Rozbierałem swojego rumaka najostrożniej, jak się dało. Nie zamoczyłem i nie zabrudziłem niczego, nic też nie upadło, ale serce i tak podchodziło mi do gardła, gdy naciskałem włącznik napięcia. Światło reflektora zamigotało i zapłonęło, wypłaszając mrok zza pobliskich drzew, silnik zamruczał przyjaźnie. Dodałem obrotów, raz i drugi, a potem zapakowałem wszystko, co jeszcze leżało na poboczu, do juków.

Czas ruszać dalej.

Do cywilizacji.

Marzyło mi się, żeby jeszcze tego samego dnia dotrzeć do jeziora Rainbow i ośrodka turystycznego na jego brzegu, gdzie mógłbym się ogrzać i wysuszyć rzeczy. Zaledwie pięć mil dzieliło mnie od luksusów, ale na tej drodze, w tych warunkach, mogły się okazać nieosiągalne. Splunąłem przez ramię na tę myśl. Boże, jutro niech się dzieje, co chce, ale dzisiaj daj mi chociaż dotrzeć do tego schronienia! – pomyślałem, gdy reflektor wyłowił z mroku pierwszy pień blokujący szosę.

I Bóg dał mi tę radość i satysfakcję. Ale potem znów nie było wesoło i choć po drodze do Buena Visty nie natrafiłem na poważniejsze przeszkody, to przebycie leżącego za nim ostatniego już pasma gór zajęło mi następny tydzień wypełniony głównie rąbaniem i odholowywaniem pni. Lecz w końcu nadszedł ten dzień, gdy stając na szczycie wzniesienia, nie ujrzałem przed sobą następnego.

Droga łagodnie opadała ku rozległej, szarej równinie.

Alleluja!

Długo stałem na rozjeździe w Antero Junction, zastanawiając się, co robić dalej. Nie potrafiłem zdecydować. Nie chciałem. W końcu Obama wybrał za mnie. Ruszyłem na północ i sześć godzin później, po jeździe bez przygód, zobaczyłem na horyzoncie panoramę gigantycznej metropolii.

Nad Denver nie zdetonowano żadnego ładunku nuklearnego, jedynie trzykilotonową głowicę trineutrino. To wystarczyło do wyjałowienia połowy stanu, ale miasto, podobnie jak Vegas, pozostało nietknięte. Nie wjechałem jednak do centrum. Skręciłem na drogę numer czterysta siedemdziesiąt i ominąłem je od południa, aby wrócić na międzystanową już poza granicami aglomeracji. Dotarłem do wylotówki dwie godziny później, spojrzałem po raz ostatni, jak sądziłem, na rozciągającą się w oddali panoramę Gór Skalistych i skręciłem w prawo, na zjazd, omijając przewrócony autobus liniowy. Zacząłem przyśpieszać, gdy nagle poczułem szarpnięcie w tylnym kole. Przyhamowałem lekko, żeby niczego przypadkiem nie uszkodzić, i znów poczułem, jak trójkołowcem zarzuca. Nacisnąłem na hamulec bardziej zdecydowanie i wtedy z tyłu, z lewej strony, dobiegło ciche chrupnięcie. Zatrzymałem motor i zsiadłem z niego, nie gasząc silnika. Postawiłem go na podnośniku i ostrożnie wrzuciłem bieg. Wiszące swobodnie koło zakręciło się szybko, niemal bezgłośnie. Coś nie grało, ale co? Nie byłem pewien, zdawałem sobie jednak sprawę, czym skończyłaby się poważniejsza awaria. Zwłaszcza na odludziu. To mogła być chwilowa niedyspozycja, ot, paproch w przepustnicy. Tak pomyślałem w pierwszym momencie, ale po chwili dotarło do mnie, że silniki elektryczne nie mają przepustnic ani układów paliwowych. Równie dobrze maszyna mogła mi dawać do zrozumienia, że czeka mnie najdłuższy marsz w życiu, jak i to, że coś nie zagrało przez ułamek sekundy w jednym z podzespołów.

– Ki czort? – mruknąłem, przeklinając złośliwość przedmiotów martwych, gdy niespodziewanie na moich oczach oś zadrgała kilkakrotnie, wydając dziwne dźwięki.

Rozłożyłem mapnik, aby sprawdzić, gdzie najbliżej mogę przenocować i czy w pobliżu są sklepy dla harleyowców. W tak dużym mieście powinien jakiś być. Nawet nie jakiś, tylko duży i solidny.

Miałem rację. Cztery i pół mili od miejsca, w którym stanąłem, znajdowało się Mile High Harley-Davidson. Centrum sprzedaży nowych i używanych motorów, wypożyczalnia, warsztaty, sklepy z bajerami i wodotryskami, dosłownie wszystko, czego mi było trzeba.

Musiałem się tam dokulać.

Bez dwóch zdań.

Postawiłem maszynę na ziemi i wolniutko, ostrożnie ruszyłem w stronę miasta, cały czas nasłuchując, czy coś nie chrupie, nie trzeszczy i nie drga. Siedemdziesiątka miała tutaj tylko dwa pasy, ale za to bardzo szerokie pobocza. Jechało się nią gładko, chociaż celowo wybrałem kierunek pod prąd. Dzięki temu na ślimaku mogłem zjechać prosto na ulicę prowadzącą do stacji obsługi.

Ruch w czasie ataku był tutaj niewielki, a dzielnice Aurory, przez które musiałem przejechać, należały do przemysłowej części aglomeracji. Kilka minut później zaparkowałem przed walcowatym narożnikiem wielkiego budynku, w którym mieścił się największy ponoć dealer Harleya-Davidsona w tym stanie. Podszedłem do szklanych drzwi i zajrzałem do wnętrza. Przez przyciemnione szyby niewiele było widać. Wróciłem do trójkołowca, włożyłem kask i wyjąłem z tylnego pojemnika siekierę. Tę samą, która tak mi się przydała na szlaku. Zważyłem ją w rękach i zrobiłem kilka kroków w stronę ściany ze szkła. Zamachnąłem się nią mocno i cisnąłem prosto w drzwi. Ostrze było już tępe, zaczynało latać na siekierzysku, ale weszło w błękitnawą szybę jak w masło. Hartowane szkło rozprysło się na miliony odłamków. Podniosłem siekierę z wycieraczek i oczyściłem nią ramę z resztek szyby. Potem zająłem się wewnętrznymi drzwiami.

Gdybym był harleyowcem, uznałbym, że trafiłem do raju.

Setki motorów ustawionych w równiutkich rzędach, nad nimi na pięterku wystawa najdroższych i najlepszych modeli. Na wszystkich ścianach chromowane albo obsydianowane felgi, wydechy, kierownice i inne wybajerowane części, w głębi dział ze specjalistyczną odzieżą. Długo by wymieniać – mieli tu naprawdę wszystko.

Sprawdziłem przejście do serwisu. Tutaj także musiałem się posłużyć siekierą, ale widok przestronnej sali z kilkudziesięcioma stanowiskami obsługi i tonami narzędzi ucieszył mnie bardziej niż pierwsza ekspozycja. Mając czas (nie śpieszyło mi się teraz nigdzie), części (tych było tu od cholery) oraz narzędzia (widziałem przed sobą chyba wszystkie, jakie wyprodukowano) – mogłem rozłożyć moją maszynę na części pierwsze i zrobić z niej prawdziwe cudo.

Otworzyłem jedne z drzwi prowadzących na parking, a potem cisnąłem bezużyteczne już narzędzie na beton. Przysiadłem na krawężniku i zacząłem sprawdzać na mapniku zapisy dotyczące tej okolicy. Zgodnie z jego wskazaniami w promieniu pół mili miałem kilka wielkich hipermarketów i z siedem hoteli obsługujących pobliskie lotnisko. Za siedemdziesiątką stały rzędem nowiusieńkie „Marriott", „Hyatt" i „Hilton", a tuż za mną, po drugiej stronie ulicy, o wiele mniejszy i skromniejszy „Crystal Inn". Biłem się przez chwilę z myślami, wybierając między potrzebą opływania w luksusy, jakich mogły mi dostarczyć apartamenty pięciogwiazdkowych sieci, a bliskością „Crystala". Po minucie wygrała wygoda. Nawet najprostsze łóżko w porównaniu ze śpiworem wydawało mi się zbytkiem ponad miarę. A po prawdziwy luksus mogę się wyprawić w każdej chwili na drugą stronę autostrady.

Teraz najważniejszy był motor.

Zamierzałem wymienić w nim wszystko, co tylko się da.

A potem solidnie odpocząć.

Cztery dni później dotarłem do Saliny. Tak, to naprawdę zadziwiające, jak ubogi w nazwy jest nasz kraj. Co stan, to Salina. Chyba nawet jakiś film o tym nakręcono. No, może odrobinę przesadzam – w mapniku znalazłem tylko dziewięć miejscowości o tej nazwie – ale na swoje usprawiedliwienie mogę podać jedno: właśnie mijałem trzecią z nich.

Czułem się bosko, naprawdę bosko. Sue pruła asfalt Środkowego Zachodu z prędkością światła. Lśniła nowością i czystością. Warsztaty „Planet Harley" zasługiwały na swoją renomę. Spędziłem w nich trzy długie dni, ale moja maszyna odzyskała nie tylko wygląd, ale i stuprocentową sprawność. Podstawiłem sobie pod stanowisko remontowe model bazowy i przełożyłem z niego nie tylko to, co wymagało naprawy, ale i większość elementów noszących ślady zużycia. Dodałem też to i owo z bogatej kolekcji bajerów, a potem położyłem nowy lakier na błotnikach, imitacji baku i ramie. Może Sue nie wyglądała jak typowe dzieła West Coast, ale nie odstawiłem także fuszerki. Na atrapie dodałem uproszczone logo naszej jednostki: ognisty miecz z parą pierzastych skrzydeł, a potem te trzy jakże ważne dla mnie literki.

Wyszło cudnie.

Zarówno logo, jak i jej imię.

Wciąż miałem sprawną rękę, mimo iż od ostatniej roboty na warsztacie minęło już dziesięć lat. Na koniec dołożyłem do kompletu śliczną aerodynamiczną przyczepkę – stworzoną właśnie dla tego modelu – i zafundowałem sobie komplecik ciuchów na miarę. Tych czasów, rzecz jasna.

Po doświadczeniach Gór Skalistych bezkresne równiny Środkowego Zachodu wydawały mi się bajkowe. Ten spokój, te przestrzenie, dwupasmówki biegnące prosto jak strzelił przez pięćdziesiąt mil i więcej. Inny świat, po prostu inny świat. Dość powiedzieć, że w ciągu zaledwie kilkunastu godzin dotarłem do serca Kansas i nadal gnałem, nie zwalniając, ku miastu, w którym spędziłem całe dzieciństwo i dorosłem na tyle, aby wyruszyć w świat.

Opuszczając bazę, zamierzałem ominąć te okolice wielkim łukiem i wybrać południową trasę przez Nowy Meksyk, Arkansas i Oklahomę, ale w miarę jak zagłębiałem się w martwy świat, zaczęło do mnie docierać, że ucieczka przed przeszłością nie ma wielkich szans powodzenia.

Już dawno, chyba jeszcze w Vegas, śmierć zobojętniała mi na tyle, że dziś leżące wszędzie szczątki ludzkie zupełnie mi nie przeszkadzały. Więcej nawet, zacząłem je traktować jak coś normalnego i oczywistego. Incydent ze Steve'em i jego narzeczoną był tego najlepszym przykładem. Ci wszyscy ludzie byli mi obcy, nie wiązało mnie z nimi nic, mogłem więc przechodzić obok nich obojętnie. Mijałem przecież miasta i stany, w których nigdy moja noga nie postała.

Ale Kansas City to zupełnie inna sprawa.

To moje miasto.

Wkraczałem na teren, który doskonale znałem, zbliżałem się do miejsc i ludzi wciąż obecnych w moim sercu i pamięci. Trochę się tego obawiałem. Nie byłem pewien swoich reakcji na widok ulic, po których biegałem jako szczeniak, albo szczątków znanych mi osób. Coś mnie jednak tam ciągnęło. Coś więcej niż tylko ciekawość. I w końcu uległem, zwłaszcza że nawet Obama mnie do tego namawiał.

Przemierzyłem bez jednego choćby przystanku płaskie jak stół pustkowia Kolorado, a potem miliony akrów martwych, ciągnących się aż po horyzont upraw. Minąłem Topekę, nie zwalniając nawet na moment, i zatrzymałem się dopiero na dalekich przedmieściach mojego miasta.

Nie mogłem wparować tam ot, tak, z marszu.

Do tej wizyty musiałem się porządnie przygotować.

Dostałem się do Kansas City tą samą drogą, którą dwanaście lat wcześniej przemierzał wiozący mnie do woja rozklekotany grey-hound. Tyle tylko, że jechałem teraz w przeciwną stronę. Pamiętam, jakby to było dzisiaj: opuszczałem wtedy Kansas, spoglądając przez brudną szybę na zieleniące się dopiero pola, z myślą, że dokonam rzeczy wielkich. I w pewnym sensie osiągnąłem swój cel, chociaż wątpię, by ktokolwiek potrafił to docenić.

Przynajmniej nie w tym życiu.

Teraz zagłębiałem się powoli w kolejne dzielnice molocha spinającego oba brzegi Missouri. Moje Kansas leżało po tej stronie rzeki. Na drugim brzegu, za granicą stanu, która przebiegała środkiem nurtu, już na terenie Missouri, znajdowało się drugie miasto o identycznej nazwie. W zasadzie to samo, a jednak zupełnie inne.

Obce mi zarówno w czasach dzieciństwa, jak i później.

Obce, mimo że urodziłem się po tamtej stronie.

Skręciłem na Fairfax i wjechałem na rzadziej zabudowane tereny. Znałem dość dobrze tę dzielnicę. Niejednokrotnie pobliskie ulice były moją linią frontu, moim wszechświatem, którego broniłem z Arniem Donovanem, Johnnym Fajfusem i Marky Markiem przed najeźdźcami z kosmosu. Dranie byli podstępni. Ich szpiedzy dla niepoznaki przyjmowali często postacie bezdomnych kotów i psów. Gdy dotarłem do bulwaru Springfield, zatrzymałem maszynę na dłuższą chwilę. Stałem na środku opustoszałego skrzyżowania z Quindaro i spoglądałem w dół ulicy, gdzie było już widać początek siwego muru cmentarza Oak Grove. Naprzeciw nekropolii mieścił się niepozorny jasnoróżowy piętrowy dom.

Ruszyłem powoli przed siebie, pochłaniając kolejne przecznice. Greeley, Waverly, Haskell – z każdą z nich wiązały się dziesiątki wspomnień. Tutaj, pod tym drzewem, dostałem zdrowy wpieprz od miejscowych. Za wspomnienie dzielnic zza rzeki. Tam, w ogrodzie pana Mullera, po raz pierwszy pocałowałem dziewczynę. Słodką Jo-Ann, która rozbierała się za cukierki. Nie była specjalnie urodziwa ani mądra, ale kilka landrynek albo batonik nie wydawały nam się wygórowaną ceną za pierwsze lekcje anatomii. Gdyby tylko stary pan Muller, ten sam, który za przystrzyżenie trawnika płacił dolara i dodawał pełną garść cukierków, wiedział, od czego tyje jego bratanica.

Uśmiechnąłem się do tej myśli, jednej z setek, które w tak krótkim czasie przemknęły mi przez głowę na widok znajomych miejsc. Uśmiechnąłem się, ale już po chwili uśmiech spełzł z mojej twarzy. Minąłem Cleveland Avenue. Już tylko dwieście jardów dzieliło mnie od głównej bramy cmentarza i ulokowanej na wprost niej furtki. Zwolniłem, choć i tak poruszałem się w żółwim tempie. Sue toczyła się po brudnym, spękanym asfalcie w całkowitej ciszy.

Nawet chrzęst opon wydawał się tutaj inny.

Zza muru cmentarnego wystawały korony uschniętych dębów, które jeszcze nie tak dawno były wizytówką i dumą mojej dzielnicy. Teraz, pozbawione liści, z płatami obłażącej kory i połamanymi konarami, wyglądały jak wyciągnięte ku niebu ręce potępieńców. Odwróciłem wzrok od tego widoku i zjechałem na lewą stronę drogi. Gruby żywopłot oddzielający przestronny ogród od ulicy obumarł wraz z innymi roślinami, ale nawet wyschnięty na wiór i pozbawiony listków był wciąż na tyle gęsty, że nie pozwalał zajrzeć na teren posesji.

Zatrzymałem Sue kilka kroków przed bramą. Długo patrzyłem na pokryty ciemnozieloną farbą ażur kratownicy. Nadal wisiała nad nim tabliczka. Taka sama jak ta, która zdobiła tę furtkę w dniu mojego wyjazdu. Może nawet ta sama. Zdjąłem kask i okulary. Odciąłem dopływ prądu i zablokowałem koło. Ostatni odcinek pokonałem pieszo. Stanąłem przed ogrodzeniem i spojrzałem w górę. Napis wypłowiał, farba złuszczyła się częściowo, lecz nadal mogłem odczytać dobrze znane mi słowa: „Sierociniec stanowy nr 16".

Rodziców praktycznie nie znałem. Wychowywał mnie dziadek, ale i jego ledwie pamiętałem. Gdyby nie siostra Stapleton, która przechowała dla mnie kilka zdjęć, pewnie zapomniałbym zupełnie o tym okresie mojego życia. Nie przelewało się staremu Reginaldowi Sawyerowi, żył ze skromnej emerytury, lecz potrafił o mnie zadbać na tyle, bym nie chodził głodny i brudny. Dopóki nie zmogła go choroba, której nie mógł pokonać bez pieniędzy. I tak trafiłem do sierocińca, w którym pracował przed laty jako ogrodnik. Za granicą stanu, z pominięciem wielu przepisów, dzięki dobrej znajomości z zakonnicą prowadzącą ten przybytek od zarania dziejów. Nie wiem do dzisiaj, dlaczego właściwie mnie tu przyjęto. Siostra Stapleton nigdy mi tego nie powiedziała, niczego nie dowiedziałem się też z dokumentów, które dostałem na odchodnym. Według nich ktoś dopisał mnie do listy mieszkańców ośrodka jako enpeka, czyli dziecko niewiadomego pochodzenia. Co tu dużo mówić, potraktowano mnie jak klasycznego podrzutka.

Nadane mi potem, oczywiście przez siostrę Stapleton, imię i nazwisko dziwnym zbiegiem okoliczności były identyczne z tymi, które powinienem nosić. I tak spędziłem przy tej przytulnej ulicy czternaście lat, najpierw wychowując się w grupie maluchów, potem pomagając wychowywać młodszych kolegów.

Stałem z wyciągniętą ręką, ale wciąż bałem się dotknąć gałki. W duchu nadal zastanawiałem się, czy naprawdę chcę tam wejść, czy nie lepiej będzie, jeśli zawrócę już teraz, wsiądę na motor i ruszę dalej. Bałem się, najzwyczajniej w świecie bałem się widoku, jaki zastanę po drugiej stronie żywopłotu. Jednocześnie wiedziałem, że wycofanie się w tym momencie skaże mnie na prawdziwą męczarnię.

Byłem coś winny ludziom, którzy mnie wychowali.

Musiałem w jakiś sposób spłacić dług wdzięczności.

Furtka ustąpiła nadspodziewanie łatwo, choć zaskrzypiała przeraźliwie, odsuwając się w głąb ogrodu. Przekroczyłem linię żywopłotu oddzielającego teren sierocińca i skierowałem się wprost do frontowego wejścia. Było zamknięte – zawsze po dwudziestej drugiej siostra Stapleton i jej pomocnice zamykały wszystkie drzwi. Zajrzałem przez zabrudzone okienko do ciemnego wnętrza. Niewiele było widać. Wyjąłem młotek, który przygotowałem specjalnie na tę okazję, i stuknąłem nim lekko w szybę. O dziwo, nie poddała się od razu. Musiałem uderzyć jeszcze raz. Głośny brzęk szkła rozsypującego się po kamiennej posadzce przypomniał mi o kolejnym zdarzeniu. Miałem wtedy osiem lat, właśnie wracałem z cmentarza, gdzie urządzałem z Marky Markiem kryjówkę na jednym z młodszych drzew. Było dość późno, zmierzchało się. Pędziłem jak szalony, chcąc zdążyć na kolację. W ogrodzie bawiło się jeszcze kilka maluchów. Pilnował ich Stephen „Śmierdziel", nie pamiętam już dzisiaj, jak się naprawdę nazywał. Sukinsyn, jakich mało. Domyślał się, co robimy na cmentarzu, ale wiedział, że nikt go tam nie zaprosi. I chyba dlatego postanowił odciąć mnie od tej zabawy. Minąłem grupkę dzieciaków i już wskakiwałem na schody, gdy usłyszałem zza pleców dziki wrzask. Stanąłem jak wryty i spojrzałem na siedzącego przy chodniku zakrwawionego Dicka Molloya, opóźnionego w rozwoju trzylatka, którego kilka miesięcy wcześniej odebrano po wielkiej rozróbie jakimś bezrobotnym pijusom. Z rozbitego nosa i przeciętej wargi ciekła mu krew. Obok stał Stephen i znacząco spoglądał w moją stronę.

– Co tu się dzieje? – zza moich pleców dobiegł nosowy głos siostry Stapleton.

Przesunęła mnie na bok i zeszła ze schodów. Szczupła, wyschnięta, lecz zawsze wyprostowana jak wielka dama.

– Sawyer biegł jak wariat i skoczył nad Dickiem – powiedział Śmierdziel, nie spuszczając mnie z oka. – Chyba zawadził go nogą. Stałem do niego plecami, kiedy to się stało, ale...

– To kłamstwo! – wrzasnąłem, aż wszyscy podskoczyli. Potrafiłem krzyczeć, to fakt. – Ja nic nie zrobiłem, to on! – Wskazałem na robiącego zatroskaną minę Stephena.

– Jak możesz, Adamie! – skarciła mnie natychmiast wychowawczyni. Pochyliła się nad chłopczykiem i wzięła go na ręce. – Nie dość, że skrzywdziłeś biedne dziecko, to jeszcze nie masz odwagi przyznać się do tego.

– Ale ja naprawdę...

– Zamilcz, łobuzie – syknęła, a ja natychmiast zastosowałem się do jej polecenia. Wiedziałem, co oznacza ten ton. Ze ściśniętym sercem czekałem na następne słowa. I doczekałem się. Siostra Stapleton kochała dzieci, ale wyznawała też zasadę, że bez dyscypliny nie ma wychowania. – Masz dwa tygodnie zakazu opuszczania domu. Po zajęciach będziesz pomagał w pralni i w kuchni.

– Ale ja przecież... – próbowałem się jeszcze bronić.

– Trzy tygodnie – powiedziała to tak zimnym głosem, że zamilkłem.

Zmiażdżyłem wzrokiem zadowolonego z siebie Śmierdziela. Szedł tuż za siostrą Stapleton. Dzieliły ich trzy, może cztery kroki. Nie spuszczałem go z oka. Uderzyłem, gdy mnie mijał, wydymając wargi w pogardliwym geście. Raz, ale z całej siły. Trafiłem w szczękę. Zatoczył się i poleciał do tyłu jak szmaciana lalka. Uderzył bokiem głowy w szybę otwierających się właśnie drzwi.

Doskonale pamiętam widok jego poszarpanej twarzy. Szkło wystające z policzka jak ostrze wielkiego noża. Pozszywali go, ale uszkodzenia mięśni były na tyle poważne, że bezwład ust pozostał. Nie wiem, co się z nim potem stało, bo nie wrócił już ze szpitala do naszego sierocińca. Przeniesiono go ponoć do Wichita czy nawet gdzieś dalej. Ja też dostałem za swoje. Byłem zbyt mały, żeby zajęła się mną policja, ale posterunkowy Bridges przychodził kilka razy i musiałem odpowiadać na jego dziwne pytania. Skończyło się na okresowym przeniesieniu do szpitala w Fairfaksie, gdzie spędziłem dwa miesiące na badaniach. Lekarze orzekli w końcu, że jestem normalny i nie ma przeciwwskazań do mojego przebywania z innymi dziećmi. Wprawdzie wykryto u mnie silną nadwrażliwość emocjonalną, ale nie było to nic, czego nie dałoby się z czasem wyleczyć.

Gdy wróciłem ze szpitala, zostałem bohaterem. Marky Mark i Arnie wiedzieli, co się wydarzyło na schodach, a co ważniejsze rozumieli, dlaczego to się stało. Inni wychowankowie byli mi po prostu wdzięczni za to, że z ich życia zniknęło zagrożenie zwane Śmierdzielem. Jednak siostra Stapleton nie podzielała tych opinii. Powitała mnie w swoim gabinecie. Siedziała w półmroku za biurkiem, otoczona tysiącami książek, i patrzyła na mnie przenikliwie wodnistymi oczyma o barwie stali. Nic nie mówiła, jej szczupła twarz wyrażała wyłącznie skupienie. Wreszcie wstała i wzięła mnie za ramię.

– Adamie – powiedziała – jeśli nawet on był winien i niesłusznie cię oskarżył, powinieneś był przyjść z tą sprawą do mnie. Nie od razu. Na drugi albo trzeci dzień. Darowałabym ci resztę kary. Nie można bić innych w ten sposób, tak postępują tylko bandyci.

– Ale ja... – Jak zwykle zabrakło mi słów. – Ja go tylko...

Uśmiechnęła się blado i powiedziała coś, co wtedy wydało mi się głupie, ale dzisiaj, z perspektywy ostatnich wydarzeń, nabrało głębi.

– Jesteś zbyt porywczy, synku. Pozwolić ci, a wysadzisz cały świat z posad...

Siedziała dokładnie tam, gdzie spodziewałem się ją znaleźć. Gabinet znajdował się na końcu wąskiego korytarza prowadzącego na tyły domu. Tego samego, który przemierzaliśmy codziennie przed każdym posiłkiem. Drzwi skrzypnęły cichutko, gdy nacisnąłem klamkę i popchnąłem je delikatnie.

W ciasnym pomieszczeniu, którego ściany pokrywały szczelnie regały pełne książek, nadal panował półmrok i nieuchwytny zapach zbutwiałego papieru. Zupełnie jak wtedy, gdy byłem tutaj ostatni raz, czekając na uścisk jej wątłej dłoni i paczkę z osobistymi rzeczami, którą wręczyła mi na pożegnanie. Przeschnięte deski pod dywanem skrzypiały głośno, gdy szedłem w kierunku biurka. Było zawalone stertami papieru, tak jak przed laty, lecz obok nich stało coś jeszcze. Przedmiot, którego w tym miejscu nigdy bym się nie spodziewał. Butelka po Jacku Daniel'sie. Odkorkowana i całkiem pusta. A byłbym gotów przysiąc na wszystkie świętości, że siostra Stapleton spluwała z obrzydzeniem na samo wspomnienie o alkoholu. Zawartość mogła wyparować przez tyle miesięcy, ale równie dobrze butelka mogła być już pusta, gdy...

Głęboki skórzany fotel był przekręcony w kierunku okna. Przez moment usiłowałem sobie przypomnieć, na którą stronę świata ono wychodzi. Za plecami miałem koryto Missouri, na wprost oczu centrum naszego Kansas City. Miejsce, w którym zdetonowano jeden z ładunków przeznaczonych dla tego miasta. Ciekawe, czy żyła wystarczająco długo, by zrozumieć, co ujrzała? Jej oczy musiały zarejestrować błysk, który rozjaśnił to pomieszczenie na długo przed wiosennym świtem. Wiele razy zastanawiałem się, czy nad Kansas City już wtedy widniało. Chwilę po czwartej, pod koniec kwietnia...

Pochyliłem się nad oparciem i obróciłem fotel. Siedziała w nim, układ rąk sugerował, że chciała wstać, ale promieniowanie było szybsze od starczych mięśni. Zginęła w momencie, gdy jej palce zaczęły się zaciskać na poręczach. Wysuszone ciało, które już za życia przypominało mumię, pozostało nienaturalnie wygięte. Po prawej stronie fotela na wykładzinie leżała rżnięta w krysztale szklanka. Obok niej zauważyłem pożółkłą kartkę. Przecisnąłem się ostrożnie pomiędzy fotelem a regałami i podniosłem ją do światła. Papier był bardzo pognieciony, pismo mocno wyblakłe, ale wciąż dało się przeczytać wszystkie linijki.

Teraz już rozumiałem, dlaczego sięgnęła po tak nietypowy dla niej środek znieczulający. Trzymałem dokument wydany w ratuszu. Informował on o odebraniu zakonnicom praw do działki, na której stał sierociniec. Zadłużenie przekroczyło znacznie wartość nieruchomości i bank w końcu upomniał się o swoje. Skończyły się państwowe dotacje, a wierni z pobliskiej parafii nie byli już w stanie łożyć na przytułek dla kilkunastu dzieciaków. Zresztą nigdy nam się tu nie przelewało. To zawsze była biedna okolica, zamieszkana głównie przez wiekowych ludzi. Od czasu, gdy stąd wyjechałem, wielu staruszków musiało się pożegnać z tym światem. Jadąc tutaj, minąłem kilkanaście domów, które wyglądały na opuszczone znacznie dłużej niż przez ostatnie trzy lata. W bocznych uliczkach musiało stać ich więcej.

Przysiadłem na krawędzi biurka, odsunąwszy stertę nieważnych już dokumentów. Patrzyłem na pomarszczoną, zmumifikowaną twarz kobiety, która zajmowała się moim wychowaniem, i choć była surowa, choć bałem się jej i prawdę mówiąc, nigdy nie lubiłem, poczułem wyraźnie, co jestem jej winien. Jej i pozostałym mieszkańcom tego domu.

Uśmiechnąłem się do niej.

Już nigdy nie będę się bał wrócić na stare śmieci.

Cmentarz nie był zamknięty, nigdy go nie zamykano. Groby znajdujące się po drugiej stronie muru nie kryły niczego cennego. Przeszedłem od razu do tej części, która – co pamiętałem z dawnych lat – była przygotowana pod nowe kwatery. Pozostało na niej o wiele mniej miejsca, ale nadal można tam było pomieścić wiele nowych krzyży.

W szopie obok kaplicy stary pan Janison trzymał kiedyś narzędzia. Niejeden raz podkradaliśmy mu stamtąd gwoździe i kawałki desek, aby budować nowe kryjówki w koronach wiekowych dębów. Nadal pamiętałem rozkład pomieszczenia i jak się okazało, pordzewiałe szpadle wisiały w tym samym miejscu. Wziąłem jeden, najostrzejszy, potem kilof i rękawice robocze. Przeszedłem alejkami do wolnego narożnika cmentarza i obmierzyłem krokami teren. Potem zostawiłem narzędzia pod najbliższym drzewem i wróciłem do sierocińca.

Przyszedł czas na najtrudniejszą część zadania.

Dół należał do zakonnic. Siostra Stapleton i dwie jej pomocnice, Mary i Yvonne, mieszkały w pokojach znajdujących się na prawo od wejścia. Po lewej były kuchnia, jadalnia i wielka bawialnia, w której maluchy spędzały większość czasu, gdy pogoda nie pozwalała na zabawę w ogrodzie. Za nią był jeszcze jeden pokój – sypialnia dziewczynek. Całkiem słusznie odizolowana od sal dla chłopaków, które zajmowały część piętra i poddasze.

Postanowiłem działać metodycznie i spokojnie. Najpierw zająłem się zakonnicami. Z magazynku przy pralni wyjąłem naręcze nakrochmalonych prześcieradeł. Ułożyłem je przy zsuniętych stołach w jadalni i zacząłem sprawdzać pokoje.

Siostra Yvonne spała u siebie. Za życia była wesołą, korpulentną kobieciną o dużych czarnych oczach. Ważyła ponad sto pięćdziesiąt funtów i miała ciężką rękę. Ale teraz, trzy lata po śmierci, zrobiła się leciutka jak piórko. Przeniosłem ją ostrożnie do jadalni, zawinąłem szczelnie w czyste prześcieradło i ułożyłem w korytarzu przy drzwiach wyjściowych.

Druga z zakonnic zdążyła już wstać. Znalazłem ją w kuchni, w nieodłącznym fartuchu, choć czwarta nad ranem nie wydawała mi się najodpowiedniejszą porą na przygotowywanie śniadania. Czyżby i ona już wiedziała? Czyżby dlatego wstała tego dnia tak wcześnie? A może w ogóle się nie kładła?

Nigdy nie mieliśmy lekko. Pobudka, poza niedzielami, o wpół do siódmej, góra pół godziny na umycie się, potem śniadanie i wymarsz do szkoły. Zawsze byliśmy pierwsi, dzieciaki z dzielnicy przyjeżdżały żółtymi autobusami dopiero kwadrans przed rozpoczęciem pierwszej lekcji.

Przetransportowałem siostrę Mary do jadalni, zawinąłem w prześcieradło i położyłem w korytarzu. Dopiero gdy spoczęła obok siostry Yvonne, zajrzałem do sypialni dziewczynek. Stały tam cztery łóżka, wszystkie zajęte. Spały grzecznie jak aniołki. Tym lepiej dla nich, że śmierć przyszła we śnie. Przenosiłem je kolejno pozawijane w pościel i lekkie jak zabawki, którymi sam się tutaj kiedyś bawiłem. Sprawdzałem na kartach ich nazwiska i na każdym prześcieradle zapisywałem dokładne dane.

Nie chciałem się pomylić.

Gdy skończyłem robotę na parterze, zająłem się piętrem.

Schody nadal skrzypiały. Pamiętałem, że twierdziliśmy kiedyś, iż nikt ich nie naprawia, gdyż stanowią sprawdzony system alarmowy dla zakonnicy pilnującej ciszy nocnej, ale prawda była taka, że nigdy nie mieliśmy wystarczająco dużo pieniędzy, aby przeprowadzić porządny remont domu. Na górze było całkiem ciemno, ale przecież wiedziałem, czego mogę się tam spodziewać. Z zamkniętymi oczyma trafiłbym do ubikacji i do swojej sypialni. Pokonywałem tę trasę całymi latami, czasem mocno zaspany. Na szczęście dzisiaj nie musiałem już zamykać oczu. Dzięki zabranej z dołu gromnicy, którą ulokowałem na komodzie zaraz za załomem korytarza, zrobiło się tu całkiem przytulnie, a przede wszystkim jasno.

W pierwszej sypialni znalazłem trzy łóżka i tyleż dzieciaków. To były nasze maluchy. Zawsze tak mówiliśmy o najmłodszych. Żadnego z nich nie znałem, odszedłem stąd na długo przed tym, zanim się urodzili, ale czułem, że jestem z nimi związany równie mocno jak z wychowawczyniami. Każdy, kto mieszkał w tym domu, należał do mojej rodziny. Tak było, jest i, niestety, już nie będzie. Pół godziny później mieszkańcy piętra dołączyli do sióstr i dziewczynek. Została mi jeszcze jedna kondygnacja.

Najmniejsza, zaledwie jeden pokój.

Sypialnia najstarszych chłopaków.

Stanąłem przed drzwiami, które otwierały się tylko przed tymi, którzy ukończyli dwanaście lat, o ile zrobiło się tu dla nich miejsce. Ja czekałem ponad rok, zanim odchodzący osiemnasto-latek ustąpił mi miejsca na szczycie świata, jakim było dla nas wszystkich to poddasze. Teraz stałem przed znajomymi drzwia-mi, wahając się przed przekręceniem gałki, zupełnie jak wtedy, za pierwszym razem.

Wewnątrz niewiele się zmieniło. Cztery łóżka, cztery sza-fy, stół pośrodku, a w głębi, pod ścianą telewizor. Całkiem du-ży, płaski, co najmniej trzydziestodwucalowy. Za moich czasów stał tam przenośny, tranzystorowy i na dodatek czarno-biały odbiornik, ale jacy byliśmy z niego dumni! Woleliśmy oglądać filmy tutaj, na górze, zamiast wspólnych seansów z maluchami w bawialni, choć stał w niej dar od dzielnicowego marketu „Se-ven-Eleven". Wielkie, czarne stereofoniczne pudło ze srebrnym logo Sony. Sprawdziłem dane chłopaków. Dwóch z nich znałem. Gdy opuszczałem sierociniec, Dave i Harvey mieli po pięć lat. Trzymali sztamę jak rodzeni bracia, chociaż jeden był niebie-skookim blondynem, a drugi półkrwi Azjatą. Takimi ich zapa-miętałem i takimi pamiętać będę.

Na końcu zająłem się siostrą Stapleton. Była czternastą oso-bą, czternastym ciałem. Tyle grobów musiałem teraz wykopać. Zbliżało się południe, gdy stanąłem z kilofem w ręce nad wy-schniętą ziemią i wziąłem pierwszy, mocny zamach.

Czternaście nowych, identycznych pomników stanęło na wydzie-lonym polu w trzech rzędach. W pobliskim zakładzie kamieniar-skim znalazłem siedem, pozostałe musiałem zorganizować na mieście. Objechałem całą okolicę, ale dopiero przy cmentarzu municypalnym znalazłem wystarczającą liczbę odpowiednich płyt z granitu. Nie chciałem, żeby te groby wyglądały jak przy-padkowa zbieranina. Nie po to odmierzałem dokładnie odległość każdego dołu, żeby zwieńczyć robotę przypadkowo dobranymi elementami. Zebrałem też dość trumien z pobliskich domów pogrzebowych oraz wszystkie sztuczne kwiaty i wieńce, na jakie trafiłem w kwiaciarniach obok największych cmentarzy. To były czasochłonne, ale i najłatwiejsze etapy przygotowań do pogrzebu. Najbardziej frustrujące okazało się wykuwanie napisów. Nie miałem właściwych narzędzi, więc zrobiłem to za pomocą młotka i przecinaka. Litery wychodziły naprawdę koślawo, kilka płyt nawet popękało pod zbyt mocnymi uderzeniami, ale trzeciego dnia przed południem robota była skończona. Na nagrobkach znalazły się nazwiska, imiona, daty urodzin i wspólna dla wszystkich data śmierci. Wykułem nawet małe krzyże i literki R.I.P., choć nie pamiętałem już, co oznaczają.

Wszystko jak trzeba.

Oprócz modlitwy.

Znalazłem Biblię w szufladzie biurka siostry Stapleton, ale nie zdołałem przeczytać na głos żadnego z wersetów. Wmawiałem sobie, że to wzruszenie odbiera mi głos, ale prawda była boleśniejsza – powoli oduczałem się mówić.

Gdy ułożyłem ostatnie kwiaty i zakończyłem ceremonię, usiadłem na ławeczce pod martwymi dębami. Długo przyglądałem się łopoczącym na wietrze szarfom i wsłuchiwałem się w kojący szelest gałęzi nad głową. Wiało tego dnia mocno, na ziemi tworzyły się od czasu do czasu małe wiry powietrzne przypominające minitornada. Uśmiechałem się, patrząc, jak przemykają między grobami, porywając luźno umocowane kwiatki i wstążki.

Równiny Missouri od wieków były niemym świadkiem szaleństwa żywiołów.

Równiny Missouri zaczynały się po drugiej stronie rzeki.

Dziwiło mnie to trochę, ponieważ według mapnika znajdowałem się na względnie spokojnym terenie. Pomiędzy Columbią, którą musiałem ominąć bocznymi drogami ze względu na silne wciąż skażenie promieniotwórcze – pozostałość po jednej z niewielu eksplozji nuklearnych z czasów ataku – a St. Louis, do którego właśnie zmierzałem, nigdy nie notowano zbyt wielu tego typu kataklizmów pogodowych. Oczywiście licząc w skali całego kraju.

W okolicach Boonville, gdy liczniki Geigera zaczęły nieco mocniej tykać, zdecydowałem, że czas opuścić siedemdziesiątkę, aby po przeprawieniu się przez rzekę ominąć gorący teren lokalnymi drogami. Wybrałem prostą trasę prowadzącą przez Fayette, Sturgeon i Mexico.

Jechałem przez równinny, lekko zalesiony teren, na którym rozciągały się kiedyś bezkresne pola kukurydzy i pszenicy. Pozostały po nich jedynie kępki leniwie gnących się na wietrze, wyschniętych na wiór łodyg. Miejscowości, które mijałem, były niewielkie, poza nimi na odległych wzgórzach widywałem od czasu do czasu stojące samotnie zabudowania. Częściej napotykałem zjazdy i bramy prowadzące na okoliczne farmy bądź drogowskazy głoszące, ile mil trzeba przejechać, aby trafić do pana Smitha czy Jonesa. No i nieodłączne skrzynki pocztowe ustawione równymi rzędami obok pomniejszych skrzyżowań.

Ku mojemu najwyższemu zdziwieniu na lokalnej dziewiętnastce – drodze, było nie było, trzeciej kategorii – roiło się od wraków. Głównie mocno zużytych vanów i wozów dostawczych wypakowanych skrzynkami oraz kartonami. Przyglądając się ich ładunkom, zrozumiałem, że trafiłem na jeden ze szlaków, którymi kiedyś zaopatrywano St. Louis w świeże produkty spożywcze. Żeby dotrzeć w porę na słynne targowiska przy nabrzeżach Missouri, ci ludzie musieli wyruszać ze swoich farm o drugiej, trzeciej nad ranem. Czyli jeszcze przed atakiem.

W takich warunkach nie mogłem jechać zbyt szybko, lawirowałem więc mozolnie pomiędzy porozbijanymi samochodami i nierzadko ich rozsypanym ładunkiem, sporadycznie jedynie wybierając jazdę gliniastym poboczem, co kilka razy omal nie zakończyło się ugrzęźnięciem w lekko podmokłej ziemi. Jesień w tych okolicach najwyraźniej obfitowała w intensywne deszcze. Bogu dziękowałem, że nie spadł jeszcze śnieg. Wprawdzie miałem w schowku pod siedzeniem łańcuchy, ale wcale nie śpieszyło mi się do jazdy w zawierusze i po oblodzonej drodze, której, tego jednego byłem pewien, nikt już niczym nie posypie.

Właśnie minąłem senne Wellsville, za którym droga odbijała nieco od szlaku kolejowego, gdy nagle natknąłem się na dłuższy odcinek czystego asfaltu. Jakby ktoś zamiótł go na przestrzeni kilkuset jardów. Zaskoczony zatrzymałem Sue na skraju oczyszczonego pasa i przyjrzałem się przez lornetkę pobliskiemu zakrętowi, na którym znów stało kilka pordzewiałych pick-upów i zdezelowanych półciężarówek. Nieco dalej zauważyłem drugi kompletnie pusty odcinek szosy. Mniej więcej tej samej długości.

Przeniosłem wzrok na pobliskie pola. Widziałem tylko szarą ziemię poznaczoną tu i ówdzie kępami wyschniętej roślinności otaczającej parowy, którymi płynęły leniwe strumienie. Ale po chwili zauważyłem też coś dziwnego. W koronach drzew, dość wysoko, coś zalśniło. Jakby promień słońca odbił się od szyby albo metalu. Ustawiłem powiększenie na maksimum i zakląłem pod nosem. Na wysokości trzydziestu stóp w plątaninie gałęzi wisiał szary sedan. Poskręcany, jakby trafił do wyżymaczki. Sprawdziłem najbliższą okolicę, nie zmniejszając przybliżenia. Pod drzewami dostrzegłem kolejne cztery wraki. Leżały rozrzucone bezładnie na przestrzeni kilkuset jardów, prawie milę od drogi, z której zostały porwane. Dalsza obserwacja terenu pozwoliła mi namierzyć w oddali jeszcze kilka strzaskanych karoserii. Co ciekawe, dwa skupiska domów na skraju pasa zniszczeń – którym bez wątpienia przeszło naprawdę potężne tornado – wyglądały na nietknięte.

Szybko przewertowałem zabrany ze stacji benzynowej w Fa-yette lokalny przewodnik, ale niewiele w nim napisano na te-mat anomalii pogodowych występujących w tym regionie. Co wydało mi się całkiem zrozumiałe, zważywszy na to, że książka ta miała służyć do przyciągania turystów, a nie ich odstrasza-nia. Wywaliłem bezużyteczną broszurkę do rowu i zacząłem się przekopywać przez posiadany księgozbiór. Mapnik odpa-dał, gdyż miałem w nim tylko podstawowe i raczej przetermi-nowane informacje na ten temat, ale podczas jednej z ostatnich wizyt w księgarniach w ręce wpadł mi podręczny atlas geogra-ficzny.

Pamiętałem, że w jego aneksach jest wiele ciekawostek doty-czących najróżniejszych dziedzin.

Raz z nudów wyczytałem tam też coś o tornadach.

Szybko sprawdziłem spis treści i... Bingo! *Aleja tornad*. Wprawdzie zapisy nie dotyczyły bezpośrednio tych okolic, ale w odnośnikach obok notki o profesorze nazwiskiem Fujita i cie-kawostek związanych z jego skalami znalazłem tabelki dotyczące aktywności trąb powietrznych w różnych regionach kraju. Zgod-nie z zawartymi w nich informacjami, w ostatnim rejestrowa-nym roku na północny zachód od St. Louis zanotowano osiem trąb powietrznych klasyfikowanych jako F3 i F4. Konkretnie: sześć trójek i dwie czwórki. Sądząc po szerokości pasa zniszczeń i rozrzucie wraków, to, które przeszło jakiś czas temu przez dzie-więtnastkę, musiało należeć do kategorii piątej.

Czytałem dalej. Na następnej stronie znalazłem daty naj-większych kataklizmów z podziałem na regiony. W tych oko-licach najczęściej powtarzał się kwiecień. Ale listopad niewiele mu ustępował. Szesnaście do czternastu, żeby być precyzyjnym. Zakląłem w duchu i rozejrzałem się odruchowo. Niebo tego dnia było prawie bezchmurne, a te kilka obłoczków, które płynęło le-niwie nad moją głową, miało barwę najczystszej bieli.

Na razie nic nie zapowiadało nadejścia frontu burzowego. Wiatr też nie należał do najsilniejszych. Postanowiłem jednak nie zwlekać. Ruszyłem w kierunku następnego miasteczka, od którego dzieliło mnie zaledwie pięć mil. Widok rozniesionej w pył farmy, którą właśnie mijałem, jeszcze bardziej podniósł mi ciśnienie. Moja F5-tka najwyraźniej kręciła się po okolicy jak pijana niedźwiedzica. Na tę myśl odruchowo sięgnąłem po flaszkę. Na pokrzepienie serc najlepsza jest whisky.

Już dawno zauważyłem, że korek wlewu paliwa w atrapie baku daje się wykręcić, a wgłębienie pod nim wprost idealnie nadaje się do przewożenia butelek. Zapewne konstruktorzy projektujący to udogodnienie mieli na myśli znacznie mniej wyskokowe napoje, ale przy tak ubogim wyborze – woda czysta albo ognista – nawet przez moment nie zastanawiałem się, co bardziej będzie do niego pasować.

W butelce miałem jeszcze dwa palce bursztynowego trunku. W sam raz na frasunek. Wyciągnąłem zębami korek i wyplułem go na pobocze. Wzniosłem rękę ku niebu i wychrypiałem:

– Na pohybel złym wiatrom!

Dwudziestojednoletni laphroaig wciąż smakował wybornie. Pociągnąłem kilka mniejszych łyków, a potem pusta butelka poszybowała daleko w pole. Sięgając do juku po następną, musiałem się lekko przechylić. Gdy się prostowałem, spojrzałem przypadkiem w lusterko i wyszczerzyłem pożółkłe zęby do własnego odbicia.

Nie przypominałem już w niczym żołnierza. Spoglądałem na zarośniętą twarz zaniedbanego faceta w brudnej skórzanej kurtce z ćwiekami, frędzlami, naszywkami i Bóg wie czym jeszcze. Rozwiane włosy spiąłem w krótki kucyk – nie odważyłem się ich ściąć po opuszczeniu bazy, a w ciągu tych trzech miesięcy podróży urosły na tyle, że powoli zaczynałem się zmieniać w nieudolną parodię hippisa. Brodę za to miałem niczym krasnolud z trylogii Tolkiena, którą mgliście pamiętałem z telewizji, a teraz z przyjemnością odświeżyłem sobie w wersji drukowanej.

Pasowałem do mojej Sue bez dwóch zdań. Pasowałem też do obiegowych wyobrażeń o motocyklistach. Spod lotniczych ray banów nie widać było przekrwionych oczu, ale krzywy uśmiech i butelka w dłoni przekonałyby każdego, że oto jedzie niekwestionowany król szos. Odkorkowałem, nie zwalniając, następną szkocką i pociągnąłem solidny łyk.

Rogatki kolejnej miejscowości znajdowały się tuż przede mną. Widoczna w oddali wieża ciśnień, dzięki której Montgomery City miało wodę, stała wykrzywiona pod przedziwnym kątem. Z metalowego zbiornika na jej szczycie pozostało zaledwie kilka skrawków sterczącej w niebo blachy. Ale był to jedyny niepokojący element, jaki mogłem dostrzec.

Moment później dojechałem do Allen Street. Tutaj także wszystko, oprócz wspomnianej wieży, wyglądało normalnie. Za pobliskimi domami widziałem leniwie kołyszące się korony martwych drzew, w górze blady błękit jesiennego nieba. Nic nie zapowiadało prawdziwej orgii zniszczenia, na którą natrafiłem niespełna trzysta jardów dalej.

Tornado przeszło przez miasteczko, przecinając dziewiętnastkę pomiędzy Szóstą Wschodnią a Walsh Avenue. Nie było tu nic. Jakby ktoś nożem wyciął całe centrum. Zatrzymałem się w miejscu, w którym kiedyś znajdowały się potężne stalowe silosy. Pozostało po nich tylko kilka dziwnie powyginanych podpór sterczących oskarżycielsko z betonowych fundamentów. Oddalony o dwie przecznice kościół, potężna budowla z cegły, chyba najmasywniejsza w mieście, wyparował. Podobnie stare centrum mieszczące się z drugiej strony skrzyżowania. Zmierzyłem dzięki licznikowi Sue szerokość pasa zniszczeń. Miał ponad dziewięćset jardów. Nie był to wprawdzie rekord świata, ale zważywszy na to, że przeciętne trąby powietrzne osiągają sto, sto pięćdziesiąt, mimo wszystko wydawał mi się imponujący.

Z wrażenia pokręciłem się jeszcze chwilę po Montgomery City, przyglądając się ogromowi zniszczeń, jakich potrafiła dokonać natura. Daleko im było do tego, co my sami zrobiliśmy choćby z pobliską Columbią, ale na Boga, wyobraźcie sobie moc zdolną zmieść z powierzchni ziemi cały kościół! Albo wbić cienką, kruchą gałązkę w beton! Na własne oczy widziałem patyczek nie grubszy niż mój palec, którego końce wystawały z ułomka trzystopowego muru przy skrzyżowaniu Drugiej Wschodniej, gdzie kiedyś mieścił się bank.

Zadziwiająca potęga. Fascynowała mnie od dziecka. Jak chyba każdego mieszkańca tych równin. Tyle że bardzo szybko przeniosłem się do miasta, gdzie tornada były i rzadkie, i niegroźne. Kiedyś, nocą, gdy na zewnątrz szalała burza, ta sama, która zmiotła nasz domek na dębach, Marky Mark wyszeptał mi do ucha, że tornada gardzą wielkimi miastami, bo w ich wirujących duszach tkwi tęsknota za prawdziwą wolnością. Taką, jaką można znaleźć tylko na równinach, gdzie niebo jest jedyną granicą i nic ich nigdy nie może powstrzymać.

Pomijając poetyckość tego stwierdzenia, coś w tym musiało być.

Montgomery City było tego martwym przykładem.

Na przestrzeni kolejnych sześciu mil, jakie pozostały do siedemdziesiątki, natknąłem się jeszcze na cztery, chociaż znacznie mniejsze pasy zniszczeń. Żadne z tych tornad nie osiągnęło – przynajmniej według dostępnych mi tabel – kategorii trzeciej.

Po szesnastej wjechałem na powrót na międzystanową zaledwie pięćdziesiąt mil przed St. Louis. Tutaj mogłem nieco przyśpieszyć, dwupasmówka bowiem nie była już tak bardzo zapchana jak lokalne drogi. Atak nastąpił na tyle wcześnie, że większość farmerów nie zdążyła do niej dotrzeć. Teren zrobił się też trochę bardziej pofałdowany. Wprawdzie nie były to Góry Skaliste, ale łagodne dolinki i podjazdy wprowadziły miłe urozmaicenie po ostatnich dniach spędzonych na płaskiej jak stół równinie.

Miałem już zdrowo w czubie, lecz cel tego etapu podróży był tak bliski, że mogłem sobie pofolgować. W końcu kto mógł mnie zatrzymać za jazdę po pijaku? Mnie, jedynego użytkownika tych dróg.

Poprawka: jedynego poruszającego się użytkownika.

A precyzyjniej rzecz ujmując: jedynego żywego!

– Jestem królem świata! – krzyknąłem, podnosząc się z siodełka na kolejnym zjeździe w mikrą dolinkę i wlewając w gardło solidną porcję zimnego bursztynowego płynu, który w jednej chwili zamieniał się w palącą żywym ogniem energię. Czułem, jak gorąco wolno rozchodzi się po moim ciele. – Jestem królem świata... – powtórzyłem zdanie zasłyszane na jakimś starym filmie.

I usłyszałem odpowiedź.

Nadeszła z tyłu, z daleka.

Cichy, basowy pomruk powoli przetoczył się nad równiną. W pierwszej chwili nie zwróciłem na niego uwagi, ale moment później dotarło do mnie, co oznacza ten dźwięk. Odwróciłem się gwałtownie i odruchowo nacisnąłem hamulec. Nie było to najrozsądniejsze, zważywszy na mocne skręcenie kierownicy. Maszyną zarzuciło, lewe tylne koło oderwało się na moment od nawierzchni i wyleciałem w powietrze. Upadłem na asfalt, tłukąc się boleśnie i rozbijając butelkę. Na szczęście przeleciała kilka stóp dalej i nie pokaleczyłem się odłamkami, które zasypały niemal całą szerokość pasa ruchu. Sue minęła mnie i wolno staczała się na pobocze.

Zerwałem się na równe nogi, sycząc z bólu, i spojrzałem na czerniejący horyzont. Burza była daleko, dopiero wpełzała w pole widzenia, ale wystarczyło jedno spojrzenie na szybko przesuwające się nad moją głową chmury, aby zrozumieć, że podąża moim śladem. Splunąłem ze złością i wgramoliłem się na Sue. Jeszcze raz obejrzałem się przez ramię. Pasmo czerni poszerzyło się nieznacznie. W kilku miejscach pojawiły się na moment nikłe rozbłyski. Dopiero po dłuższej chwili dobiegły mnie pomruki gromów, tym razem nieco głośniejsze.

Zwykła burza to może nie tornado, ale też bywa groźna. Chociaż, z tego, co pamiętałem, trąby powietrzne lubiły się pojawiać nagle, zwłaszcza późnym popołudniem, kiedy załamywała się pogoda.

Koła zabuksowały, gdy z nerwów zbyt mocno przekręciłem manetkę gazu. Droga przede mną wznosiła się lekko, acz zauważalnie. Od szczytu łagodnego wzniesienia dzieliło mnie zaledwie kilkaset jardów. Dostałem się tam w kilkanaście sekund, zatrzymałem Sue w poprzek szosy, żeby się nie stoczyła, i sięgnąłem po lornetkę. Pomiędzy dnem dolinki a tym miejscem było najwyżej sto stóp różnicy. Niby nic, a jednak dużo. Widziałem teraz w całej okazałości odległą linię horyzontu i wiszący nad nią czarny pas. Czoło skłębionej fali chmur zdążyło przesunąć się o spory kawałek, chociaż minęły dopiero dwie, trzy minuty, na pewno nie więcej, odkąd spojrzałem na nie po raz pierwszy. Odwróciłem głowę na wschód. Przede mną w odległości mili, może półtorej znajdowało się kolejne wzniesienie. Też łagodne, ale o wiele wyższe od tego, na którym stałem. Niebo nad nim wydało mi się ciemniejsze, ale o tej porze na wschodzie nie mogło być przecież jaśniej. Do zmierzchu zostały najwyżej dwie godziny. Zanim całkiem się ściemni, powinienem siedzieć już w ciepłym, bezpiecznym schronieniu gdzieś na przedmieściach St. Louis, od których dzieliło mnie około trzydziestu mil.

Ruszyłem dalej. Ostrożnie wyminąłem przewróconą ciężarówkę blokującą oba pasy i już bez większych przeszkód dostałem się na szczyt kolejnego wzniesienia. Ostatniego, jak się okazało, na tym odcinku trasy. Serce zamarło mi, gdy spojrzałem w dół łagodnie opadającego zbocza. Z tej strony równie dobrze, jeśli nie lepiej, widziałem potężny kawał równiny i majaczące za nim w mroku miasteczko. Ale nie tylko...

Niebo pociemniało na wschodzie...

Choć zmierzch nie miał z tym wiele wspólnego.

Granatowe, miejscami ołowiane chmury wisiały nad sporą częścią horyzontu. Pod nimi, w oddali, przesuwały się majestatycznie trzy poskręcane słupy wirującego powietrza. Dwa długie, wysmukłe, oddalone w tej chwili ode mnie o sześć, siedem mil i trzeci, prawdziwy koszmar meteorologa, najczystszej wody piątka, a może nawet, sądząc po rozmiarach, legendarna szóstka. W czasie gdy im się przyglądałem, daleko po prawej zaczął się formować kolejny lej. Z chmury wychynęła nieforemna macka i w błyskawicznym tempie zaczęła się zbliżać do ziemi. Po kilkunastu sekundach orała już zabudowania samotnej farmy zajmującej szczyt rozległego wzgórza.

Spojrzałem raz jeszcze do tyłu. Burza zbliżała się naprawdę szybko. Potoki deszczu przesłaniały już spory kawałek równiny. Ale ten deszcz także wyglądał mi nieco podejrzanie. Złapałem lornetkę i nastawiłem maksymalne zbliżenie. Już pierwszy rzut oka pozwolił mi dostrzec kolejne niebezpieczeństwo. Zogniskowałem ostrość na wraku rejsowego autobusu, który minąłem nie dalej niż dwadzieścia minut temu. Stał pod ostrym kątem do pasa ruchu, przechylony mocno na prawy bok. W lewy wbił się ciągnik osiemnastokołowego zestawu. Oba pojazdy znajdowały się w miejscu, do którego burza właśnie docierała, dlatego wyraźnie widziałem, jak pod naporem spadających z nieba białych grudek pękają kolejne szyby, a blacha na dachu i burcie autobusu drży, jakby w nią uderzało tysiąc kijów.

Grad.

Grad wielkości kurzych jaj.

Na otwartej przestrzeni nie mam z nim żadnych szans. Momentalnie uszły ze mnie cała euforia i zachwyt nad potęgą natury. Rozejrzałem się nerwowo, czując, że serce podchodzi mi do gardła. Co najmniej dwie trąby powietrzne, w tym jedna gigantyczna, nieubłaganie kierowały się w stronę międzystanowej, grożąc, że przetną ją już niedługo. Kolejna, ta wysunięta najdalej w lewo, skręciła właśnie pod ostrym kątem i szła prosto na miejsce, w którym stałem. Czwarta, najświeższa i najbliższa, pustoszyła pola po mojej prawej, puchnąc coraz bardziej. W tym momencie można ją już było zaliczyć do kategorii F3 i chyba nie zamierzała na tym poprzestać.

Po lewej w promieniu dwu mil nie znalazłem niczego, co mogłoby dać mi schronienie. Tylko bezkresne pola i z rzadka kępy drzew. Na domiar złego na samym skraju frontu burzowego zauważyłem kolejne pulsujące wybrzuszenie.

Jeśli i ono zmieni się w trąbę powietrzną, zostanę wzięty w pięć ogni.

I to bynajmniej nie zimnych.

Sprawdziłem teren po prawej. Daleko, niemal na horyzoncie, dostrzegłem niewielką farmę. Przez lornetkę sprawdziłem, gdzie znajduje się droga do zabudowań. Była widoczna na kilku odcinkach, a zaczynała się nie dalej niż pół mili przede mną. Nie zastanawiałem się dłużej. Liczyła się każda sekunda. Nic nie mogło mnie opóźniać. Jednym ruchem wypiąłem przyczepkę – była zabudowana i jeśli nie trafi w pas zniszczeń któregoś z tornad, nic jej się nie powinno stać. Znajdę ją później bez trudu.

Wcisnąłem gaz do dechy i pognałem ku zjazdowi z lokalnej drogi, na który mogłem się przedostać przez pas martwej zieleni. Na szczęście nie było tutaj żadnych rowów ani siatek, którymi często oddziela się drogi międzystanowe od lokalnych. Nie zwalniałem, omijając kolejne wraki i modląc się, aby nie było za nimi kolejnej, niewidocznej dla mnie przeszkody.

Wypadek z Nevady, gdzie trafiłem po zmroku na rozprutą kabinę chryslera leżącą tuż za wrakiem wielkiej ciężarówki, nauczył mnie ostrożności. Wtedy skończyło się na rozcięciu ręki i utracie naprawdę porządnej skórzanej kurtki. Ale mogło być gorzej, znacznie gorzej. Ostre jak brzytwa fragmenty rozerwanych słupków przemknęły o kilka cali od mojej twarzy i szyi.

Teraz jednak nie miałem wyboru. Każda sekunda zwłoki przybliżała mnie do ściany sypiącego się z nieba zabójczego lodu bądź spychała w ssące wiry tornad. Zaciskałem zęby i ścinałem zakręty za kolejnymi blokującymi przejazd wrakami. Jeszcze dwa, jeszcze jeden i już mogłem odbić w drogę prowadzącą na farmę. Tutaj nie musiałem się już tak martwić. Ryzyko napotkania innego pojazdu było równe zeru, ale pojawił się za to inny problem. Nierówności. Nie mogłem gnać po tej szutrowej trasie ile Bozia dała – musiałem uważnie przyglądać się każdemu podejrzanemu miejscu.

A tych było wiele.

Zbyt wiele.

Szybkie spojrzenia na boki uświadamiały mi rosnące niebezpieczeństwo. Wiedziałem, że jeśli nie natrafię na poważną przeszkodę, nawet przy tym tempie jazdy powinienem dotrzeć do zabudowań przed nadejściem burzy, ale to tak naprawdę niczego nie rozwiązywało. Dwie trąby powietrzne znów zmieniły kierunek i najwyraźniej zmierzały w tę samą stronę co ja. Jeśli dobiegnę do schronu – wiedziałem, że tam jest, w tych okolicach wszyscy je mieli – mogę liczyć na przetrwanie słabszego tornada, ale przed tym ogromnym z pewnością nic, co znajduje się na tej farmie, mnie nie ochroni!

Teraz, gdy znalazłem się bliżej gargantuicznego wiru, dostrzegałem coraz więcej przerażających szczegółów.

Czarne kropki odpadające wysoko nad ziemią od powietrznego stożka okazywały się samochodami albo fragmentami domów. Widziałem je wyraźnie, widziałem, jak wirowały, znikały we wnętrzu leja albo z niego wylatywały, wystrzeliwane jak z procy. Niektóre szybowały długim łukiem ku ziemi i znikały z pola widzenia, inne zaś, wyrzucane nie tak mocno i nie tak daleko, niknęły na powrót w paszczy twistera, pochwycone raz jeszcze przez jego morderczy pęd. Na moich oczach ciężarówka z przyczepą została w ułamku sekundy rozdarta na strzępy, a setki kolorowych kartonów stanowiących jej ładunek rozprysły się wokół, by natychmiast zniknąć w skłębionej powierzchni tornada. Obok z mgławicy trudnych do rozpoznania odłamków wychynęła korona gigantycznego drzewa. Wir błyskawicznie odarł je z kory, a potem również z gałęzi. Goły pień wystrzelił w górę i pomknął jak pocisk, znikając gdzieś w oddali.

Docisnąłem gaz do dechy. Raz kozie śmierć, pomyślałem i nagle, nie wiem czemu, znów przypomniały mi się słowa, które nie tak dawno wykrzyczałem na drodze. Tym razem łącznie z zapamiętaną sytuacją z przeszłości. To był ulubiony film siostry Stapleton, puszczała nam go ze sto razy. Rzygaliśmy tą katastrofą, ale wszystkie dziewczyny płakały jak bobry za każdym razem, gdy ogromny statek tonął. Nie pamiętałem już nazwiska aktora odtwarzającego główną rolę, ale przed oczami stanął mi obraz, gdy znika pod wodą z wyciągniętą ręką i otwartymi oczyma.

To właśnie on był chwilę wcześniej królem świata.

A ja za moment mogłem podzielić jego los.

Nie przypuszczałem wprawdzie, bym miał tu utonąć, ale rozerwanie na strzępy przez wiatr bądź ukamienowanie bryłami lodu wielkości pięści także nie należały do moich ulubionych rodzajów śmierci. Pochyliłem się nad kierownicą i jeszcze mocniej ścisnąłem manetkę gazu, choć wiedziałem, że nic to już nie da. Sue, pokonując kolejne muldy, szarpała się jak żywe stworzenie. Jeszcze jeden zakręt i wypadnę na prostą prowadzącą ku zabudowaniom. Na pewno zdążę przed burzą, ale czy uniknę tornada?

Szczyt wzgórza zbliżał się szybko, równie szybko jednak opadała temperatura powietrza. Czułem też porywiste, coraz mocniejsze podmuchy wiatru. Bliższa i na szczęście mniejsza trąba powietrzna sunęła wzdłuż drogi, oddalona zaledwie o kilkaset jardów. Nie mogłem uwierzyć w moje szczęście. Kiedy koncentrowałem się na gigancie, jego mniejsza siostra ponownie zmieniła kierunek i zaczęła się oddalać w dół zbocza. Jestem jednak farciarzem!

W momencie gdy o tym pomyślałem, wirujący w obłędnym tańcu lej pochylił się na prawo, wyginając niczym czatująca kobra. Zaraz potem skręcił gwałtownie i dosłownie runął za mną, w stronę drogi. Nie widziałem go, ale nie chciałem odwracać głowy, aby nie stracić równowagi i panowania nad kierownicą tuż przed celem. Jeśli ma mnie dopaść, i tak nic na to nie poradzę, ale nie poddam się tak jak ten frajer z filmu. Nie wiem, dlaczego o nim pomyślałem, dlaczego stanęła mi przed oczyma tamta scena, a po niej setki innych przebłysków z życia zakończonego tak dawno, że właściwie nie powinienem już go pamiętać.

Podmuch wiatru uderzył w moje plecy, o mało nie wyrzucając mnie z kanapy. Po chwili poczułem następny, jeszcze silniejszy. Z trudem utrzymałem wibrującą kierownicę. Bałem się odwrócić głowę, a w lusterkach widziałem tylko wirującą czerń. Zrozumiałem, że tornado jest już blisko, stanowczo za blisko. Gdy nadeszło trzecie uderzenie, poczułem, że tracę oddech, jakby powietrze stało się nagle rzadsze. Pochyliłem się jeszcze bardziej.

Przylgnąłem całym ciałem do rozgrzanej maszyny.

Do mojej Sue.

Szczyt niewielkiego wzgórza, na którym stała farma, był tuż-
-tuż, na wyciągnięcie ręki. W każdej chwili spodziewałem się
jednak kolejnego, ostatniego już podmuchu, który porwie mnie
z maszyny i ciśnie gdzieś w górę, gdzie zostanę skręcony i roz-
darty na strzępy jak banan w mikserze. Zahamowałem na środku podwórza i szybko obejrzałem się za siebie. Mniejsze tornado
przecięło drogę i pomknęło, jakby przyciągane magnesem, ku
frontowi burzowemu. Większe, bardziej stabilne, sunęło nadal
w kierunku wzgórza i farmy.

Miałem nie więcej niż trzydzieści sekund na znalezienie
schronienia.

W najlepszym wypadku minutę.

Rozejrzałem się po zabudowaniach. Szopa odpadała, podobnie stajnia i obora. Te przeszły już swoje, nie wiem, czy przed
czy po ataku, ale wyglądały na takie, które nie przetrwają zwykłej nawałnicy. Pozostawał dom, jedyny budynek na podmurówce. Starałem się przypomnieć sobie, gdzie ludzie zazwyczaj
umieszczali wejścia do schronów. Każda farma w tej okolicy miała schron, nawet w naszym sierocińcu zrobiono jego namiastkę.
Tutaj też musiało być ogólnie dostępne wejście do tego przybytku. Nie wiedziałem jednak, jak ono może wyglądać. Spojrzałem
jeszcze raz na wirujący z ogromną prędkością słup skłębionego
powietrza. Front dotarł już do podnóża wzgórza, za to nigdzie
nie widziałem drugiej trąby powietrznej. Jakby się rozpłynęła.

Dwadzieścia sekund, nie więcej.

Tyle mi jeszcze zostało.

– Myśl, Adamie, myśl – popędzałem się, ale nadal nie miałem żadnego pomysłu.

W podmurówce nie było okna ani drzwi. Nie widziałem też
charakterystycznego garbu, jaki powinien zostać usypany nad
zewnętrznym schronem. Nie miałem czasu na dalsze poszuki-
wania. Ruszyłem w stronę ganku i wjechałem na niego w pełnym

pędzie, rozwalając drewniane drzwi, jakby były makietą ze styropianu. Zatrzymałem się dopiero pośrodku ciemnego i pachnącego stęchlizną pokoju. Zeskoczyłem z siodełka i rzuciłem się do drzwi pod schodami. Prowadziły do piwnicy, ale niestety nie było w niej przejścia do schronu. Omiotłem latarką niewielkie pomieszczenie pełne rupieci i narzędzi. Nigdzie nawet śladu drzwi, a drewniana powała, coraz bardziej trzeszcząca i drgająca, nie pozostawiała wątpliwości co do tego, co się dzieje na zewnątrz. Sekundy dzieliły mnie od wtargnięcia tornada na teren farmy. Nie miałem się gdzie schronić, dlatego wyszedłem przez rozbite drzwi na ganek.

Chciałem spojrzeć śmierci w twarz, splunąć w nią. Było mi już obojętne, że zginę. Świat, który znałem, i tak już nie istniał. Trochę było mi tylko żal, że nie zostanie po mnie żaden ślad. Że rozpłynę się w nicości jak miliardy innych istot, do których śmierci sam też przyłożyłem rękę.

Pierwsza poddała się stodoła. Była oddalona o ponad trzysta stóp od głównych zabudowań. Widziałem, jak w górę wzlatuje jej dach, jak rozpada się na poszczególne deski, jak płaty papy zamieniają się w wirujące wstęgi. Zaraz po tym tornado porwało wieżę ciśnień. Ogromny zbiornik na wodę wystartował jak rakieta i zniknął w skłębionym tumanie. Zrobiło się ciemno. Dom drżał nieustannie. Szyby trzaskały jedna po drugiej, słyszałem, jak za moimi plecami jakieś przedmioty spadają na podłogę. Podniosłem wzrok ku niebu. Rozszerzający się wysoko lej już niemal połączył się z frontem burzowym. Znów – jak w przypadku mniejszego tornada – widziałem, że oba żywioły się przyciągają. To był fascynujący widok, na pewno niewielu ludzi miało okazję być świadkami czegoś podobnego. Wir rozrywał czarne chmury, wciągał je pasmami i mieszał ze swoim wnętrzem. Ale na ich miejsce pojawiały się następne i następne, coraz grubsze i ciemniejsze. Błyskawice przeszywały niebo jak salwy z dział. Niemal nieprzerwanie. Z drugiej strony pociski porwanych z drogi samochodów mknęły wśród innych odłamków, aby uderzyć bezgłośnie w skłębiony front atmosferyczny albo zniknąć w ścianie gradu smagającego niższe partie wiru.

Początkowo tego nie zauważyłem, zafascynowany niesamowitością widowiska, ale tornado zatrzymało się, a nawet zaczęło się cofać, choć właściwsze byłoby stwierdzenie, że przesuwało się w bok, ku burzy, jakby wybrało ją sobie na godniejszego przeciwnika. W tym momencie zrozumiałem, że otrzymałem ostatnią szansę. Cofnąłem się do domu i szybko sprawdziłem pokoje na dole. Zebrałem wszystko, co tylko się dało unieść, i rzuciłem na Sue. Kanapa, fotele, zawartość szafy, wszystko to utworzyło po chwili wielką górę. Ledwie skończyłem, zrobiło się całkiem ciemno, a narastający łoskot oznajmił mi, kto wyszedł zwycięsko ze starcia tytanów. Dom drżał uderzany tysiącami pocisków, gdy zbiegałem do piwnicy.

Przy odrobinie szczęścia powinien wytrzymać to bombardowanie.

Na pewno miał większe szanse niż w starciu z tornadem.

Powietrze po burzy jest naprawdę rześkie. Teraz mogłem to w pełni docenić. Ozon nadawał mu ten charakterystyczny, niespotykany w innych okolicznościach posmak. Odetchnąłem pełną piersią i schyliłem się po kawałek lodu leżący w zagłębieniu ziemi. Wyglądał jak zamarznięty kwiat, miał wiele nakładających się na siebie płatków i puste jądro. Był też zimny jak szlag, niemal parzył, ale obracając go w palcach, cieszyłem się, że cokolwiek czuję. Cieszyłem się, że żyję. Naprawdę niewiele brakowało, by kilka takich grudek zakończyło moją podróż tutaj, na tym zapomnianym przez Boga odludziu.

Dom, zgodnie z moimi przypuszczeniami, wytrzymał napór

burzy. Aczkolwiek z trudem. To, czego nie zniszczył grad, zostało zmiecione z powierzchni ziemi przez huraganowe podmuchy wiatru. Zmasakrowany lodem dach poleciał daleko w pole, ściany podzieliły jego los wkrótce potem. Nawet z tego miejsca, w którym stałem, widziałem wnętrza zdemolowanych pokoi na piętrze. Parter na szczęście ocalał, a to oznaczało, że i Sue nie została poważniej uszkodzona. Wprawdzie część rzeczy, jakimi ją przykryłem, porwała wichura, ale nie była to już gigantyczna trąba powietrzna. Ta uległa w walce tytanów, cofnęła się pod naporem olbrzymiej masy lodu i chmur. Na szczęście, bo jeszcze kilkadziesiąt jardów jej niepowstrzymanego marszu i nie mógłbym się już nigdy rozkoszować słodkim smakiem bourbona. Najlepszym tego dowodem była wielka, osiemnastokołowa cysterna wbita w ziemię na środku podwórza i wykręcona niczym zużyta tubka pasty do zębów. Ciągnik z tego zestawu leżał kilkaset stóp dalej w dole zbocza. Wyglądał, jakby go wyjęto ze zgniatarki.

W zasięgu wzroku miałem jeszcze kilka wraków i całą masę najróżniejszych przedmiotów porwanych przez tornado i porzuconych w momencie starcia z burzą. Z najciekawszych mógłbym wymienić pozbawiony kabiny i jednego skrzydła myśliwiec oraz żeliwną latarnię uliczną, zabytkową chyba, która wbiła się w przełamaną na pół lokomotywę.

Siła tego tornada musiała być ogromna, skoro potężne, ważące wiele ton maszyny przeleciały z nim tak wielką odległość. Najbliższe tory, co sprawdziłem na mapniku, znajdowały się kilkanaście mil na południowy wschód, ale analizując kierunek, z którego nadeszła trąba powietrzna, doszedłem do wniosku, że musiała porwać srebrnego amtraka z innej linii, tej prowadzącej do St. Louis, a to znaczyło, że lokomotywa leciała niemal trzydzieści mil, zanim roztrzaskała się na ugorze za stodołą pana Lambereta. Jej fragmenty zaściełały całe podwórze. Jedno z kół przebiło ścianę domu i zdemolowało kuchnię, niemal dokładnie nad moją głową. Ściślej mówiąc, jedno piętro nad moją głową, gdyż w momencie uderzenia siedziałem z butelką w dłoni na workach w piwnicy, pod rzeczoną kuchnią. Ale nawet stamtąd, z pozornie bezpiecznego miejsca, katastrofa wydawała mi się przerażająca jak szlag.

Rozpaliłem ognisko z połamanych desek tuż przy werandzie, a potem siadłem przy nim na obitym pluszem fotelu, czekając na zmierzch i grzejąc stopy. Było już zbyt późno i za zimno na dalszą jazdę, a na dodatek burza przemieściła się tam, dokąd zamierzałem jechać. Wolałem więc przeczekać ten wieczór i dopiero rano ruszyć dalej, gdy lodowe pociski stopnieją, a ciemności nie będą kryć wielu niespodzianek, których po takim spektaklu mogłem się spodziewać na drogach.

Sue stała nadal w salonie, zrzuciłem z niej jedynie cięższe meble, żeby nie dociążać za bardzo osi, i czekałem, aż wiatr jeszcze trochę przycichnie, aby rozstawić wiatraki i naładować akumulatory. Przy takiej pogodzie nie musiałem się bawić bateriami słonecznymi. Po godzinie, gdy na kominku już się porządnie rozpaliło, cofnąłem fotel i postawiłem go za drzwiami do holu, przy ułomku wciąż stojącej ściany. Tutaj było trochę spokojniej, nadal widziałem wesoło trzaskający ogień, ale zimny wiatr nie owiewał mi pleców.

Nie wiedziałem nawet, kiedy zasnąłem. Obudził mnie lodowaty podmuch wiatru i zacinający aż do pokoju deszcz. Pusta butelka po obanie potoczyła się z chrzęstem po werandzie. Ogień już zgasł, ale kilka błyskawic rozjaśniło niebo na tyle, bym dojrzał nową burzę posuwającą się śladem pierwszej. Zakląłem i zerwałem się z fotela, aby zebrać wiatraki, zaraz jednak przypomniałem sobie, że nie zdążyłem ich rozstawić. Tym lepiej – stracę rano dwie, najwyżej trzy godziny – a do St. Louis nie było daleko, nawet bez doładowania powinienem dojechać. Przeniosłem się do piwnicy i tam, opatulony pierzynami, doczekałem jakoś ranka, wsłuchując się w wycie wiatru i deszcz bębniący o resztki podłogi parteru.

St. Louis leżało w bardzo ciekawym miejscu – opodal jego centrum łączyły swoje nurty dwie największe rzeki kontynentu. To właśnie tam Missouri zasilała królową rzek. I to właśnie tam utknąłem na dobre. Jadąc siedemdziesiątką, dotarłem w pobliże przeprawy przez Missouri w dzielnicy St. Charles. „Dotarłem w pobliże przeprawy" – należy to tak określić, gdyż mostu łączącego brzegi rzeki już nie było. Stały wprawdzie przyczółki, ale wszystkie przęsła na odcinku ponad trzech czwartych mili leżały od dawna na dnie spienionej rzeki. Poziom wody w Missouri był znacznie podniesiony, co zauważyłem już wcześniej, na przeprawie między Boonville a Columbią. Tam jednak pokonanie rzeki nie nastręczało żadnych trudności, choć rozlewiska na brzegach świadczyły, iż szykuje się bądź właśnie mija stan powodziowy. W Kansas City, zaledwie kilka dni wcześniej, nie widziałem niczego alarmującego, doszedłem więc do wniosku, że woda dopiero zaczynała się podnosić.

Ostatnie burze – po feralnym spotkaniu z tornadem musiałem przeczekać jeszcze trzy wielkie ulewy, o ile grad wielkości kurzych jaj można uznać za ulewę – potwierdzały moje obawy. Gdy bumelowałem na przedmieściach St. Louis, licząc na poprawę pogody, powódź stała się niezaprzeczalnym faktem.

Stanąłem przed kolejnym wyborem. Czy czekać, aż woda opadnie, co musiało w końcu nastąpić, czy szukać objazdu. Miałem czas, cały czas świata, ale z drugiej strony zbliżała się zima. Pierwsze śniegi przyszły zaraz po gradobiciach i wcale nie tęskniłem do następnych. Jazda na motorze w takich warunkach mogła bardzo szybko skończyć się odmrożeniami. Po tym, co przeżyłem w górach, wolałem nie ryzykować zimowania w centralnych stanach.

Kolejne miesiące samotności wydawały mi się perspektywą nie do zniesienia.

Nie chciałem poznawać kolegów i koleżanek Steve'a.

Pierwotnie zamierzałem przejechać kontynent w dwa tygodnie – jeszcze w Vegas wydawało mi się to bardzo realne. Przed wojną tę samą trasę można było pokonać w parę dni. Zakładając spokojne tempo jazdy i noclegi, turyści i zawodowi kierowcy potrzebowali na taką podróż zaledwie tygodnia. A jednak moje plany spełzły na niczym. Dwa miesiące zajęło mi pokonanie Gór Skalistych. Część opóźnień, trzeba to uczciwie przyznać, zawdzięczałem sobie. Ostatecznie liczyło się tylko to, że nadal byłem dopiero w połowie drogi.

W połowie!

Sprawdziłem mapę. Najbliższą przeprawę miałem za Weldon, całkiem blisko, ale i tam most położony był na nizinie, istniało więc duże prawdopodobieństwo, że znalazł się już pod wodą. Niemniej tylko tam mogłem pokonać Missouri bez cofania się o dziesiątki mil przez równiny, na których szalały gradobicia i tornada.

Postanowiłem spróbować. Nie stracę wiele czasu, a według mapy następny most znajdował się dopiero w Jefferson City, niemal na wysokości Columbii. Przepraw promowych przy tak wysokiej wodzie nie brałem pod uwagę. Może w bardziej sprzyjających warunkach zdecydowałbym się na takie rozwiązanie, ale bez fachowej pomocy, w pojedynkę nie miałem szans na obsługę najmniejszego nawet promu. Wiedziałem, że przy ręcznym sterowaniu – bez paliwa i smarów żaden silnik nie jest w stanie poruszyć stalowych gigantów – i przy rwącym nurcie prędzej znalazłbym się w Zatoce Meksykańskiej niż na drugim brzegu.

Zawróciłem i bez większych przygód przedostałem się do niewielkiej osady położonej obok linii kolejowej prowadzącej na północ, do Illinois. Nieco dalej droga stanowa przebijała się na południowy brzeg rzeki, szerokiej w tym miejscu na nieco więcej niż pół mili. Oczywiście dane zaczerpnięte z mapnika dotyczyły jej normalnego stanu. Teraz natknąłem się na wodę już dwie mile od miejsca, w którym powinien znajdować się most. Na szczęście droga biegła w tym miejscu po umocnionym nasypie – widocznie już wcześniej zabezpieczono ją przed podobnymi zjawiskami. Tym lepiej dla mnie, pomyślałem, posuwając się ostrożnie pomiędzy wielkimi rozlewiskami. Brakowało zaledwie kilkunastu cali, aby powódź przykryła szosę. Na szczęście tak daleko od głównego nurtu woda była w miarę spokojna i nie podmyła wału, po którym jechałem. Niewielkie ubytki w betonowych poboczach, na jakie natrafiałem, uświadamiały mi jednak, że moje bezpieczeństwo może być pozorne. Mimo to brnąłem naprzód, starając się nie myśleć o gigantycznych masach wody spływającej z północy.

Kilkaset stóp od wjazdu na most nawierzchnia szosy znikała pod wodą. Początkowo były to niewielkie tylko strużki rozlewające się po asfalcie i kałuże zalegające na nieco niżej położonych odcinkach, ale później prułem już nieustannie lustro coraz szybciej płynącej wody. Sto stóp od brzegu jedynie słupki z poboczy wskazywały, gdzie powinna być twarda nawierzchnia, bo przez kilkucalową warstwę skłębionego mułu nie mogłem już dostrzec asfaltu.

Zwątpiłem.

Naprawdę zwątpiłem.

Na widok spienionego koryta z trudem zwalczyłem myśl, aby się zatrzymać, a nawet zawrócić. Instynkt podpowiadał mi, że najmniejsze nawet opóźnienie może się źle skończyć. O ile miałem jeszcze szanse na pokonanie mostu, to przy tak szybko podnoszącej się wodzie każda stracona minuta zmniejszała je o ułamek procentu. Jechałem więc dalej, modląc się, aby nie zalać silnika, nie zamoczyć przewodów i nie spowodować spięcia. Wprawdzie w instrukcji, którą dopadłem w warsztatach „Planet Harley", napisano, że silnik jest szczelnie zabudowany, a wszystkie układy odporne na wilgoć, ale ja nie wierzyłem już żadnym instrukcjom. Zwłaszcza że dokonałem w tej konstrukcji kilku modyfikacji. Lejąc na zalecenia producenta.

Most stał jeszcze, jednakże po mojej stronie z wody wystawały tylko szczyty poręczy i, nieco dalej, elementy kryjącej go kratownicy. Woda przedarła się już przez barierki i zamiast jezdni na przestrzeni sześciuset, może siedmiuset stóp widziałem tylko spienioną kipiel. Przeciwległy brzeg był nieco wyższy, więc mniej więcej od połowy mostu nawierzchnia wystawała wciąż ponad lustro wody. To było pocieszające, nie powiem, ale najbliższe osiemset stóp bardziej przypominało wnętrze kotła z gotującą się zupą niż klasyczną przeprawę.

Napór wody był wielki, co widziałem na własne oczy, a nawet słyszałem. Jęki naciąganego do granic możliwości metalu dobywały się co chwila zarówno znad, jak i spod powierzchni wody, napawając mnie dzikim lękiem. Widziałem, jak środkowe przęsło przechyla się powoli, drżąc nieustannie, a potem wraca do pionu, by po chwili znów się odchylić. Niewiele wprawdzie, ale za każdym razem nieco mocniej.

Musiałem podjąć decyzję, i to szybko.

Jeśli woda wciąż się podnosiła, a na to miałem widome dowody – wystarczyło spojrzeć pod nogi – każda sekunda stracona na deliberacje przybliżała mnie do katastrofy. Wiedziałem, że nie zdążę dotrzeć do innej przeprawy, może nawet nie uda mi się już wrócić na wyżej położone tereny z dala od rzeki. To była jedyna droga na drugi, bezpieczniejszy brzeg.

Spojrzałem na wskaźnik poziomu energii. Wskazówka zatrzymała się nieco poniżej ćwierci stanu. Niewiele, zważywszy na to, że to ostatnia, rezerwowa ćwiartka, ale powinno wystarczyć na tak krótki odcinek. Poprawiłem kask, potem okulary i usiadłem wygodniej.

Odczekałem sekundę i przekręciłem manetkę gazu.

Sue ruszyła, zrazu wolno, mieląc wodę, ale w miarę jak przyśpieszała, bryzgi spod przedniego koła rozchodziły się szerzej. Już po chwili cały byłem mokry i ubłocony, lecz parłem naprzód, wciąż dodając gazu. Czterdzieści mil na godzinę, czterdzieści pięć. Wpadłem na przyczółek. Tutaj nurt rzeki stał się bardziej odczuwalny, ale woda miała na razie głębokość trzech, czterech cali. Czułem, że mnie lekko znosi, kontrowałem więc, skręcając kierownicę i dodając gazu. Sto jardów dalej opór wody zaczął brać górę nad mocą elektrycznego silnika. Z każdym obrotem coraz głębiej zanurzonego koła zbliżałem się do lewej krawędzi drogi, nie pomagał już nawet mocniejszy skręt kierownicy. Lawirując, dodatkowo wytracałem prędkość.

Do spienionej granicy nurtu i suchego asfaltu brakowało jeszcze pięćdziesięciu jardów.

Tylko pięćdziesięciu...

Wreszcie dostałem się do miejsca, w którym asfalt powoli zaczynał się podnosić. Wody tutaj było mniej, ale nie zrobiło się dzięki temu łatwiej. Im dalej wjeżdżałem w nurt koryta rzeki, tym prąd był silniejszy. Pochyliłem się, jakby mniejszy opór powietrza mógł cokolwiek zmienić. Sue jednak dryfowała nieuchronnie ku stalowym kratownicom. Co gorsza, zwalniała. Nie wiem skąd, ale wiedziałem, że przy tym tempie jazdy do zbawienia zabraknie mi co najmniej dwudziestu, trzydziestu stóp.

Miałem jeszcze szansę na ratunek. Gdybym porzucił Sue i wczepił się w barierkę, mógłbym się na nią wspiąć albo posuwać wzdłuż niej, brodząc w wodzie. Od krawędzi suchego asfaltu dzieliło mnie zaledwie pięćdziesiąt stóp.

Dałbym radę.

Wiedziałem o tym.

Ale ratunek okupiłbym utratą jedynego środka transportu. Tysiąc mil z okładem, dzielący mnie od upragnionego celu, musiałbym pokonać pieszo. Uratowałbym tyłek tu i teraz, ale straciłbym nadzieję na przetrwanie w dłuższej perspektywie. Skórka za wyprawkę...

Nie po tym, co dla mnie zrobiła.

Nie pozwolę drugi raz jej zabić!

Walczyłem więc nadal. Zredukowałem bieg i znów dodałem gazu. Odbiłem pod prąd, ale nurt nie pozwolił na skręcenie koła. Zarzuciło mną. Starałem się zapanować nad maszyną. Bezskutecznie. Po kilku sekundach uderzyłem oponą w krawężnik. Tylne koła zabuksowały w zebranym przy nim mule. Motor zwalniał wyraźnie.

– Tak daleko pozwoliłeś mi dotrzeć! – wydarłem się, napierając bezskutecznie na gaz. – Tak daleko! Przetrwałem te wszystkie lawiny błota, śnieg i tornada tylko po to, żeby stracić wszystko na tym pierdolonym moście?!

Właśnie podnosiłem głowę, żeby posłać niebu ostatnie nienawistne spojrzenie, gdy nagle go zobaczyłem. Wielki pień niesiony z prądem. Nawet nie jeden – kilka potężnych drzew, które kiedyś musiały porastać brzeg gdzieś w górze rzeki: ogromnych, wyschniętych, pozbawionych listowia i gałęzi, pędziło w kierunku mostu, kłębiąc się w spienionej wodzie jak stado upiornych waleni.

Były jeszcze daleko, wciąż miałem szansę na ocalenie. Łakomie spoglądałem na wystającą z wody barierkę. Puściłem gaz, godząc się z utratą Sue, gdy nagle z toni, o wiele bliżej, wychynął największy pień, jaki w życiu widziałem. Pchany siłą wody wzniósł się w górę jak ramię uniesione do zadania ostatecznego ciosu, górując nad jakże wątłą w porównaniu z jego rozmiarami kratownicą mostu.

Zamarłem.

To już koniec.

– Przebacz mi, Panie – jęknąłem, patrząc, jak okręca się wokół własnej osi, a potem przechyla wolno na bok i pada w wodę tuż za barierkami.

Uderzył sekundę później, ale na płask, przytulając się do przęsła na długości ponad osiemdziesięciu jardów. Most zadrżał jak konające zwierzę. Odcinek, na którym stałem, przesunął się w lewo co najmniej o kilka stóp, wyrzucając mnie z siedzenia. Uratowało mnie chyba tylko to, że Sue wciąż stała zaparta o wysoki krawężnik przy mocowaniu kratownicy. Walnąłem ramieniem o stalowy dźwigar, gwiazdy zawirowały mi przed oczami, ale gdy sekundę później opadłem, znalazłem się na ubłoconej kanapie.

Skutek zderzenia był tyleż niszczący, co zbawienny. Pień wbity w przęsło mostu na moment odciął mnie od napierającej wody. Na kilka sekund zaledwie, ale to wystarczyło. Zanim kolejna fala przedarła się górą, zobaczyłem asfalt pod kołami. Spękany, poryty bruzdami i spiętrzeniami, ale jak najbardziej namacalny. Choć byłem jeszcze w szoku, zadziałałem automatycznie. Raczej poczułem, niż zobaczyłem, że Sue wyrywa do przodu.

W huku pękających dźwigarów, w chrzęście rozrywanego asfaltu parłem niepowstrzymanie naprzód, ku coraz wyraźniejszej szczelinie dzielącej bezpieczną część mostu od tej, która miała lada moment podzielić los *Titanica*.

Jeszcze sekunda.

Jeszcze pół sekundy...

Widziałem, że po kolejnym uderzeniu, które cisnęło mną jak zabawką, środkowe przęsło przesunęło się dalej w bok. Widziałem, jak krawędzie asfaltu w miejscu pęknięcia konstrukcji trą o siebie, strzelając w niebo czarnymi strugami, ale już byłem przy nich, już je mijałem, choć miejsca było tak mało, a gdy opony zyskały większą przyczepność na suchszej nawierzchni, nie puściłem manetki gazu i nie zwolniłem, dopóki nie dotarłem do południowego brzegu. Dopiero tam zatrzymałem Sue na szczycie wału, a w zasadzie to ona się zatrzymała, z braku energii. Taka chwila – zaledwie minuty walki – wystarczyła, aby wyczerpać do cna wszystkie akumulatory. Stoczyłem się na pobocze i spojrzałem przez ramię na spienioną rzekę, która właśnie połykała oderwane przęsło. Dopiero gdy zniknęło pod wodą, w otoczeniu złowieszczych bladych drzew, wyrzucając w górę gejzery wytłaczanego powietrza, zacząłem wyraźniej rejestrować rzeczywistość. Lewy bark palił mnie żywym ogniem. Poczułem też kłujący ból w dłoni, którą nadal kurczowo zaciskałem na manetce gazu. Chciałem ją puścić, ale zdrętwiałych palców jeszcze przez dłuższą chwilę nie udało mi się wyprostować.

O tym, że popełniłem wielki błąd, przekonałem się niespełna godzinę później, gdy spojrzałem na sięgające po horyzont rozlewisko Missisipi. Znalazłem się w kleszczach obu rzek. W zaślepieniu pokonałem Missouri, nie uwzględniając faktu, że droga, którą wybrałem, zmusi mnie do wędrówki w dół królowej rzek, gdzie stan wody i rozlewiska na pewno będą o wiele większe. Mapnik potwierdził moje obawy. Nieco powyżej miejsca, w którym stałem, obydwie rzeki łączyły się, aby wspólnymi siłami pokonać drogę do oceanu, jednocześnie odgradzając mnie od Wschodniego Wybrzeża. Jedyne na tym odcinku przeprawy, znajdujące się na drogach stanowych, już nie istniały. Oba mosty zostały zmiecione przez wysoką wodę, podobnie jak sąsiadujące z nimi kolejowe giganty z betonu i stali.

Drogę powrotu też miałem odciętą. Cofanie się na równiny południowego Kansas, ku jednemu z najbardziej rozchwianych pogodowo regionów kontynentu, nie wchodziło w grę. Wolałem już wziąć na przeczekanie.

Było nie było, tak duże miasto musiało mi zapewnić godne warunki życia.

Nie pozostaje mi zatem nic innego, jak rozgościć się na tych terenach, pomyślałem. Nie znałem jednak St. Louis, nigdy tutaj nie byłem i nie wiedziałem o tym mieście nic, czego nie napisano w przewodnikach. A w nich niewiele znalazłem – tylko krótki rys historyczny, parę zdań o lokalnych zabytkach i adresy najciekawszych hoteli. Połowa każdej broszury koncentrowała się za to na słynnym Łuku Wjazdowym, jak się okazuje, największej atrakcji tego miasta. W przenośni i dosłownie. Mierząca prawie sześćset stóp wysokości konstrukcja z błyszczącej stali tkwiła przy brzegu Missisipi jako hołd dla tysięcy pionierów, którzy podbijali te ziemie, nadchodząc ze wschodu. Ja miałem szczerą chęć powędrować pod nim w przeciwnym kierunku, ale teraz, kiedy stał na samym środku zalanego nadbrzeżnego terenu, mogłem co najwyżej podziwiać jego szczyt lśniący w promieniach zachodzącego słońca.

Nie wczytywałem się uważnie w resztę opisów. Moim celem było znalezienie porządnego lokum na czas powodzi, która z tego, co widziałem, mogła jeszcze długo potrwać.

Zanim dotarłem w pobliże centrum, zapadł zmierzch. Zainteresowałem się więc lokalizacją hoteli. Najbliższy znajdował się kilka mil za Webster Groves, w samym sercu Compton Hill, według mapnika najwyżej położonego miejsca w tej okolicy. Budynek też nie należał do najniższych, widziałem go już z daleka. Zwrócił moją uwagę na długo przed tym, zanim dowiedziałem się, że to właśnie w nim mieści się sześciogwiazdkowy hotel „The Tower".

Dwudziestopięciopiętrowa wieża ze stali i szkła prezentowała się prześlicznie w promieniach zachodzącego słońca i godna była swojej bezpretensjonalnej nazwy. Futurystyczne kształty nie pasowały wprawdzie do konserwatywnej okolicy, gdzie w morzu niskiej, rdzawej zabudowy z rzadka tylko widać było nieco wyższe budowle, ale i nie szpeciły jej.

Do majaczącego na horyzoncie centrum miałem równo trzy mile. Tam też mogłem znaleźć kilka ciekawych ofert noclegu, lecz byłem już zbyt zmęczony niedawną walką z żywiołem i pragnąłem jedynie gorącej kąpieli i miękkiego łóżka.

I, oczywiście, butelki czegoś mocniejszego.

Albo dwu butelek.

Minąłem wielki park, potem klimatyczne ogrody botaniczne znajdujące się na zapleczu luksusowego hotelu i wspiąłem się krętą alejką na szczyt pagórka, na którym umiejscowiono najwyższy budynek tej dzielnicy. W przewodniku napisano, że z tarasu widokowego widać panoramę całego miasta. Przy dobrej pogodzie na horyzoncie można nawet dostrzec miejsce, w którym obie rzeki łączą swój bieg. Szczerze mówiąc, miałem gdzieś podziwianie widoków, chciałem za to sprawdzić, czy ta powódź może mi jeszcze zagrozić.

Zastanawiałem się przez moment, czy zostawić Sue na podjeździe, czy zabrać ją ze sobą. Po chwili namysłu zdecydowałem, że nie ma sensu, żeby rdzewiała na deszczu, który właśnie znów zaczął siąpić. Ładowane krótko akumulatory ponownie były na rezerwie, ale bez większego trudu pokonałem szeroki podjazd prowadzący do gigantycznych przeszklonych drzwi. Mossberg sprawił, że nie musiałem się przy nich zatrzymywać. Grube na cal szkło nie było kuloodporne i ustąpiło przed gradem ołowiu z wdzięcznym brzękiem. Zanim skręciłem w stronę holu, miliony mieniących się wszystkimi kolorami tęczy kryształków zaścieliły marmur. Wjechałem do budynku i zatrzymałem Sue na samym środku okrągłego atrium.

Wyłączyłem silnik i stanąłem na błyszczącej posadzce. Jak na mój gust była zbyt lśniąca. W żadnym z budynków, które do tej pory odwiedziłem, nie spotkałem tak czystego miejsca. Trzy lata bez sprzątania i konserwacji powinny zrobić swoje, pomyślałem, ściągając kask z głowy. Kilka sekund później czystość holu przestała być dla mnie tajemnicą. Foyer hotelu było otwarte na trzy z czterech stron świata. Wejście, które wybrałem, było jedynym zamkniętym, pozostałe szklane ściany były z jakiegoś powodu rozsunięte i wiatr mógł swobodnie hulać po ogromnym chromowo-niklowym gmaszysku.

A tam gdzie wiatr, tam i przeciągi.

Przeskoczyłem przez ladę i wylądowałem w kantorku recepcji. Tuż przy głowie jakiegoś nieszczęśnika w bordowym uniformie. Spoglądał na mnie z wyrzutem zasuszonymi oczodołami, jakbym mu w czymś przeszkodził. Na plakietce widniało wygrawerowane imię: Steve.

– Nie tym razem, kolego – mruknąłem, odsuwając go nogą, i zająłem się przeglądaniem rejestru gości.

Na moje szczęście nawet w tak nowoczesnym przybytku wykorzystywano wciąż tradycyjne arkusze z rezerwacjami. Gdyby obsługa opierała się wyłącznie na systemie komputerowym, miałbym spory problem. A tak wystarczyło sprawdzić pole „cena" i wszystko było jasne. Najlepsze, a co za tym idzie, najdroższe apartamenty mieściły się na trzecim i dwudziestym piątym piętrze. Część z nich była wolna, zwłaszcza te na dole. Nic dziwnego – pięć tysięcy pięćset papierków za noc na takim zadupiu.

Kogo na to stać?

Oprócz króla świata.

Splunąłem i rozejrzałem się bojaźliwie. Nie powinienem wypowiadać tych słów. Nawet w myślach. Zapamiętałem numer najdroższego z luksusowych pokoi i raz jeszcze pokonałem ladę. Przejrzałem szybko zapasy i zapakowałem do torby rzeczy niezbędne do noclegu. Zajęło mi to zaledwie kilka minut. Zanim otworzyłem drzwi prowadzące na schody, przyjrzałem się części restauracyjnej. Sala konsumpcyjna i połączony z nią bar znajdowały się w wielkiej oranżerii wychodzącej na leżący po drugiej stronie ulicy park. Od jej wnętrza dzieliła mnie przeszklona ściana, ale to nie stanowiło żadnego problemu dla dżentelmena włamywacza. Raz jeszcze shotgun wykonał za mnie całą robotę. Przeszukałem szybko zaplecze i leżące na niższym poziomie magazyny. W jednym znalazłem kilkadziesiąt plastikowych pojemników z wodą źródlaną. W sam raz do kąpieli. Zważyłem dziesięciogalonowe butle w rękach. Czy warto będzie się męczyć targaniem tego wszystkiego na samą górę? Nie miałem zamiaru biegać kilkanaście razy tam i z powrotem, aby sprawić sobie kąpiel. Wróciłem do recepcji i raz jeszcze sprawdziłem rozkład apartamentów. Numer szesnaście wyglądał na planie bardzo zachęcająco. Sypialnia, salon, spora łazienka.

Okna od zachodu.

Biorę.

Spojrzałem w górę. Hotelowy hol miał ażurowe zadaszenie powyżej piątego piętra, a do pokoi na niższych kondygnacjach wchodziło się z wąskich galerii biegnących wokół atrium. To nasunęło mi ciekawą myśl. Po cholerę mam targać wszystko po schodach, skoro prosty bloczek powinien załatwić sprawę. Linę miałem, alpinistyczną, prawie nieużywaną. Bloczek też. Zgromadziłem te rupiecie na wszelki wypadek jeszcze w Denver, mając świeżo w pamięci przeprawę przez góry. Pozostawało tylko zbić odpowiednią ramę.

Wszedłem na trzecie piętro, zlokalizowałem drzwi mojego apartamentu i najbliższy hydrant. Zacząłem od otwarcia sąsiedniego pokoju. Zamek poddał się po pierwszym uderzeniu strażackim toporkiem. Niestety St. Louis to nie Vegas, nikt tu nie robił miłych prezentów i nie zostawiał otwartych drzwi. Musiałem więc poradzić sobie na swój sposób. Bez najmniejszego żalu rozwaliłem drzwi w drobne drzazgi. Potem zająłem się łóżkiem. Było solidne, ciężkie. Z litego drewna. Nie potrzebowałem całej konstrukcji, wystarczył mi jeden z boków, długi na siedem stóp i gruby jak udo. Przybiłem do niego bloczek, zaparłem go na galerii i przywiązałem mocno do poręczy. Sprawdziłem – ciężki bal nawet nie drgnął, gdy go szarpnąłem. Odmierzyłem odpowiedni odcinek liny, założyłem na jej koniec hak i przeciągnąłem przez kółka bloczka. Wyciąg był gotowy. Dodatkowy plus takiego rozwiązania polegał na tym, że rąbiąc drzwi i łóżko, zdobyłem pokaźną ilość drewna do spalenia. Nie miałem najmniejszego zamiaru kąpać się w zimnej wodzie.

Gdy wszystko było przygotowane, zszedłem na dół i udałem się do magazynu po wodę. Zgromadziłem w holu cały jej zapas, potem przywiązałem trzy pierwsze pojemniki do liny wyciągu. Tyle byłem w stanie podciągnąć na wysokość kilkudziesięciu stóp, zanim stracę oddech. Obróciłem jeszcze trzy razy, kombinując po drodze, jak by usprawnić ten system w przyszłości, żeby nie ganiać po schodach jak głupi. Jedyne, co mi przyszło do głowy, to zgromadzenie jeszcze kilku bloczków i zrobienie całej serii wyciągów. W sąsiednich pokojach i apartamentach też były łóżka. Ale na razie musiałem się zadowolić tym, co miałem. Dziewięć butli to aż nadto, żeby wypełnić dwie wanny, i to po brzeg. Cztery, a nawet pięć kąpieli. To dawało mi tydzień, jeśli nie więcej, na usprawnienie systemu.

Pół godziny później ogień wesoło mrugał pod wielkim garem zabranym z hotelowej kuchni. Przysiadłem na krawędzi wanny i obserwowałem, jak woda powoli zaczyna parować. Drewna z drzwi wystarczyło na rozpalenie i podtrzymanie ognia w pierwszej fazie, potem pod ostrze poszły reszta łóżka, stół i szafa. Mebli w swoim apartamencie nie zamierzałem ruszać – wbrew pozorom nie lubiłem wokół siebie bałaganu.

Do zagotowania takiej ilości wody potrzeba było nie tylko ognia, ale i czasu. Miałem kwadrans, a może nawet pół godziny do momentu, gdy będę mógł przelać wrzątek do wanny. Postanowiłem więc pomyszkować trochę po kompleksie. Nie obawiałem się wybuchu pożaru, gdyby przypadkowa iskra padła nie tam, gdzie trzeba. Łazienka była wyłożona glazurą po sufit, a ja usunąłem z niej wszystko, co się mogło zająć. Co najwyżej popękają kafelki, ale temu apartamentowi i tak będzie potrzebny kapitalny remont przed wpuszczeniem kolejnego gościa.

Z butelką szkockiej w jednej i toporkiem w drugiej dłoni przeszedłem się raz jeszcze po magazynach. Piwniczka z winami cuchnęła okropnie. Większość butelek popękała podczas ataku, a ich zawartość rozlała się, zastygając z czasem w brunatną maź. Ominąłem szerokim łukiem pomieszczenia, w których kiedyś trzymano żywność. I tak nie zamierzałem z niej korzystać. Dość już miałem przygód z żołądkiem, a wiórki mięsne *Wielkiego Bizona* z Nowego Meksyku, które towarzyszyły mi przez ostatnie tygodnie – teraz już nawet miesiące – sprawdzały się znakomicie w połączeniu z tabletkami odżywczymi.

Miałem ich jeszcze całkiem sporo.

Wiórków i tabletek.

Wróciłem na górę bez łupów, jedynie z naręczem fabrycznie nowej, hermetycznie zapakowanej pościeli i chwilę później zanurzyłem się po szyję w gorącej wodzie, która dzięki kilku szklaneczkom porządnej szkockiej whisky spłukała nie tylko pot i brud, ale też stres mijającego dnia.

Obudziłem się rano w wielkim i cholernie wygodnym łożu. Spojrzałem na stary sprężynowy budzik stojący na szafce. Dochodziła ósma. Padłem na wznak i przez chwilę przyglądałem się zarośniętej twarzy spoczywającej pośród miękkich poduszek. Niewiarygodne, jak bardzo człowiek może schudnąć przez trzy miesiące intensywnej diety. A przecież wspomagałem organizm czym się da, ilość kalorii z wypitej whisky powinna wystarczyć do zaspokojenia głodu energetycznego trzech facetów w moim wieku. W tabletkach z bazy miałem komplet niezbędnych minerałów i witamin, a mimo to, patrząc w umieszczone na suficie lustro, nie poznawałem siebie. Podkrążone oczy, włosy znacznie dłuższe od regulaminowych, żółte zęby. Zupełnie zapomniałem o higienie. Kąpiele to jedno, ale kiedy po raz ostatni umyłem zęby? W Górach Skalistych? Ile to już czasu minęło od tamtego sennego dnia w Aspen?

Dalej leżałem bez ruchu, po raz dwudziesty, jeśli nie pięćdziesiąty od wyruszenia w trasę podejmując solenne zobowiązanie, że od jutra się poprawię.

Kłamałem w żywe oczy.

Jak co dzień zresztą.

Jedno spojrzenie za okno pozwoliło mi ocenić, że będzie pogodnie. Błękitne niebo poprzecinane było jedynie kilkoma wąskimi pasemkami białej pary, które za nic nie byłyby w stanie uformować przyzwoitej chmury.

Czas na wspinaczkę.

Usiadłem na łóżku i dojadłem resztki suszonego mięsa z kolacji. Zapiłem ostatnim łykiem trzydziestoletniego glenfiddicha i rzuciłem butelką do kosza. Nie trafiłem. Przetoczyłem się na drugą stronę łoża i przeszedłem wprost do łazienki. Tu ponownie przyjrzałem się swojej twarzy w lusterku. Tym razem z bliska. Oświetlenie było znacznie gorsze niż w sypialni, łazienka nie miała bowiem okna, ale bez trudu rozpoznałem symptomy rozkładu.

Abnegacja pełną gębą.

Włożyłem nowy skórzany kombinezon, ale buty zostawiłem te same, tylko trochę je przeczyściłem. Twarde, skórzane sztylpy niełatwo poddawały się nowemu właścicielowi, a te były jeszcze całkiem dobre i gwarantowały brak otarć, nawet po dniu pełnym wrażeń.

Przeżuwając ostatnie pasemka mięsa, wyszedłem z pokoju. Torbę z rzeczami opuściłem na linie, a gdy spoczęła na marmurze, ruszyłem ku klatce schodowej. Czekała mnie wspinaczka – miałem przed sobą ponad dwadzieścia pięter. Dla sprawnego żołnierza taka sobie przeszkoda, a przecież byłem żołnierzem.

Aniołem Zagłady.

Jeszcze nie tak dawno...

Na osiemnastym straciłem oddech i musiałem przystanąć. Uda paliły mnie żywym ogniem. Może i miałem parę w rękach, ale mięśnie czworogłowe stały się wiotkie jak, nie przymierzając, biust emerytowanej striptizerki. Powoli, z kolejnymi przystankami, wspinałem się na następne piętra, przeklinając wojnę, faceta, który wynalazł motor, i własną słabość. Toporek zostawiłem już dawno, gdzieś na dziesiątym albo jedenastym piętrze, słusznie rozumując, że na wyższych kondygnacjach też muszą być hydranty.

Drzwi prowadzące do „Skybaru" i na taras widokowy przyjąłem jak nadejście zbawiciela, padając na kolana. Były zamknięte, ale chłopcy, którzy projektowali to miejsce, stanęli na wysokości zadania. Obok, dosłownie na wyciągnięcie ręki, znajdowała się przeszklona witrynka kryjąca bliźniaczego brata mojego stalowego przyjaciela.

Wtoczyłem się do przestronnej sali i usiadłem przy pierwszym stoliku, ssąc palec, w którym utknął odłamek szkła. Pora była wczesna, słońce dopiero wstawało nad horyzontem. Miałem czas... a bar mamił rzędami zielonych i bursztynowych kształtów. Potrzebowałem dezynfekcji... Nalałem sobie szklaneczkę glenfiddicha, żeby nie mieszać od rana, i dopiero po kilku łykach, gdy puls wrócił do normy, zabrałem się do obserwacji.

Niemyte trzy lata okna były brudne jak cholera, niewiele przez nie mogłem dostrzec, ale obok baru zauważyłem szklane drzwi, którymi można było wyjść na taras wieńczący dach budynku. Wokół niego zamocowano nawet kilka lunet – informowały o tym kolorowe, rzucające się w oczy tablice rozmieszczone niemal w każdym zakątku sali. Postanowiłem skorzystać z zaproszenia.

Na zewnątrz było bardzo zimno. Nawet przez skórę motocyklowego kombinezonu czułem smagnięcia lodowatego wiatru. Mokre od potu włosy zesztywniały raptownie w zetknięciu z mroźnym powietrzem. W pierwszym momencie chciałem wrócić do baru, ale uznałem, że solidna dawka whisky i antybiotyki z zestawu przetrwania załatwią każdą bakterię. Dupa tam, nie bakterię – zganiłem się w myśli, może się tu zaziębię, ale na pewno nie dostanę grypy.

Pomimo tak buńczucznych myśli i wielkiego samozaparcia musiałem w końcu zawrócić. Aby uaktywnić lunety, trzeba było włożyć do nich ćwierćdolarówkę, a masywne stalowe korpusy skutecznie opierały się łagodnej perswazji ze strony toporka. Mocniej nie chciałem uderzać, żeby przypadkiem nie uszkodzić delikatnej optyki. Zszedłem więc do baru, zabrałem z kasy wszystkie monety o odpowiednim nominale i przy okazji okutałem się kilkoma grubymi obrusami zerwanymi z pobliskich stołów. Razem z suknem, na którym były kładzione, stanowiły doskonałą izolację. Z jednego skręciłem też całkiem zmyślny turban.

Najpierw uruchomiłem lunetę skierowaną na północ, w kierunku delty rzek. Informacje o tym, że widać ją tylko przy bardzo dobrej pogodzie, były mocno przesadzone. Prawdę mówiąc, nie potrzebowałem wcale powiększenia, żeby dostrzec to miejsce. Missouri skróciła sobie drogę i nie omijała już północnych dzielnic dużym łukiem, jak kiedyś, tylko parła szerokim strumieniem przez sam środek miasta. Nowe koryto zaczynało się za Maryland Heights i biegło równolegle do siedemdziesiątki przez St. Ann, Cool Valley, Pine Lawn, aby wpaść do Missisipi, pochłaniając po drodze centrum St. Louis i dzielnicę biurowców. Widziałem wyraźnie, jak spieniony nurt przedziera się między domami w tamtej okolicy. Większość drewnianej zabudowy zniknęła w odmętach bądź została porwana, ale betonowe centra handlowe i biurowce wciąż opierały się niszczycielskiej sile żywiołu. Przeniosłem wzrok na bliższe dzielnice. University City i Clayton zostały częściowo zalane. Z dala od głównego nurtu woda stała w miejscu, sięgając pierwszego piętra. Widziałem dachy zatopionych domów wystające w regularnych odstępach z szarej, falującej leniwie cieczy. Zalany teren kończył się nie dalej niż milę od hotelu. Sprawdziłem też dzielnice na północnym wschodzie, ale tam nie było wcale ciekawiej. Ze stanowiska w kącie przyjrzałem się nurtowi Missisipi.

Królowa była wściekła.

Co ja mówię – wkurwiona!

Koryto rzeki poszerzyło się niemal czterokrotnie w stosunku do tego, co spodziewałem się zobaczyć. Woda niosła dziesiątki pni i samochodów, fragmenty domów także nie należały do rzadkości. Jedne zanurzały się, raptownie wciągane przez wiry, inne wyskakiwały, mierząc prosto w niebo, i znikały równie nagle, jak się pojawiły, otaczane koronami rozprysków. Spieniony nurt wyglądał jak wnętrze wrzącego kotła. Nie pierwszy raz przychodziło mi na myśl to skojarzenie. Przez kilka pierwszych miesięcy szkolenia w armii miałem przydział do kuchni polowej i napatrzyłem się na podobne widoki. Choć w znacznie mniejszej skali. To wrzenie niosło jednak ze sobą zupełnie inne przesłanie.

Wszystko wskazywało na to, że mój pobyt w „The Tower" się przedłuży.

I że nie zaznam w tym czasie sytości.

Remanent był krótki. Rozłożyłem na stole fiolki z tabletkami odżywczymi, woreczki suszonego mięsa, tabletki do odkażania wody i saszetki z lekarstwami. Witaminek powinno wystarczyć do wiosny, nawet do kwietnia, jeśli zacznę je racjonalniej zażywać. Mięsa za to miałem mało, tylko dwadzieścia cztery paczuszki, w tym trzy napoczęte. Do tego osiemnaście puszek orzeszków. Zatem żywności wystarczy mi na jakieś sześć tygodni. Potem będę zmuszony przejść wyłącznie na tabletki, co mi się bynajmniej nie uśmiechało.

Z trudem, bo z trudem, ale dotarła do mnie prawda, że zapasy są zbyt skromne, aby bezpiecznie przeczekać tę zimę. Lada dzień spodziewałem się pierwszych mrozów i śniegu. Cud chyba sprawił, że nie brnąłem przez zaspy już od granicy stanu. A cuda nie trwają wiecznie i kiedyś nadejdzie dzień, w którym lód skuje wodę w rozlewiskach. Główny nurt pewnie nie zamarznie, choć to umożliwiłoby mi przeprawę... Żeby taka masa rwącej wody pokryła się grubą skorupą lodu, musiałoby nieźle mrozić.

A mróz był dla mnie równie niebezpieczny jak powódź i głód.

Może nawet bardziej...

Już teraz, gdy temperatury spadały nocą do pięciu, siedmiu stopni Celsjusza, miałem spore problemy z utrzymaniem ciepła. Siedziałem opatulony kocami, spałem pod dwiema kołdrami, spaliłem niemal wszystkie meble ze swojego piętra. Wniosek nasuwał się sam: jeśli mam przeżyć, muszę się dobrze przygotować na nadejście prawdziwej zimy. Powinienem się też zastanowić, czy warto zostać w tym hotelu.

Przemawiało za nim kilka argumentów. Po pierwsze, lokalizacja. Umiejscowienie na jednym z najwyższych wzniesień w mieście gwarantowało bezpieczeństwo w razie dalszego rozszerzania się rozlewiska. Brałem to pod uwagę, choć woda w ciągu ostatniej doby nie podniosła się nawet o cal. Sprawdziłem to co najmniej pięć razy. W różnych miejscach. Obawiałem się jednak, że to tylko moment ciszy przed prawdziwą burzą i że jeśli pogoda na północy nadal będzie się pogarszała, prawdziwy kataklizm nawiedzi to miasto lada dzień. Po drugie, konstrukcja. Wieża była bardzo solidna i powinna wytrzymać nie tylko burze, ale nawet tornado, które jednak o tej porze roku było mało prawdopodobne. Po trzecie, na dwudziestu pięciu piętrach w dwustu czterdziestu pokojach i apartamentach powinienem znaleźć wystarczającą ilość opału. Gorzej było z jedzeniem, ale wybierając inny adres, miałbym taki sam problem. Kilka wypraw do pobliskich marketów powinno załatwić tę sprawę definitywnie. Musiały też być jakieś argumenty przeciw zimowaniu w wieży. Jeśli nawet były, nie potrafiłem ich sobie przypomnieć.

Klamka zapadła.

Przetrząsnąłem wszystkie dzielnice, które na razie ominęła powódź. Niewiele było w nich sklepów i stacji benzynowych, ale parę dni wytężonych poszukiwań wystarczyło, aby ilość wiórków mięsnych zwiększyła się pięciokrotnie. Ściągnąłem też całą wodę w plastikowych butlach, jaką udało mi się znaleźć. Razem z zapasami hotelowymi dysponowałem prawie dwoma tysiącami galonów życiodajnej cieczy. Znajdujący się w dole pobliskiej ulicy „Liquor Paradise" dostarczył mi alkoholi. Tym razem postawiłem na egzotykę i oprócz whisky z górnej półki zgarnąłem też wszystkie rodzaje reklamowanej w ostatnim tygodniu sprzedaży meksykańskiej tequili.

Dla urozmaicenia diety.

W ciągu tygodnia byłem gotów na powitanie zimy stulecia. Przygotowałem apartament na trzecim piętrze, obijając jego ściany i sufit kołdrami oraz kocami zebranymi z innych pokoi. Na galerii urządziłem sobie prawdziwą kotłownię. Wystawiłem tam wannę z sąsiedniego pokoju i rozpalałem w niej ogień do grzania wody. Umieszczałem tam też płaskie kamienie z japońskiego ogrodu. Wieczorami przenosiłem je kleszczami do sypialni i kładłem pod łóżkiem w specjalnym stojaku z nocnika, aby oddawały mi swoje ciepło. Tak podobno w wiekach średnich radzili sobie właściciele zamków i warowni na Starym Kontynencie. Metoda okazała się tak skuteczna, że pozostawiłem ją sobie na naprawdę siarczyste mrozy. Chwilowo wystarczały mi koce i rozgrzewające krew w żyłach towarzystwo bursztynowych płynów. Kąpieli nie zaniedbywałem, ale nie przesadzałem też z ich częstotliwością.

Opracowałem dość rygorystyczny plan zużycia wody. Tej z kąpieli nie wylewałem od razu. Służyła mi potem do czyszczenia kibla. Małym czerpakiem wybierałem kilkanaście wiader z każdej wanny i spłukiwałem ich zawartością to, co w następnych dniach wyprodukowały moje trzewia. Nim zużyłem zgromadzony zapas, brałem następną kąpiel i cała operacja powtarzana była od początku. Dwa tysiące galonów zalegających obok recepcji, pod grubą warstwą koców i kołder, musiało mi wystarczyć do picia i mycia przez całą zimę.

Wieczorami, po fajrancie, gdy meble z kolejnego piętra zamieniały się w stosy porąbanych drew, które układałem mozolnie pod ścianami holu – tam najłatwiej było je zrzucić z górnych pięter, co stało się możliwe po rozwaleniu ażurowego daszku – siadałem przy świecach i czytałem kolejne książki i komiksy, sącząc leniwie drinka oraz sprawdzając od czasu do czasu, czy za oknem nie pojawiły się wirujące płatki śniegu.

Piątego grudnia temperatura gwałtownie spadła. Już w nocy zaczął prószyć delikatny zrazu śnieżek, który po kilku godzinach przykrył całą okolicę białym całunem. Gdy się obudziłem, szyby pokryte były zamarzniętą parą. Przetarłem je szybko, likwidując fantazyjne kształty, jakie mróz wyrzeźbił na nich tej nocy, i wyjrzałem na zewnątrz. Niewiele było widać przez gęstą zasłonę utkaną z wielkich, puszystych płatków, które sypały się z nieba jak pierze z rozprutej poduszki, tłumiąc nawet wiatr.

Tego dnia nie wychodziłem na zewnątrz. Stos drewna na opał był już tak wielki, że nie musiałem się obawiać chłodu przez najbliższe miesiące. Żarcie i picie miałem pod ręką. Leżałem więc na wprost panoramicznego okna i gapiłem się bezmyślnie na białą zawieruchę. Następne dni niewiele się różniły pod tym względem.

Może jedynie kolorem trunków degustowanych w pościeli.

Pod koniec lutego... tak, to było pod koniec lutego... lody zaczęły puszczać. Zbliżał się wieczór, słońce wisiało tuż nad horyzontem, ale dzięki prawie bezchmurnemu niebu było jeszcze dość jasno. Leżałem jak co dzień, wpatrując się na przemian w lustro na suficie i migoczący radośnie telewizor. Właśnie pochylałem się, aby dorzucić następną książkę do płonącego w jego wnętrzu ogniska, gdy poczułem wstrząs.

W zasadzie raczej go usłyszałem, niż poczułem.

Butelki stojące na skraju komody, mój podręczny barek na ten tydzień, zabrzęczały i posypały się na podłogę jak kręgle trafione kulą przez wprawnego zawodnika. Pierwsze upadły na miękką wykładzinę, ale ostatnie zrobiły z nich mokrą miazgę. Przez moment myślałem, że poruszając się w barłogu, potrąciłem je niechcący, ale w tej samej chwili szyby zadrżały ponownie, a do moich uszu dobiegł stłumiony pomruk.

Poderwałem się i nie zważając na wyciekający z rozbitych butelek alkohol, pobiegłem do okna. Oderwałem przyklejone do panoramicznej szyby poduszki i przetarłem jej powierzchnię dłonią, ale prószący na zewnątrz śnieg i pokrywające większą część tafli kryształki lodu nie pozwoliły mi na dokładniejsze zlustrowanie okolicy. Jedyne miejsce, z którego mógłbym się lepiej rozejrzeć, znajdowało się dwadzieścia trzy piętra nad moją głową. Nie byłem tam od trzech tygodni, od momentu, w którym skończyły się zapasy trunków w barze. Podrapałem się po zaplecionej w warkoczyki brodzie, którą już od trzech dni obiecywałem sobie zgolić, rozważając wszystkie plusy i minusy takiej wspinaczki.

Jeśli to katastrofa budowlana, którą spowodowały mrozy, nie było sensu się męczyć. Wciąż miałem w pamięci zadyszkę, jaką złapałem poprzednim razem. Co się miało stać, już się stało, pomyślałem i wróciłem na barłóg. Wyzbierałem potłuczone szkło i wrzuciłem do zaadaptowanego na kominek wielkiego telewizora kilka kolejnych komiksowych zeszytów. Ogołociłem z nich wszystkie okoliczne komisy i księgarnie. Nie wiem dlaczego, ale wolałem te zabawne historyjki o niezniszczalnych facetach zakładających majtki na rajtuzy od stosów zgromadzonych jesienią książek.

Łatwiej wchodziły.

I lepiej się paliły.

Płomienie zajęły się w mig *X-Menami* i *Batmanem*, a ja pogrążyłem się znów w błogim leniuchowaniu, obserwując, jak ogniki pełzają ostrożnie po zwijających się pod wpływem temperatury kartkach i nagle wybuchają, by pochłonąć widoczne jeszcze fragmenty rysunków. Gdy nasyciłem wzrok tym widowiskiem, sprawdziłem straty. Na podłogę spadło sześć z czternastu butelek. W tym dwie puste i dwie niemal opróżnione. Niewiele, jeśli porównać te pół galona alkoholu do nieskończoności wszechświata, ale z bardziej ziemskiej perspektywy zostało mi już tylko osiem butelek bursztynowego płynu życia. Osiem samotnych szklanych wież pełnych płynnego szczęścia, które miałem opróżnić w tym tygodniu. Sięgnąłem po pierwszą z brzegu. Zrobiłem to, nie wstając, więc za pierwszym razem ledwie musnąłem ją opuszkami palców. Zachybotała się tylko, ale zebrałem więcej sił i pochyliłem się, wyrzucając ramię do przodu, aby ją pochwycić, zanim się przewróci albo odsunie dalej, poza zasięg moich rąk. W tym samym momencie nadszedł drugi wstrząs, silniejszy od poprzedniego. Poczułem go już wyraźnie. Basowy pomruk, jaki przetoczył się za oknami chwilę później, również był o wiele lepiej słyszalny.

– Szlag by to wszystko... – jęknąłem, starając się złapać którąkolwiek ze staczających się na podłogę flaszek. Nie udało się. Ze zgrozą patrzyłem, jak kałuże mojej najukochańszej towarzyszki zimowych wieczorów wsiąkają w grubą wykładzinę.

Szybko jednak zapomniałem o żalu.

To mogło być trzęsienie ziemi!

Kiedyś, dawno temu, widziałem film dokumentalny o zagrożeniu, które cały czas istnieje, i o kataklizmach, które nawiedzały Środkowy Zachód przed wiekami. To wspomnienie otrzeźwiło mnie w okamgnieniu. Nie pamiętałem wprawdzie, o jaki dokładnie rejon chodziło, ale gdzieś w zakamarkach świadomości pobrzmiewały nazwy Missisipi i St. Louis.

Zerwałem się z legowiska, mamrocząc pod nosem przekleństwa i uważając, aby nie wdepnąć w szkło i rozlaną whisky. Podniosłem jedną z rozbitych butelek, w której zostało jeszcze trochę alkoholu, i postawiłem ją na parapecie, podpierając kilkoma książkami.

Cholerne wstrząsy!

Znów będę musiał brodzić w zaspach i ciągnąć sanie jak jakiś pieprzony muł.

Najbliższy niesplądrowany jeszcze sklep znajdował się sześć przecznic od tego miejsca, półtorej mili w linii prostej.

Wyszedłem na galerię i spojrzałem w dół na hol hotelu. Sue stała w przedsionku, opatulona szmatami, z odłączonymi akumulatorami, tak jak ją zostawiłem. Wody pod kołdrami było jeszcze sporo, o nią też się nie martwiłem, ale stos drewna na opał zmniejszył się do rozmiarów niewielkiego usypiska. Miałem jednak nadzieję, że wystarczy go do końca zimy. W końcu lada dzień rozpocznie się marzec, o ile dobrze liczyłem...

Zużyłem już wszystkie meble od piątego piętra do „Skybaru". Pokonywałem kolejne ciągi schodów, zastanawiając się, czy będę musiał znowu chwycić za siekierę. Mogłem zdemolować jeszcze piętnaście pokoi i trzy apartamenty. Potem będą tylko stoliki z restauracji i bar. Jeśli i to nie wystarczy, pozostanie wyprawa do miasta... Nie, to zbyt czarny scenariusz.

Mrozy niedługo puszczą.

Za tydzień, góra dwa.

Zanim dotarłem do drzwi oznaczonych szóstką, straciłem oddech, a mięśnie ud zaczęły palić żywym ogniem przy pokonywaniu każdego stopnia. Czas na pierwszy obóz, uznałem, siadając ciężko na schodach. Podzieliłem trasę na sześć etapów. Odpoczywałem co dwa, trzy piętra, dopóki oddech mi się nie uspokoił i pulsowanie w skroniach nie ucichło na dobre. Jednakże nawet przy tej taktyce wspinaczki nie dałem rady wejść na górę w zakładany sposób. Osiem przerw, tyle potrzebowałem, aby dostać się do sali widokowej, a i to okupiłem prawdziwą dychawicą.

Na szczęście byłem przewidujący i przy poprzedniej wizycie zostawiłem na aluminiowym kontuarze ciepłą kurtkę, grubą kominarkę i rękawice. W kieszeniach znalazłem pół funta ćwierćdolarówek do lunet z tarasu. Wysypałem je jednak na kontuar. Po tym, jak udało mi się za pomocą sposobu wyczytanego w którejś z książek obejść zabezpieczenia mechaniczne, nie musiałem już ich używać. Kto by pomyślał, że moneta opuszczona do szczeliny na żyłce zablokuje zapadnię na stałe. Wspomnienia nielegalnych emigrantów bywały pożyteczne, jeśli wiedziało się, do czego mogą posłużyć. Wprawdzie chodziło w nich o automaty telefoniczne, te stare, sprzed ery kart, ale po drobnej korekcie tej metody uzyskałem bardzo satysfakcjonujący efekt. Mogłem teraz patrzeć do woli na otaczający mnie martwy świat, nie zawracając sobie głowy przerwami na „wrzuć monetę".

Najbardziej ucieszył mnie widok samotnej butelki z czarną naklejką. Leżała na grubej wykładzinie tuż przy kontuarze. Do szyjki miała przywiązaną różową kartkę. Przyjrzałem się jej dokładnie, zanim odkręciłem korek.

„Cieszę się?" – nabazgrałem miesiąc temu. – „Wiem, że o niej zapomnę, i tym bardziej będę się cieszył, gdy ją tu znajdę".

To prawda, ucieszyła mnie ta zapobiegliwość, z jaką siebie traktowałem. Naprawdę zapomniałem, że ją tu zostawiłem, aby ukoiła moje serce po następnej wspinaczce. Ciepło ubrany, z butelką w dłoni, zbliżyłem się do drzwi na taras. Śnieg prawie już przestał padać. Spojrzałem na panoramę miasta. Było ciche i spokojne jak poprzednio. Nie zauważyłem niczego dziwnego, choć prawdę powiedziawszy, coś mnie zaniepokoiło. Coś się zmieniło, ale zabijcie mnie, nie wiedziałem co. Przyjrzałem się korytu rzeki, lecz jego środkowa część nadal kipiała wśród grubych płyt lodu, gejzery tryskały spomiędzy wielkich jak domy odłamków kry, które stworzyły na głównym nurcie Missisipi coś na kształt systemu łusek pokrywających wijące się wężowate ciało rzeki.

Przeprawa nadal była nierealna. Już na początku zimy, widząc piętnastostopowe zaspy śniegu, zrozumiałem, że roztopy tylko pogorszą moją sytuację.

Nie miałem wyjścia.

Musiałem czekać.

Próba przejścia na drugą stronę po tak niestabilnym lodzie mogła się zakończyć tragicznie. Mrozy, choć silne, nie zdołały skuć królowej rzek na stałe. Prąd w szerokim korycie był wciąż zbyt silny, lód zbyt kruchy, a ja za bardzo wystraszony, żeby podjąć taką próbę.

Minęło już pół flaszki, a ja nadal nie mogłem odkryć, co spowodowało tak silne wstrząsy. Czyżbym rzeczywiście przeżył lekkie trzęsienie ziemi? Nie chciało mi się w to wierzyć. Kto jak kto, ale mieszkaniec Kalifornii wie, jak brzmią i wyglądają takie cuda natury. Nie, im dłużej się nad tym zastanawiałem, tym większego nabierałem przekonania, że w grę nie wchodzi kataklizm naturalny.

Zatem co zatrzęsło hotelem, i to dwa razy?

Odpowiedź otrzymałem w tej samej chwili. Kątem oka zauważyłem jakiś ruch w pobliżu centrum. Spojrzałem na sterczące w niebo wieżowce, nie tak dawno dumę wielkich korporacji, wyrastające z morza niskiej zabudowy zaledwie trzy mile od miejsca, w którym się znajdowałem. Spojrzałem w tamtą stronę w momencie, gdy jeden z nich zachwiał się, jakby został trafiony niewidzialną pięścią. Odchylenie od pionu musiało być naprawdę duże, zbyt duże, by pięćdziesięciopiętrowa konstrukcja mogła to wytrzymać. Powrót do pionu zaowocował kolejnym wychyleniem, w drugą stronę, i nagle, bez ostrzeżenia, gigantyczna budowla zaczęła się zapadać. W kompletnej ciszy ogromny wieżowiec pomknął w dół, wprost w chmurę dymu i pyłu kojarzącą się jako żywo z jedenastym września. Trwało to kilkanaście sekund, zaledwie kilkanaście sekund, i jeden z najokazalszych budynków w tym mieście zniknął w skłębionym tumanie. Chwilę później mój hotel zatrząsł się ponownie.

Usiadłem na krawędzi tarasu, z niedowierzaniem kręcąc głową, kiedy kolejny budynek na moich oczach zaczął drżeć, tym razem nieco dalej na prawo, pod wiatr, co pozwoliło mi obserwować jego agonię pomimo kłębów pyłu zaściełających ziemię w miejscu poprzedniej katastrofy. Jedna z bliźniaczych walcowatych wież Bank of America nagle zrzuciła z siebie wszystkie szyby. Tak to wyglądało z tej odległości. Miriady odłamków trysnęły ze ścian, tworząc niesamowity widok. Promienie zachodzącego słońca odbijały się od pokrytych cienką warstwą złotej farby kawałków szkła, gdy te opadały w zwariowanym tańcu ku odległej ziemi. To była jednak dopiero przygrywka do prawdziwej orgii zniszczenia. Zanim ostatnie odłamki zniknęły wśród kamienic pamiętających jeszcze czasy wielkiego kryzysu, część masywnego stalowego walca stanowiącego zwieńczenie konstrukcji przechyliła się ku bliźniaczemu budynkowi. Z mojego punktu obserwacyjnego wyglądało to zabawnie, ale dwudziestoczterokondygnacyjna iglica o masie wielu tysięcy ton to nie przelewki. Odległa o trzysta stóp wieża numer dwa przyjęła na siebie cały ciężar przewracającej się konstrukcji. Widziałem, jak szczyt walącego się budynku znika we wnętrzu bliźniaczego wieżowca, jak kolejna chmura odłamków zdobi panoramę miasta, a potem nastąpił Armagedon. Trafiony budynek runął w jednej chwili, nie wytrzymawszy naporu tak ogromnej masy. Rozpadający się gmach nie poszybował pionowo w dół jak poprzedni biurowiec, lecz po powolnym odchyleniu od pionu runął jak książka, której zabrakło punktu oparcia. Dziewięćset stóp siedziby banku runęło prosto na stadion. Nie zobaczyłem efektu tego uderzenia. Pył zasłonił wszystko, jednakże kolejne wstrząsy, które odczułem, świadczyły, że była to największa z dotychczasowych katastrof.

Czekałem dość długo, ale widowisko najwyraźniej dobiegło końca. Słońce zaczęło znikać za horyzontem. Chociaż przy tej pogodzie, przy porywistym wietrze i lodzie pokrywającym całe połacie zalanego centrum, nie było okazji do zaprószenia ognia i innych atrakcji, jakie świat znał ze słynnego ataku na WTC, pożaru Sears Tower w Chicago czy wysadzenia wieży telewizyjnej w Toronto, chmury pyłu rozwiewały się bardzo wolno. Kiedy przypomniałem sobie widok tych prześwietnych drapaczy chmur konających wśród płomieni i kłębów dymu, nie wiedzieć dlaczego nagle przed oczami stanął mi obraz butelek spadających z komody.

To był przebłysk intuicji, wizja.

Rozlany alkohol, morze płomieni.

Nagle poczułem zimny dreszcz pełznący z dołu pleców. Wstrząs po upadku wieży Bank of America był o wiele mocniejszy niż poprzednie. Musiałem przytrzymać się lunety, żeby ustać. Parapet, na którym postawiłem rozbitą butelkę whiskey, znajdował się na wprost telewizora...

Zapomniałem natychmiast o niesamowitym widowisku, jakie zafundowała mi Matka Natura. Wbiegłem do sali barowej i od razu poczułem – na razie delikatny – swąd spalenizny. Nie zdejmując kurtki, wypadłem na schody i spojrzałem w dół. Nie zobaczyłem dymu, nie poczułem też smrodu palonych wykładzin. To mnie trochę uspokoiło. Jestem chyba zbyt przewrażliwiony, pomyślałem. Zszedłem po schodach na trzecie piętro, robiąc po drodze kilka przystanków i kończąc whiskacza. Zrobiło mi się ciepło, nawet gorąco. Na ostatnim posiedzeniu rozpiąłem kurtkę i przez moment rozważałem, czy jej nie zdjąć i nie zostawić, ale po chwili postanowiłem jednak ją zatrzymać.

Wybór, jakich wiele.

Ale uratował mi życie.

Gdy dotknąłem drzwi prowadzących na galerię, zdałem sobie sprawę, że gorąco, które czuję, nie jest tylko efektem ruchu i wypitego alkoholu. Klamka parzyła, ściana była gorąca, a gdy przyłożyłem do niej ucho, usłyszałem charakterystyczny dźwięk huczącego ognia. Na szczęście klatka schodowa hotelu, podobnie jak w większości tego rodzaju budynków, była zabezpieczona na wypadek pożaru. Nie próbowałem już otwierać drzwi na swoje piętro. Popędziłem na dół, skacząc po dwa, trzy stopnie naraz i myśląc tylko o jednym – czy motor jest jeszcze bezpieczny, czy ogień szalejący na trzecim piętrze nie przeniósł się na stos drewna opałowego zalegającego środek holu i koce chroniące wodę. Błogosławiłem w myślach swoją zapobiegliwość, bez kurtki bowiem nie wytrzymałbym zbyt długo na dworze...

Dopadłem drzwi na parterze, pchnąłem je z biegu barkiem i wtoczyłem się do holu. Dym wypełniał niemal całą przestrzeń wielkiego atrium, z góry sypały się iskry, spadały też większe kawałki płonących przedmiotów. Na oślep, wzdłuż ściany, rzuciłem się ku wnęce, w której ustawiłem Sue. Starałem się przebić wzrokiem ścianę dymu, ale nie potrafiłem. Zaczynało mi już brakować tchu, ale na szczęście barykada prowadząca na podjazd znajdowała się dosłownie dwa kroki za mną. Rzuciłem się na nią całym ciałem i przebiłem posklejane mocno kartony. Padłem na pokryty śniegiem granit i oddychałem głęboko, łapczywie, próbując jak najszybciej dojść do siebie.

Niestety, świeże powietrze ożywiło nie tylko mnie. Wiatr wtargnął do holu, podsycając ogień, który przed momentem ledwie się tlił na stosie porąbanych drew. Teraz, dzięki masie tlenu, przesuszone szczapy zajęły się w jednej chwili jasnym płomieniem.

Nie miałem wiele czasu. Rzuciłem się ku okutanej szmatami Sue. Nie zdzierałem osłon, nie odwiązywałem ich, po prostu starałem się wypchnąć ciężką maszynę na zewnątrz. Nie chciała się jednak zmieścić w drzwiach, szczególnie że sam usiłowałem przejść przez nie w tym samym czasie.

Nie tak, nie tak, zganiłem się w myślach. Przeskoczyłem nad przednim kołem i ślizgając się po ośnieżonych płytkach, pociągnąłem Sue za kierownicę. Ciężko było ruszyć taką masę metalu, zwłaszcza na śliskiej nawierzchni, ale zaparłem się o ścianę, do bólu, do krawędzi wytrzymałości, i trójkołowiec drgnął wreszcie. Powoli, ciągnąc za ramię alufelgi, obracałem przednie koło, wysuwając Sue z wieży. Teraz bez problemu zmieściła się w otworze pomiędzy workami z piaskiem. Była już prawie na zewnątrz, jeszcze moment i znalazła się na podjeździe.

Byliśmy bezpieczni.

Przynajmniej na razie.

Wypuściłem z płuc powietrze, z którego odfiltrowałem już chyba ostatni atom tlenu. Walcząc z dymem i czasem, odruchowo wstrzymałem oddech i omal się nie udusiłem, zapomniawszy o wzięciu kolejnego. Klęczałem na pokrytym śniegiem betonie i oddychałem głęboko ostrym, zimnym jak szlag powietrzem, słysząc wyraźnie dobiegające z płuc świsty i rzężenia, które każdego rozsądnego człowieka przyprawiłyby o palpitację serca. Dla mnie liczyło się tylko jedno: ocaliłem Sue, nie dałem jej zginąć w płomieniach. Nadal miałem przy sobie jedyny środek lokomocji, jaki mógł zapewnić mi przeżycie w tym pozbawionym zasad, benzyny i mieszkańców świecie. Chwalić Boga i konstruktorów, którzy wymyślili silnik napędzany energią elektryczną i wmontowali go w motocykl. Dzięki akumulatorom...

– Kurwa mać! – wycharczałem, rzucając się w kierunku drzwi.

Wyjąłem te pierdolone akumulatory.

Wyjąłem je i odłożyłem na bok, koło recepcji.

Wpadłem do holu, zasłaniając nos i usta dłonią. Ogień rozszalał się tu na dobre. Drewno zajęło się błyskawicznie i płonęło jak stos ofiarny, rozświetlając całe atrium. Żar bijący od wysokiego na kilka stóp słupa ognia był nie do wytrzymania. Ale blask płomieni pozwolił mi odnaleźć wzrokiem czarne sześciany pojemników na pręty.

Leżały pod ścianą, zaledwie pięć kroków ode mnie.

Pięć najdłuższych kroków w moim życiu.

Nie wiem, co czuli hutnicy pracujący przy wytopie surówki, ja w każdym razie nie potrafiłem zbliżyć się do lady. Nawet o stopę. Jakby powietrze w holu stało się gęste i twarde, jakby mnie odpychało. Ze zgrozą zauważyłem, że coraz więcej ogników pojawia się w pobliżu pojemników z prętami...

Czasu miałem coraz mniej.

Kończyło mi się powietrze, musiałem wrócić na podjazd. Rozejrzałem się nerwowo, ale prócz Sue nie było tu niczego, co mogłoby się przydać. Cholerny pech! Walnąłem pięścią w szczelnie zawinięte szmatami siedzenie. Szmaty – nagle dotarło do mnie znaczenie tego słowa. Wyjąłem z kieszeni nóż i rozciąłem sznury, którymi przymocowałem do maszyny kilka grubych kap i prześcieradeł. Chwyciłem jedno z nich i natarłem je szybko śniegiem. Nawrzucałem go tyle, ile się dało, a potem pobiegłem do płonącego budynku. Choć nie minęły dwie minuty, pożar poczynił znaczne postępy. Ogień pochłaniał już podwieszany sufit nad recepcją. Lada buzowała od strony stosu, ale jej koniec bliższy drzwi na razie się nie zajął. Ciąg powietrza podsycał płomienie, ale i spychał je w głąb atrium, w górę.

Owinąłem się mokrym prześcieradłem, zostawiając jedynie szparę na oczy, i ruszyłem biegiem w kierunku akumulatorów. Tym razem udało mi się dotrzeć w pobliże kontuaru. Ostatni jard pokonałem wślizgiem. Śnieg parował błyskawicznie, ale dał mi dodatkowe pięć sekund potrzebnych do wytrzymania niesamowitego żaru.

Zanim gorąco stało się znów nie do zniesienia, zdążyłem chwycić oba rozgrzane pojemniki.

Zanim prześcieradło zajęło się ogniem, wypadłem za prowizoryczne drzwi.

Obserwowałem pożar z dystansu. Ogień dość szybko rozprzestrzenił się na górne piętra i nim zdążyłem odciągnąć Sue w bezpieczne miejsce, budynek wyglądał już jak ogromna pochodnia. Było w tym widoku coś fascynującego, coś, co sprawiało, że nie mogłem oderwać oczu od trzaskających płomieni, pękających z hukiem okien i kłębów smolistego dymu bijącego wprost w bezchmurne niebo.

Zapadał zmierzch, a wraz z nim ogniste widowisko nabierało nowego wymiaru. Stałem zziębnięty, obolały, ale jednocześnie szczęśliwy. Cieszyłem się z tego, że uratowałem Sue. Cieszył mnie też widok płonącego budynku. Stojąc w śniegu, długo patrzyłem, jak ogień i dym strzelają w niebo, a potem pomyślałem, że człowiek równy jest bogom w zdolności niszczenia. Jeszcze nie tak dawno podziwiałem siły natury pokonujące stupiętrowe wieże ze szkła, stali i betonu, a przecież sam byłem w stanie doprowadzić do takich zniszczeń, i to znacznie szybciej... Ta myśl warta była rozwinięcia...

Zdecydowanie.

Ale na pewno nie teraz.

Straciłem niemal wszystko – zapasy wiórków, orzeszki, lekarstwa i sporą część tabletek odżywczych. W hotelu zostały też wszystkie moje książki i komiksy. O ile te ostatnie mogłem odzyskać w pierwszym lepszym sklepie, o tyle zdobycie lekarstw i żywności na pewno sprawi mi problem. Splądrowałem przecież wszystkie sklepy na niezalanych terenach.

W jukach znalazłem wprawdzie zapomnianą paczkę odżywek, ale było w niej zaledwie sześćdziesiąt tabletek. Wystarczy mi ich na dwadzieścia dni. Może, przy wprowadzeniu rygorystycznej diety, przeżyję tydzień dłużej. Rozejrzałem się po zasypanej śniegiem okolicy, a potem podniosłem oczy na czerniejące niebo.

Same chmury, ani jednej gwiazdy.

Nic nie wskazywało na szybkie ocieplenie.

Do połowy marca przemieszkałem w jednym z zabytkowych budynków Galerii Stanowej. Niewysokie, zbudowane z cegły i stojące na wzgórzu w pobliżu rzeki okazały się naprawdę solidną przystanią. Miałem tutaj mnóstwo opału. Stare płótna śmierdziały jak cholera, gdy wrzucałem je do ognia, kopciły też straszliwie, szybko więc z nich zrezygnowałem, zadowalając się grubymi ramami, ale meble z wystaw poświęconych dziewiętnastowiecznym wnętrzom dostarczyły mi dużych ilości prawdziwego, twardego drewna.

Codziennie około południa wychodziłem na płaski dach i obserwowałem królową rzek. Poziom wody wciąż nie opadał, a spieniony nurt, pokryty coraz mniejszymi łuskami kry, nadal stanowił barierę nie do pokonania. Co wieczór znosiłem do holu kolejne meble i obrazy. Płótna wyrywałem z ram i rzucałem na stos – świetnie nadawały się do zapychania szpar pod drzwiami wielkich sal, dzięki czemu udawało mi się znacznie ograniczać straty ciepła w skrzydle, które zamieszkiwałem.

Ramy, pomimo swojej masy, płonęły bardzo szybko. Suche, czasami kilkusetletnie drewno, nasączone werniksami i masą chemikaliów, znikało w płomieniach jak przysłowiowa kamfora. Na szczęście miałem jeszcze mebelki. Weźmy takie biurko Theodore'a Roosevelta – piękny mahoniowy mebel, który rąbałem chyba przez dwie godziny. Ono samo zapewniło mi wystarczającą ilość ruchu i ciepła na całą dobę.

Z wysoką na trzy stopy kupą szczap u boku mogłem spędzić całą noc przy trzaskającym ogniu. Czasem przyglądałem się obrazom, które znosiłem, i jeśli mi się spodobały, odkładałem je na bok. Te, które uznałem za bohomazy, szły do rozbiórki w pierwszej kolejności. Tak było i tego dnia. Pomiędzy kolejnym Renoirem a Monetem znalazła się niewysoka, ale dość długa panorama St. Louis pędzla niejakiego Marka Wirethorna. Obraz taki sobie, artysta, dość oszczędny w ruchach pędzla, ukazywał współczesną panoramę miasta. Spojrzałem na mosiężną tabliczkę z tytułem. *Budowa mostu kolejowego im. gen. Granta na tle Chelsey Island, w porze świtu*, głosił napis. Pretensjonalne gówno. Zupełnie jak te maziaste lilie na stawie, których ramy sfajczyłem poprzedniego dnia.

Nie, nie lilie...

Nenufary!

Wstałem, żeby złamać nogą ramę, gdy nagle zaświtała mi w głowie pewna myśl. Postawiłem obraz tak, by ogień oświetlił go dokładniej. Niewiele pomogło. Oddarłem pas płótna z ostatniego Renoira i owinąłem go wokół nogi od krzesła, robiąc prowizoryczną pochodnię. W jej świetle przyjrzałem się pejzażowi. Autor malował z natury. Widoczne w oddali miasto, drapacze chmur, dwa wzgórza na przeciwnym brzegu – znałem ten widok, widziałem go na co dzień. Ale najciekawszy był pierwszy plan. Skomplikowana stalowa konstrukcja na wysokich betonowych filarach pokonywała nurt w miejscu, gdzie porośnięte drzewami brzegi wznosiły się co najmniej pięćdziesiąt stóp ponad lustro wody.

Dziwna sprawa.

Bardzo dziwna.

Nie widziałem wcześniej tego mostu, nie było go też w przewodnikach ani na mapniku. Nie patrzyłem w kierunku Chelsey Island za często, raczej skupiałem się na obserwacjach górnego biegu rzeki. Na podstawie kiczowatej perspektywy i porównań z dostępnymi mapami wyszło mi, że przedstawione na obrazie miejsce powinno się znajdować nie dalej niż trzy, cztery mile w dół rzeki, za wzgórzami, na których rozlokowały się senne podmiejskie osiedla Lion i Tiger Gate.

Nie wierzyłem własnym oczom. Oto miałem przed sobą miejsce, które mogło oprzeć się furii żywiołu. Jeśli malarz wiernie odwzorował konstrukcję, w co raczej nie wątpiłem, widząc resztę szczegółów, most stał na trzech potężnych filarach przypominających odwrócone do góry dnem kadłuby statków. Znałem takie konstrukcje – tworzono je z myślą o sprostaniu takim właśnie żywiołom, z jakimi miałem tutaj do czynienia. Wszystkie przyczółki wyposażone były w stalowe ostrogi. Widziałem je na obrazie wyraźnie, choć artysta na ogół pobieżnie traktował podobne detale. Wielowarstwowe kły z grubej na kilka stóp stali, na których miał polec najgrubszy lód, sprawdzały się rewelacyjnie. Wprawdzie przed atakiem nie mieliśmy do czynienia z aż tak wielkimi powodziami, ale skala tej budowli zdawała się wskazywać, że czego jak czego, ale wyobraźni jej twórcom nie brakowało. Co więcej, widziałem na tym obrazie, że na wschodnim brzegu, na terenach zalewowych, tory biegną wysokim, umocnionym nasypem. Zapewne wyższym niż aktualny poziom wody. Spojrzałem na datę nabazgraną obok sygnatury.

Dwa tysiące siedemnasty.

To by tłumaczyło, dlaczego nie miałem go na mapach.

Z jednej strony zdawałem sobie sprawę, że nocna wyprawa w tamte rejony nie ma najmniejszego sensu, ale z drugiej chęć przekonania się na własne oczy, czy istnieje jakaś droga na drugi brzeg, była bardzo silna.

Żeby ją pokonać, potrzebowałem dwu szklanek bourbona.

I paru łyków prosto z gwinta.

Stał tam, gdzie spodziewałem się go znaleźć. Dumny, ogromny, jak większość inżynieryjnych cudów tego kraju. Może nie był tak wielki jak Golden Gate ani tak masywny jak most Brookliński, ale i tak porażał swoją masą i proporcjami. Spienione wody Missisipi zakryły jego potężne filary i chroniące je stalowe zapory, ale nie sięgnęły poziomu torowiska. Zabrakło im zaledwie piętnastu stóp. Dobra robota, panowie, pomyślałem, jadąc szczytem nasypu w stronę rzeki. Jednakże gdy dotarłem w pobliże brzegu, wrażenie nienaruszalności tej majestatycznej konstrukcji prysnęło w ułamku sekundy. Stalowe kratownice stanowiące właściwy szkielet mostu były przechylone o kilka stopni w prawo. Niby niewiele. Z daleka wydawało się, że wszystko jest w porządku, ale rzeka z uporem godnym lepszej sprawy, z każdym dniem, z każdą chwilą, zdobywała przewagę nad, zda się, niezniszczalnym dziełem człowieka. Przenikliwy jęk rozciąganego metalu uzmysłowił mi, że ta walka rozgrywa się nawet teraz. Masy lodu naparły na któryś z filarów i przegrały, lecz atak ten sprawił, że most przechylił się o kolejną setną część cala.

Ile jeszcze takich starć wytrzyma, nie miałem pojęcia.

Wiedziałem tylko, że dzisiaj przekroczę największą przeszkodę na drodze do Twin Rivers.

Życie czasem płata człowiekowi figle. Jeden most zawiódł mnie w pułapkę bez wyjścia, tak przynajmniej sądziłem przez te kilka miesięcy, a potem nagle drugi pozwolił mi ją opuścić. Bez problemów, bez stresów, bez przeszkód. Jechałem po torach, trzęsąc się niemiłosiernie na i tak niższych niż zwykle podkładach i cały czas kontrując kierownicą, aby maszyna, posłuszna sile ciążenia, nie zsunęła się ze stalowych płyt i nie spadła z przechylonego mostu. Modliłem się, by podstępny starzec zwany Losem nie zesłał w tej chwili żadnego paskudztwa, które zniweczyłoby jedyną szansę na wyrwanie się z lodowej pułapki.

I na przeżycie.

Tabletek zostało mi już tylko na tydzień, góra dwa. Gdyby nawet odwilż przyszła dzisiaj, musiałbym przetrwać drugą falę powodziową, tę z roztopów, kto wie, czy nie gorszą. Gotów byłem przysiąc, i nawet to uczyniłem gdzieś na wysokości środkowego filara, że nie tknę więcej alkoholu i nie przeklnę ani razu, jeśli dotrę cało na drugi brzeg. Wreszcie, zmęczony jak cholera, z walącym szaleńczo sercem, zjechałem na wysypany żwirem nasyp. Cały i zdrów.

Czego to człowiek nie powie, gdy ma stracha, pomyślałem, oglądając się za siebie na śmiesznie przekrzywioną stalową konstrukcję. Ręka sama powędrowała do juków. Wymacałem znajomy kanciasty kształt i po chwili bursztynowy ogień rozgrzał moje żyły.

– Wybacz, Panie – bąknąłem pomiędzy łykami. – Twoja ostatnia owieczka ma kurewsko słabą pamięć i wolę...

Choć to może wydać się dziwne, następne dwieście mil pokonałem bez większych problemów. Zostałem na obrzeżach St. Louis jeszcze kilka dni, uzupełniając zapasy i czekając na stopnienie śniegu. Zasypane białym puchem i skute lodem drogi nie nadawały się na razie do jazdy, ale marzec przyniósł w końcu prawdziwe ocieplenie. Wszechobecna biel ustępowała błyskawicznie – wystarczyły trzy słoneczne dni i miałem przed sobą czarną, suchą i prostą jak strzała autostradę.

Nic, tylko jechać.

W tej części kontynentu system dróg był na tyle rozbudowany, że nie musiałem martwić się zakorkowanymi szosami. Jeśli na mojej trasie piętrzyły się wraki, wybierałem dowolny objazd i spokojnie wracałem na siedemdziesiątkę kilka mil dalej. W dwa dni dotarłem na przedmieścia Indianapolis. Przez moment walczyłem z pokusą odwiedzenia tutejszego toru wyścigowego, ale kilka minut rozważań nad mapnikiem, na wielkim węźle drogowym obok lotniska, utwierdziło mnie w przekonaniu, że mam już tego wszystkiego powyżej uszu.

Dość przystanków, dość kataklizmów.

Czas skupić się na celu podróży.

Odbiłem na południowy wschód, aby ominąć molocha przedmieściami. Pokonanie zapchanej obwodnicy zajęło mi ponad siedem godzin. Zanim dotarłem do węzła wylotowego siedemdziesiątki, słońce zdążyło się zrobić krwistoczerwone i za moment miało się zetknąć z horyzontem. Poziom energii w akumulatorach też nie był za wysoki. Musiałem się rozejrzeć za kolejnym noclegiem.

Chciałem się zatrzymać i przejrzeć mapnik, ale mój wzrok padł na dziwny kształt wystający zza szpaleru martwych drzew po prawej.

Wieża zamkowa?

Tutaj?

Zaciekawiony skręciłem w pierwszą przecznicę i ruszyłem w kierunku majaczących na tle czerwieni nieba murów i blanek. Nawet teraz, pomimo braku jakiejkolwiek zieleni, okolica wyglądała bardzo wyniośle. Jechałem powoli szerokim bulwarem, przyglądając się kolejnym domostwom. Każde z nich wyglądało jak rezydencja z serialu o życiu wyższych sfer. Każde kusiło, ale ja szukałem dzisiaj czegoś specjalnego, niepowtarzalnego. Czegoś, co stało nieco dalej, po drugiej stronie niewielkiego wzgórza, na wprost parku.

Nie myliłem się, to był zamek.

Najprawdziwszy średniowieczny zamek.

Tabliczka na bramie głosiła: „L.J.R. Dewey". Gdzieś już słyszałem to nazwisko, pomyślałem, ale za nic nie potrafiłem sobie przypomnieć gdzie. Dopiero gdy pokonałem masywną bramę, wyrywając ją z zawiasów, i wjechałem w szeroką aleję pomiędzy poczerniałymi, fantazyjnie ukształtowanymi żywopłotami, dotarło do mnie, kim mógł być poprzedni właściciel mojego zamku. A raczej właścicielka, bo jak się wkrótce okazało, imponująca budowla należała do jednej z wnuczek znanego przed laty potentata komputerowego.

Asfaltowa, idealnie równa droga prowadziła przez antycznie wyglądający i skrzypiący jak cholera most zwodzony na spory podjazd przed przepiękną repliką średniowiecznego zameczku. Zatrzymałem Sue na początku ostatniej prostej i przyjrzałem się uważniej walcowatym wieżom z wąskimi okienkami, prostym murom wysokim na dwadzieścia stóp i wieńczącym je blankom.

Do środka prowadziła łukowato sklepiona brama. Wielkie, masywne odrzwia były jednak zamknięte na głucho i na tyle solidne, że musiałbym je chyba wysadzić, aby wejść do środka. Niestety nie miałem przy sobie dynamitu. Ostatnią laskę zużyłem dwa dni temu na pozbycie się blokujących szosę ciężarówek. Zostawiłem więc Sue na podjeździe i wybrałem się na spacer wokół murów.

Na szczęście nie musiałem przedzierać się przez chaszcze. Właścicielka zadbała, żeby teren wokół jej niesamowitej siedziby był uporządkowany, a promieniowanie utrwaliło ten stan na dobre. Szedłem wykładaną kamiennymi płytkami ścieżką przez kilka minut, aż trafiłem na boczną furtę. Chyba wejście dla służby, sądząc z lokalizacji i widocznych nieco dalej zabudowań gospodarczych. Co ciekawe, nie były to żadne antyczne drzwi, tylko zwykłe, nowoczesne metalowe gówno z elektronicznym zamkiem na kartę.

Sprowadziłem Sue, za pomocą toporka wybiłem w nich niewielką dziurę, zapiąłem hak i pociągnąłem. Za pierwszym razem nie puściły, ale kiedy dodałem nieco mocniej gazu, koła zabuksowały przez sekundę na asfalcie, a potem nagle wyrwałem do przodu, słysząc jednocześnie za sobą potworny klang. Skręciłem kierownicę i zahamowałem. Drzwi leżały na środku placyku. Wyrwałem je razem z zawiasami.

Zapaliłem pochodnię i zajrzałem ciekawie do mrocznego zameczku. Przekonałem się, że zewnętrzne mury okalają brukowany placyk, w którego głębi stoi dwupiętrowy budynek na bardzo wysokim, pozbawionym okien fundamencie. Wspiąłem się po stromych schodach pod kolejne drzwi. Też masywne, drewniane, bogato zdobione i również zamknięte na głucho. Tutaj Sue nie mogła mi już pomóc. Nie dałbym rady wjechać nią po tych wąskich i cholernie wysokich stopniach. Musiałem poradzić sobie w inny sposób.

Przyjrzałem się najbliższemu otoczeniu. Grube okiennice poddały się po kilku uderzeniach w pordzewiałe zawiasy, odsłaniając całkiem normalnie wyglądające ramy i szyby. Panie Mossberg, to interes w sam raz dla pana, pomyślałem i wypaliłem w nie pod ostrym kątem – na wszelki wypadek, gdyby okazały się pancerne. Na moje szczęście panna Lucy Jane Rose nie była maniaczką zabezpieczeń i mogłem dostać się do środka po oczyszczeniu parapetu z odłamków szkła i zarzuceniu na niego wypłowiałej derki.

Wgramoliłem się do przestronnego holu z żółtawego piaskowca, takiego samego jak ten, z którego zbudowano mury. Zlustrowałem go pobieżnie z pochodnią w ręku i na końcu sprawdziłem drzwi. Zgodnie z moimi podejrzeniami były zamknięte od wewnątrz na klucz i zabezpieczone ciężką sztabą. Zdjąłem ją nie bez wysiłku, a potem wystarczył jeden ruch ręki i masywne, niemal trzymetrowe skrzydła rozsunęły się z głośnym skrzypieniem.

Jak w rasowych horrorach.

Mogłem się wprowadzać.

Najpierw ściągnąłem Sue na dziedziniec, zabrałem najpotrzebniejsze rzeczy i przeniosłem je do ogromnego holu z marmurową posadzką i podwójną kolumnadą po obu stronach krętych schodów. Połamałem kilka krzeseł, a potem zdjąłem ze ściany dwa obrazy, chyba portrety przodków, i pociąłem je na pasy. Zwinąłem z nich tuzin pochodni, które osadziłem w żelaznych kołach znajdujących się na kolumnach.

Gdy je odpaliłem, od razu zrobiło się przytulniej.

I o wiele jaśniej.

Przyglądałem się grubym murom, podziwiając wyobraźnię architekta, który zaprojektował wszystkie te łuki i bogato rzeźbione krużganki. Hol był wysoki, zdaje się, że sięgał do samego dachu. Nie mogłem tego stwierdzić na pewno, wyższe partie kryły się bowiem w półmroku i dymie, jeśli jednak coś tam było, to najwyżej niewysoki stryszek.

Chociaż było już dosyć późno i słońce zniknęło za horyzontem, krwista łuna wciąż oświetlała strzeliste okna nad schodami. W blasku pochodni kamienne balustrady i ławy rzucały długie, falujące cienie na błyszczącą podłogę, pośrodku której dopiero teraz zauważyłem ciemniejszy okrąg z trzema liliami.

– Ktoś tu sobie zbudował niezłą replikę zameczku – mruknąłem, wstając. – Pewnie ckniło mu się do przodków z Europy.

Sądziłem, że to fanaberia zblazowanego milionera, któremu podczas dalekich wojaży spodobał się jakiś zamek, więc postanowił, że wybuduje sobie podobny. Nie pomyliłem się wiele. Następnego ranka z dziennika stojącego na honorowym miejscu w bibliotece dowiedziałem się, że sir Reginald Dewey zakochał się w zamku Roi de Bois zbudowanym w odległym zakątku doliny Loary. Uczucie było na tyle gorące, iż zamek został przez niego kupiony i po rozebraniu na kawałki przewieziony z przygodami do Ameryki, gdzie stanął na wzgórzach Malibu. Z jego wież właściciel miał znakomity widok na wybrzeże i ocean. Po sześciu latach od rekonstrukcji zabawka znudziła ekscentrycznego właściciela i przeszła w ręce jego wnuczki trojga imion. Ta jednak nie mieszkała na Zachodnim Wybrzeżu. Nie była związana z Kalifornią ani tamtejszymi interesami dziadka. Jej pasją było narciarstwo i sztuki piękne. Dziadek wydał więc polecenie, by Roi de Bois przewędrował przez Góry Skaliste i osiadł na środku obcego mu kontynentu, w miejscu całkiem przyzwoitej rodzinnej rezydencji, którą niedawno strawił pożar.

Taki prezencik na otarcie łez dla ukochanej wnuczki.

Skromna rzecz, a cieszy.

Nie pamiętałem swojego dziadka i choć dzięki zdjęciom otrzymanym od siostry Stapleton wiedziałem, jak wyglądał, nie potrafiłem sobie przypomnieć żadnej sytuacji, żadnego związanego z nim wspomnienia. Tym bardziej rzeczy, które mogłem od niego dostać. Zmarł, gdy miałem cztery lata, ale z tego, co mi opowiadały zakonnice, był prostym, dobrodusznym człowiekiem, którego poznały, gdy pracował dla sierocińca. Po śmierci rodziców – o nich wiedziałem jeszcze mniej – to właśnie on zajmował się mną przez prawie półtora roku. Ponoć palił jak smok i nie stronił od kieliszka, co w końcu odbiło się na jego zdrowiu. Dołączył do trzech milionów nałogowych palaczy, którzy rok w rok zapadali na nowotwory płuc i żegnali się z tym światem.

Byłem zbyt mały, żeby to pamiętać, ale zdjęcia w małym plastikowym albumiku, który dała mi siostra Stapleton, gdy wyruszałem na służbę w armii, nie kłamały. Ostatnie, na którym dziadek trzymał mnie na kolanach, siedząc w rozklekotanym fotelu bujanym na ganku swojego domu, uświadamiało mi za każdym razem, kiedy na nie spoglądałem, jak bardzo musiał cierpieć. Zmarł dwa tygodnie po jego zrobieniu. Odtrącony, samotny, w towarzystwie kilku opróżnionych butelek najdroższej whisky i niedopałków cygar. Najdroższych, jakie mógł znaleźć w lokalnym markecie. Kupił je za ostatnią emeryturę zaledwie trzy dni wcześniej, wydając prawie wszystko, jakby wiedział, że nadchodzi spotkanie z nieuchronnym, i próbował zapewnić sobie na koniec odrobinę luksusu.

Tak zapewne wyobrażał sobie luksus. Nie byłby w stanie ogarnąć rozumem tego, na co teraz patrzyłem. Być może dlatego wyjąłem wspomniane zdjęcie z portfela i po oprawieniu w ramkę, która gościła przedtem samego fundatora tej posesji, postawiłem na kominku.

– Daruję ci ten zamek, dziadku – powiedziałem, podnosząc szklankę do połowy wypełnioną bursztynowym płynem, na który dziadka nie byłoby stać.

Moje słowa zabrzmiały dziwnie sucho, chrapliwie, nienaturalnie. Gardło zapiekło mnie, jakbym połykał osty. Nagle zdałem sobie sprawę, że zbyt długo nie mówiłem. Ale jak tu rozmawiać? Przecież nie będę mówił do Steve'ów ani tym bardziej do siebie. Przetarłem ręką literki zdobiące górną część szerokiej ramki. Układały się w imię Reginald.

Nie przeszkadzało mi to bynajmniej.

Mój dziadek też miał tak na imię.

Trzy dni odpoczynku to dużo i mało zarazem. Tyle właśnie sobie dałem na rozprostowanie kości przed dalszą drogą. Pogoda się stabilizowała, słońce zaczynało grzać, a chmury, zwłaszcza te ołowiane, odeszły w niepamięć. Mogłem więc dać Sue i sobie chwilę oddechu. Jednakże to, że odpoczywałem, nie oznaczało wcale leniuchowania. Wręcz przeciwnie, zaplanowałem dokładny przegląd trójkołowca, który należał mu się już dawno.

Lecz nie tylko to kazało mi się tutaj zatrzymać. Natknąłem się znów na coś, czego do końca nie rozumiałem. Zamek był kompletnie pusty. Zarówno apartamenty panny Dewey, jak i część skrzydła dla służby. Nie znalazłem ani jednej mumii, tylko idealnie zasłane łóżka, meble okryte pokrowcami i co najważniejsze, wszystkie drzwi – w tym główne wrota – zamknięte i zaryglowane od wewnątrz. Ktokolwiek to zrobił, musiał zostać w środku, chyba że istniało jakieś tajne przejście – co chyba w tego typu budowlach było rzeczą normalną – którego nie potrafiłem znaleźć.

Sprawdzając skrupulatnie zamek, zauważyłem, że brakuje wielu rzeczy. Z szafek w bibliotece zniknęła część broni i amunicja, a z magazynku przy kuchni wszystkie konserwy. Wiedziałem, że tam stały, gdyż do tej pory widać było ślady odciśnięte przez ciężkie puszki na półkach. Co ciekawe, wszystkie alarmy były włączone. Wprawdzie teraz nie na wiele mogły się zdać, ale ustawienie ich w osiemnastu miejscach musiało zabrać tym ludziom trochę czasu. I to właśnie było najbardziej zastanawiające. Czas.

A właściwie jego brak.

Z danych w mapniku wiedziałem, że tej części Indianapolis z jakichś przyczyn oszczędzono bezpośredniego ataku trineutrinowego, ale z rozkładu najbliższych eksplozji i ich mocy potrafiłem wyliczyć, iż nikt na tym terenie nie mógł przeżyć dłużej niż kilka minut. Obrazki zaobserwowane na drogach i ulicach potwierdzały słuszność moich wyliczeń.

A jednak mieszkańcy tego zamku mieli czas, żeby zniknąć. Niczym duchy.

Zniknięcie jak zniknięcie. Nie byłoby w nim nic dziwnego – w końcu Lucy Jane Rose mogła wyjechać stąd kilka dni przed atakiem, służbie dała wychodne, a ostatni cieć zamknął wszystko od środka i sobie tylko znanym tajnym przejściem wrócił do domu.

Mógłbym bez bólu przyjąć taką teorię jako najbardziej prawdopodobną, gdyby nie dwa fakty. W kuchni na stole znalazłem równo ułożone gazety. Najświeższa wydrukowana została dwudziestego kwietnia, czyli dzień przed atakiem. Dwie godziny później głęboko w piwnicach, których raczej nie przeniesiono z tym zamkiem na nowy kontynent, odkryłem właz do bunkra. I nie mówię tutaj o jakichś amatorskich instalacjach, ale o najprawdziwszym schronie przeciwatomowym. Był zamknięty na głucho od wewnątrz i prawidłowo zabezpieczony.

Podczas pierwszego wieczoru spędzonego w sali kominkowej, gdy ogień huczał w palenisku, a ja siedziałem w miękkim fotelu ze szklaneczką Louisa XIII w dłoni i cygarem w ustach, zestawiając kolejne fakty, zdołałem wydedukować, gdzie i kiedy zniknęli poprzedni mieszkańcy zamku. Bez odpowiedzi pozostawało jednak pytanie, jak zdołali tego dokonać.

Mogłem do tego dojść jedynie drogą eliminacji.

W zamku brakowało śladów paniki. Widać było, że osoby, które ukryły się w bunkrze, miały na to wystarczająco dużo czasu. Ilu ludzi obudzonych o trzeciej nad ranem potrafi tak błyskawicznie się zorganizować? Ja nie znałem nikogo takiego. Założenie, że mieszkańcy nie spali tamtej nocy, zauważyli pierwszy błysk i od razu go skojarzyli, też można między bajki włożyć. Kto kojarzy błysk na niebie z wybuchem wojny atomowej? Zwłaszcza że promieniowanie potrafi zabić szybciej, niż neurony zdążą przetworzyć odbierany obraz w myśl. O ile to neurony przetwarzają...

Zresztą nieważne.

Mit obalony.

Pozostawało przyjąć, że panna Lucy Jane Rose mogła wiedzieć, co się święci. Czy ktoś mógł ją poinformować o ataku? Na to pytanie miałem dwie odpowiedzi. Albo należała do projektu Arka i została powiadomiona natychmiast po wykryciu rakiet wroga – wyeliminowanie tej wersji było cholernie proste: sprawdziłem listy przekopiowane z komputerów bazy do mapnika i nie znalazłem tam nikogo o takim bądź podobnym nazwisku – albo, przy jej kasie i pozycji, mogła znać któregoś z wysoko postawionych oficerów pracujących w jednej z baz wczesnego reagowania. Kogoś bliskiego – może nawet narzeczonego albo kochanka – kto sypnął ostrzeżeniem, ledwie zobaczył, co się święci. Tej wersji zdarzeń nie mogłem już tak łatwo odrzucić.

Ale znalazłem sposób na jej weryfikację.

Bardzo prosty sposób.

W zamku znajdowało się w tym czasie co najmniej sześć osób. Właścicielka i pięcioro jej służących. O trzeciej piętnaście nad ranem – jeśli nawet jej facet był szybki jak błyskawica i zareagował natychmiast po włączeniu syren alarmowych, nie mógł zadzwonić do niej wcześniej – rozespana panna D. otrzymuje telefon i budzi pozostałe osoby, te zaś grzecznie ścielą łóżka, zbierają wszystkie potrzebne rzeczy, nawet szczoteczki do zębów, i po starannym zabezpieczeniu domostwa schodzą do schronu.

Bez pośpiechu, poganiania i paniki.

Ile czasu by im to zabrało?

Nie ma lepszej metody wyjaśniania takich kwestii niż pomiary empiryczne. Zacząłem od najpełniejszej wersji. Położyłem się w łóżku miliarderki, włączyłem stoper i chwyciłem wyimaginowaną słuchawkę. Wykonanie wszystkich czynności, o których wiedziałem, że zostały wykonane tamtej nocy, zajęło mi czterdzieści osiem minut. A wziąłem pod uwagę wszystko, nawet to, że właścicielka podzieliła zadania pomiędzy służących i każdy z nich jak robot wykonał swoją część planu. Jakkolwiek byliby szybcy, musieli zginąć na pięć minut przed zamknięciem bunkra. Zatem ta wersja też nie trzymała się kupy.

Żeby przeżyć atak, musieli rozpocząć przygotowania znacznie wcześniej, nawet te czterdzieści kilka minut bowiem nie obejmowało wszystkich czynności, które musieli wykonać za włazem... Ale tego, co tam się działo, nie mogłem wiedzieć. Nie miałem przecież pojęcia, czy promieniowanie nie zabiło ich tuż po zamknięciu bunkra. Te mury były grube, piwnice głębokie, ale nie zdołałyby zatrzymać cząstek trineutrina. Jeśli więc panna D. wiedziała, co się święci, musiała też mieć świadomość, że aby przetrwać, potrzebuje czegoś więcej niż kilku metrów betonu nad głową.

Minęły trzy dni, a ja nadal nie potrafiłem podać satysfakcjonującej odpowiedzi na pytanie, skąd ci ludzie mogli się wcześniej dowiedzieć o nadlatujących rakietach, skoro nawet nas to zaskoczyło. Cała operacja, od rozpoczęcia fałszywego alarmu do eksplozji ostatniej głowicy, nie trwała dłużej niż czterdzieści minut. Do tego można było dodać maksymalnie pięć minut – chociaż wiedziałem, że w przypadku tego miasta przesadzam, i to grubo – potrzebne do wyeliminowania całego życia w tej części kraju. Pierwsze oznaki choroby popromiennej, a tych w zamku nie znalazłem, mimo iż naprawdę dobrze szukałem, pojawiłyby się jeszcze szybciej.

Nie sprawdziłem się jako nowy pogromca mitów. Nie znalazłem rozwiązania zagadki, mimo że rozmyślałem nad nią na trzeźwo i po pijaku. W każdej wolnej chwili, czy to siedząc w żeliwnej wannie, czy to kołysząc się przed huczącym w kominku ogniem, starałem się ogarnąć problem. Ale nie dałem rady. Czas, czas był kluczem, no i kompletny brak paniki. Kto nie zdenerwowałby się, wiedząc o wymierzonej w niego zabójczej broni mknącej z zawrotną prędkością do celu? To był prawdziwy wyścig o życie, nie zabawa... Za każdym razem, gdy sobie o tym przypominałem, czułem zimny dreszcz wędrujący w górę pleców.

To wszystko nie pasowało do mojej układanki.

Ale czy aby na pewno?

Może najzwyczajniej w świecie zacząłem ulegać paranoi związanej z samotnością, poczuciem winy i utratą najbliższej osoby? Tak, to też było możliwe. Ta cysterna gorzały, którą wlałem w gardło, musiała mi wypalić nie tylko wątrobę, ale i spory kawał mózgu. Sam się dziwiłem, że jeszcze potrafię coś skojarzyć.

Zamoczyłem delikatnie koniec cygara w koniaku i zaciągałem się dymem, żując go niczym kawałek czegoś materialnego sposobem zaczerpniętym z pewnej powieści. Przedziwny aromat i smak mieszanki dymu z alkoholem pozwoliły mi wreszcie na oderwanie myśli od tego problemu. To był ostatni wieczór, jaki planowałem spędzić na zamku Lucy Jane Rose.

Silnik chodził jak marzenie, żadnego szarpania, żadnych dziwnych dźwięków. Wypróbowałem Sue, szalejąc na niej przez godzinę po rozległym parku. Jednak miałem fach w ręku.

Spakowałem swoje rzeczy i pomyszkowałem trochę po okolicy, włamując się do dwu najokazalszych rezydencji, aby uzupełnić zapasy trunków, a zwłaszcza cygar. Na zewnątrz murów zamku, w garażu przylegającym do części służbowej, oprócz kilku samochodów i motocykli znalazłem też przyczepkę, którą po kilku przeróbkach udało mi się przymocować do haka Sue. Była większa i pakowniejsza od tej, którą musiałem zostawić na równinach. Napełniłem ją dobrami po samą pokrywę.

Na odchodnym napisałem list do Lucy Jane Rose. Była niewątpliwie piękną i ciekawą kobietą. Poznałem ją nieco lepiej, przeglądając wieczorami pamiętniki i albumy rodzinne. Wiedziałem, jak się lubiła ubierać, co czytała – kilka książek z jej adnotacjami na marginesach także trafiło do przyczepki – gdzie spędzała wakacje i jakie szkoły ukończyła. Postanowiłem podzielić się z nią moimi spostrzeżeniami dotyczącymi tajemnicy. Ustawiłem w piwnicy na wprost włazu krzesło, na nim opróżnioną karafkę po koniaku i w niej umieściłem kartkę z krótkim pozdrowieniem, a także listą pytań, które mnie nurtowały. Podpisałem się i podałem adres bazy w Twin Rivers, gdzie zamierzałem doczekać rozpoczęcia planu Arka.

Kiedyś za zdradzenie tej tajemnicy postawiono by mnie przed plutonem egzekucyjnym, i to na miejscu, bez sądu, teraz jednak mogłem wypisywać prawdę o Twin Rivers na murach i w listach do nieznanych mi, a kto wie, może dawno martwych osób. Gdyby jednak okazało się, że tam, za włazem, ktoś cudem przeżył, co wydawało mi się mimo wszystko mało prawdopodobne, choć z drugiej strony nie miałem bladego pojęcia, czy tak bogaci ludzie nie dysponowali równie dobrym sprzętem kriogenicznym jak armia... Jeśli Lucy Jane Rose wyjdzie kiedyś z ukrycia, chciałem poinformować ją, gdzie i kiedy może zacząć szukać najbliższych ludzi.

Gdy mijałem bramę zamku, w głowie zaświtała mi kolejna myśl dotycząca tej tajemnicy. Dziadek Dewey był właścicielem imperium komputerowego. Sporo jego sprzętu stało także w naszej bazie. Może stary sukinsyn znalazł jakiś sposób monitorowania naszych systemów – w końcu był ojcem większości z nich. Rozważanie tej teorii i jej pochodnych zajęło mi sporo czasu. Nie rozstrzygnąłem jednak tej kwestii nawet po przekroczeniu granic Ohio.

Sto dwadzieścia mil dalej na północny wschód leżał Pittsburgh, który musiałem ominąć szerokim łukiem, podobnie jak Columbię, aby nie załapać zabójczej dawki promieniowania. Jakimś cudem miasto to zasłużyło sobie aż na dwie klasyczne głowice jądrowe.

Wjechałem na Abbington Drive i powoli toczyłem się ku przeciwległemu krańcowi niewielkiej miejscowości. Musiałem przyznać, że chłopcy z Pentagonu wybrali idealne miejsce na kryjówkę. Twin Rivers było klasycznym zadupiem. Kilka ulic, niska zabudowa w stylu kanadyjskim, drugstore, stacja benzynowa i parę sklepów – na werandzie jednego z nich wciąż stał fotel bujany, w którym siedział posępny Indianin. Oczywiście drewniany. Z daleka zmylił mnie jednak i już myślałem, że ktoś z naszych dotarł tu przede mną.

Niestety myliłem się.

Miejsce to było równie martwe jak reszta świata.

Zrobiwszy małą rundkę po Twin Rivers, dotarłem zgodnie z instrukcjami w pobliże strumienia noszącego szumną nazwę Milestone River. Pół mili dalej znajdował się wjazd na prywatny teren ulokowany tuż za Wyckoffs Mills. Ozdobna brama z tabliczkami informującymi, że postronnym osobom wstęp wzbroniony, była otwarta, wręcz zapraszała, aby przedostać się na tereny ośrodka wypoczynkowego należące do Geoffa Harrisa.

Kiedyś musiało tu być naprawdę pięknie. Wyasfaltowana

droga dojazdowa wiła się pomiędzy łagodnymi, niewysokimi wzgórzami, które przed wojną porastały gęste lasy. Teraz tylko z kształtów uschniętych koron mogłem wnioskować, że obok strzelistych sekwoi i sosen nierzadkie były również dęby i inne rozłożyste, aczkolwiek trudne do zidentyfikowania drzewa. Po kilku minutach wyjechałem na otwartą przestrzeń i zobaczyłem hotel „Greenwood", przykrywkę, pod którą ukryty był cel mojej podróży.

Zatrzymałem Sue daleko od gmachu i przyglądałem mu się przez dłuższą chwilę. Człowiek, który go zaprojektował, miał wizję, w to nie wątpiłem, ale następne pokolenia właścicieli zmieniły wspaniały przykład wiktoriańskiej architektury w istny koszmar. Każdy kolejny bogacz na przestrzeni stu kilkudziesięciu lat dodawał do bryły budynku to i owo, tworząc odrażającą kamienno-drewnianą hybrydę, prawdziwego architektonicznego Frankensteina.

Miałem odczucie, że żaden człowiek o rozwiniętym zmyśle estetycznym, który zdecydowałby się na odpoczynek w tym miejscu, nie wróciłby do cywilizacji przy zdrowych zmysłach. Ja, prostak i cham pierwszej wody, przebywałem tu zaledwie od kilku minut, a już czułem się nieswojo...

Na szczęście mój pobyt w tym miejscu, choć liczony w latach, miał mieć zupełnie inny wymiar. Sen kriogeniczny był prawdziwym błogosławieństwem. Człowiek zapadał w ciemność i choć spał, nie męczyły go żadne koszmary...

Podjechałem pod główne wejście i zsiadłem z trójkołowca. Jednakże po chwili namysłu i obejrzeniu drzwi doszedłem do wniosku, że byłbym barbarzyńcą, zostawiając na łasce żywiołów maszynę, która przewiozła mnie przez cały kontynent. Nie rozwaliłem też wejścia toporem, pamiętając o przełożonych, którzy opuszczą swoje komory równo ze mną, jeśli nie wcześniej. Znalazłem furtkę pozostawioną dla podobnych mi desperatów, następnie otworzyłem jedne z drzwi przeciwpożarowych sali balowej i nimi wprowadziłem Sue do zakurzonego holu. Spoczęła tam, na samym środku krwistoczerwonego chodnika. Rozłączyłem akumulatory i okryłem motor pokrowcem, który zabrałem z salonu motoryzacyjnego gdzieś w Pensylwanii. Pikowana, wypełniona azbestowymi włóknami i wyprofilowana nakładka otuliła szczelnie moją maszynę, jakby skrojono ją na miarę.

Teraz, kiedy Sue była bezpieczna, mogłem zająć się sobą.

Według instrukcji pneumatyczna winda prowadząca do tajnego kompleksu powinna się znajdować na dolnym poziomie starego bunkra, do którego mogłem się dostać przez piwnice hotelu, niepozornymi drzwiami pomiędzy składem brudnej pościeli a chłodniami. Kierując się mapką, dotarłem do tego miejsca.

Schron Kennedy'ego dzisiaj nie uchroniłby nikogo przed atakiem. Ale te sześć pięter żelbetonu stanowiło tylko przykrywkę, pod którą znajdował się prawdziwy cel mojej podróży. Dotarłem na sam dół po kwadransie błądzenia. Stalowe, niczym niewyróżniające się drzwi były zamknięte na klucz. Sprawdziłem w przyborniku; surowiec, jaki dołączono do zestawu ratunkowego, idealnie pasował do zamka. Otworzenie stalowej, grubej na dwadzieścia cali płyty sprawiło mi jednak trochę kłopotu. Smar w zawiasach stracił wiele ze swoich właściwości, zatem żeby ruszyć z posad ważące ponad dwie tony skrzydło, musiałem się mocno wysilić. Za pomocą topora udało mi się w końcu odchylić je od pokrytych gumowymi uszczelkami framug. Szczelina miała zaledwie dwadzieścia cali, ale przecisnąłem się nią do wąskiego, cholernie długiego korytarza. Prowadził zakosami w dół, do kolejnego włazu, tym razem o wiele cięższego i grubszego. Zakręciłem dźwignią z wielką obawą, ale ku mojemu zdziwieniu, masywne drzwi otworzyły się cicho i gładko, jakby zamknięto je dopiero wczoraj.

Znalazłem się w niewielkim pomieszczeniu. Miało kształt

idealnego sześcianu. Nie było w nim żadnych mebli, tylko zabudowana, dość archaicznie wyglądająca konsola terminalu komputerowego. Na wprost włazu znajdowały się hermetycznie zamknięte proste stalowe drzwi. Na prawo od nich, pod ścianą, leżały rozłożone na części akumulatory litowo-jonowe. Podobne do tego, jaki miałem w quadzie. Opakowano je próżniowo w przezroczystą, grubą folię. Instrukcja mówiła, że w razie braku zasilania w czytnikach powinienem złożyć, naładować i użyć któregoś z nich, ale na szczęście obeszło się bez dodatkowych komplikacji. Sprzęt centrum, dzięki zabezpieczeniom i tonom ołowiu otaczającego wewnętrzną komorę, przetrwał zarówno impuls elektromagnetyczny, jak i sam atak. Wsunąłem kartę identyfikacyjną do czytnika i wejście do windy stanęło otworem.

Wąziutki walec mieszczący jedną osobę zwiózł mnie na dolny poziom bazy. Trwało to jednak dłuższą chwilę. Pneumatyczny mechanizm miał problemy z rozruchem, w trakcie jazdy kilka razy zatrzęsło kabiną, i to całkiem mocno, ale mimo wszystko dotarłem do centrum dowodzenia.

Znów stanąłem przed skanerami i czytnikami.

Tym razem nie poczułem mrowienia w zgrubiałych palcach.

Kapsuła rezerwowej komory kriogenicznej kusiła swoim chłodnym, jasnym wnętrzem. Trzy razy sprawdzałem sprzęt i testowałem oprogramowanie, ale wciąż nie potrafiłem się w niej położyć. Nie wiedziałem, co mnie powstrzymuje, ale ilekroć wychodziłem spod prysznica i zaczynałem przyklejać na skórę czujniki, zawsze opadały mnie wątpliwości. Może był to strach, że już nigdy się nie obudzę. Wiedziałem, skąd wziął się błąd, który odebrał mi Sue. Wiedziałem, że nie była to wina wadliwego sprzętu ani oprogramowania. Wiedziałem. W końcu sam skazałem ją na śmierć, łamiąc wszelkie procedury.

Okazaliśmy się zbyt lekkomyślni.

Sue za to zapłaciła, ja jeszcze nie...

Zastanawiałem się, chyba po raz setny, czy skorzystać z dobrodziejstwa snu hibernacyjnego już teraz, czy odłożyć to do następnego dnia. Szkoda, że straciłem Obamę w pożarze hotelu. On z pewnością wiedziałby, co powinienem zrobić. Raz się żyje, zdecydowałem, obejmując uchwyt pokrywy, ale zanim nacisnąłem mechanizm zwalniający zamek, usłyszałem dziwny sygnał. Ciche, ledwie słyszalne pikanie dobiegało gdzieś z końca sali. Wytężyłem słuch. Tutaj, pod ziemią, w niemal kompletnej ciszy każdy dźwięk docierał do mnie ze zdwojoną mocą. Trzy krótkie piknięcia i cisza. Trzy krótkie piknięcia i kolejna przerwa. Dokładnie taka sama, dwudziestosekundowa.

Odłączyłem czujniki i włożyłem szlafrok. Sen mógł jeszcze chwilę poczekać. Ruszyłem pomiędzy rzędami otwartych komór, nasłuchując co chwilę i lokalizując źródło dźwięków. Dość szybko znalazłem się w kącie sali, przy drzwiach prowadzących do niewielkiej sterowni. Byłem pewien, że to właśnie stąd dobiegają piknięcia.

Nie myliłem się.

Na biurku przy jednym z terminali stał zakurzony laptop.

Ktoś wyłączał go przed laty, zapewne przed udaniem się na spoczynek, ale albo pomylił w pośpiechu klawisze, albo system operacyjny się zawiesił – Windows, nawet w generacji Nexus, miał to często w zwyczaju – i komputer nadal czuwał. Podłączony do sieci energetycznej centrum czekał cierpliwie na kolejne polecenie wylogowania. Mijały miesiące, potem lata. Każde urządzenie, nawet wojskowe, ma jednak swoją wytrzymałość. Kilka godzin wcześniej zasilacz laptopa odmówił posłuszeństwa, a sygnał, który słyszałem, informował wszystkich, że jego bateria właśnie się wyczerpuje.

Uśmiechnąłem się i położyłem dłoń na obudowie ekranu.

– Czas spać, przyjacielu – powiedziałem, zamierzając zamknąć pokrywę i zakończyć jego męki.

Jednakże w chwili, gdy go dotknąłem, komputer ożył. Ciche brzęczenie i krótki sygnał dźwiękowy powiadomiły mnie o pełnej gotowości do pracy wysłużonego getaca. Wystarczyło jedno spojrzenie na ciekłokrystaliczny wyświetlacz, żeby uśmiech zniknął z mojej twarzy.

Siedem procent. Tyle mu zostało energii. Przeliczając to na czas, nie więcej niż dziesięć minut – chociaż na nowym akumulatorze powinien chodzić co najmniej dwadzieścia godzin. Po trzech latach trzymania pod napięciem bateria musiała być jednak zdrowo spieprzona. Jeśli miałem pecha, mogła paść nawet za minutę. Ale dopóki laptop popiskiwał, nie wszystko było stracone. Ten model miał dwa rezerwowe sloty na żelowe akumulatorki. Sprawdziłem – oba były puste. Pancerne laptopy getac znajdowały się na powszechnym wyposażeniu armii, miałem więc spore szanse, że znajdę w bazie bliźniaczą jednostkę albo pasujący do niej standardowy zasilacz.

Tylko gdzie ich szukać?

Dokąd iść najpierw?

Na pewno nie ma ich tutaj, w pomieszczeniach z komorami. Spojrzałem na plan piętra zdobiący pobliską ścianę. Cholera by to wzięła! Biura znajdowały się sześć poziomów wyżej, nad centrum kriogeniki i laboratoriami. Serce projektu Arka było większe od wielu miasteczek, w których zdarzało mi się nocować. Ruszyłem biegiem w stronę windy, obliczając w myślach czas potrzebny na przebycie drogi tam i z powrotem. Dwie, trzy minuty w jedną stronę, na pewno nie mniej. Do tego czas potrzebny na przeszukanie kilku, może nawet kilkunastu biur.

Marnie to wyglądało.

Bardzo marnie.

Dotarłem już do korytarza centralnego, na którego końcu znajdował się szyb najbliższej windy. Minąłem jedną szatnię, później drugą i... zatrzymałem się, tknięty nagłą myślą. Może któryś ze spoczywających tutaj ludzi zabrał ze sobą taki sprzęt? Zawróciłem do najbliższego hydrantu, wyrwałem z niego toporek i wykopałem pierwsze drzwi. Powiedzenie, że szatnia była duża, nie oddałoby całości obrazu. Miałem przed sobą wielką halę wypełnioną rzędami identycznych metalowych szafek.

Były ich tu setki, jeśli nie tysiące.

A w każdym razie co najmniej sto kilkadziesiąt.

Zacząłem od prawej. Jedno silne uderzenie wystarczało do rozwalenia kłódki. Otwierałem drzwi i sprawdzałem szybko zawartość schowka. Sześć sekund na szafkę – takie tempo mogłem osiągnąć. Dziesięć na minutę. W połowie pierwszego rzędu skończy mi się czas. Może nieco dalej.

Mało!

Za mało!

Rąbałem, otwierałem, sprawdzałem. W szesnastej szafce na górnej półce dostrzegłem czarną, dobrze mi znaną torbę z logo marynarki. Rzuciłem toporek, wyszarpnąłem ją, rozpiąłem zamek, aby sprawdzić zawartość, i pognałem jak szalony do drzwi. Zanim dobiegłem do sali komór, miałem już w ręce nowy zasilacz.

Dzięki ci, Panie, za standaryzację.

Gdy rozpoczynałem ładowanie, wskaźnik pokazywał zaledwie dwa procent. Zdążyłem niespełna minutę przed wyczerpaniem baterii i utratą dostępu do zakazanej strefy, o której nie miałem prawa wiedzieć. Do prawdziwego serca programu Arka.

Trzy godziny, bite trzy godziny przeglądałem pliki, do których dostęp uzyskałem dzięki osobistemu komputerowi niejakiego Simona Daviesa, a właściwie dzięki radosnemu niedbalstwu, z jakim Bill Gates podchodził – i pewnie podchodził będzie nadal, po przebudzeniu – do produkcji oprogramowania. Gdyby nie ono, spałbym teraz nieświadomy tego, jak naprawdę wyglądała historia wojny, w której i ja miałem swój skromny udział. Trzy godziny spędziłem na skrzypiącym krzesełku, w samym tylko szlafroku, nie bacząc na chłód i niewygodę.

W normalnej sytuacji przejrzenie tych danych nie zajęłoby mi więcej niż czterdzieści minut, ale to nie była normalna sytuacja. Niektóre pliki czytałem po kilkanaście razy, nie mogąc uwierzyć w prawdziwość zawartych tam rozkazów i treści. Ale komputer nie kłamał. Miałem przed sobą pełen obraz wieloletnich przygotowań do konfliktu na skalę światową. Miałem czarno na białym, kto, kiedy i jak doprowadził do odpalenia kilkunastu tysięcy głowic trineutrinowych.

I wcale nie byli to Rosjanie.

Ani Chińczycy.

Przeglądałem najtajniejsze bazy danych Globalnego Systemu Obrony. Simon był jednym z głównych architektów tego projektu, przez ostatnie trzy lata pełnił nawet funkcję jego szefa. Miał najwyższy, szósty stopień dostępu, więc bez problemu poruszałem się po obszarach zarezerwowanych tylko dla wybranych. Tam, gdzie ukryto każdy bajt dotyczący dwunastu lat przygotowań do operacji Arka.

Kryzys lat 2009–2012 uzmysłowił jastrzębiom NeoConu, że świat wyznawanych przez nich wartości chyli się ku upadkowi. Biliony dodrukowywanych dolarów uratowały sytuację finansową, ale nie na długo. Politycznych strat nie dało się już odrobić. Zadłużenie czołowych gospodarek świata przekroczyło najpierw rozsądny, a potem bezpieczny poziom. Wierzyciele,

głównie Chińczycy i emirowie Bliskiego Wschodu, coraz radośniej zacierali ręce. Sześć lat później dominacja azjatyckiego mo-
carstwa nad światem stała się faktem. Jedna decyzja Zhongguo
Renmin Yinhang mogła nie tylko zmieść potęgę Zachodu, ale
doprowadzić USA i Europę do totalnego upadku. A z każdym
kolejnym rokiem centralny bank Chin przejawiał coraz większą
ochotę, aby wykonać ten karkołomny ruch.

Dzień zapłaty musiał nadejść.

I był coraz bliższy.

Waszyngton nie zasypiał jednak gruszek w popiele. W czasie
gdy Obama, jeżdżąc po świecie, bezskutecznie starał się odbudowywać zaufanie i łagodzić konflikty, w samym sercu Stanów
w największej tajemnicy spotkało się dwunastu gniewnych ludzi, którzy postanowili stworzyć podwaliny Nowego Porządku.

Mój informator, Simon, był jednym z nich.

Nazwiska pozostałych jedenastu nigdy nie pojawiły się na
czołówkach gazet.

Plan był diabolicznie prosty. Odkrycie trineutrina, do którego
walnie przyczynił się Wielki Zderzacz Hadronów, dało Stanom
Zjednoczonym chwilę wytchnienia. Niedługą wprawdzie, ale te
dziewięć lat, w czasie których Pentagon jedyny dysponował naj-
potężniejszą bronią masowej zagłady, wystarczyło do zrealizo-
wania najbardziej diabolicznej intrygi w dziejach.

Pierwszy pokaz mocy nowej głowicy, nad głównymi miastami Islamskiej Republiki Iranu, doprowadził nie tylko do chwilo-
wego odbudowania mocarstwowej pozycji USA – wprawdzie za
cenę życia prezydenta – ale i do kolejnego morderczego wyścigu
zbrojeń. Wyścigu, który podsunął spiskowcom pomysł na osta-
teczne rozwiązanie problemów, z jakimi borykał się ich świat.

Znali siłę tej broni. Wiedzieli też, do czego doprowadzi jej
masowe użycie. Dlatego w sztolniach zamkniętych kopalń, w tunelach po systemie Minuteman, w starych bazach wojskowych

na terenie kontynentalnych Stanów Zjednoczonych zaczęto budować wielkie schrony zdolne wytrzymać atak głowic trineutrinowych, których wróg jeszcze nie posiadał. Gromadzono w nich sprzęt umożliwiający klonowanie. Zamrażano materiał genetyczny zwierząt, ptaków, nawet owadów. Tworzono gigantyczne banki nasion. Część tych działań została podjęta za wiedzą rządu i Pentagonu, dla których pracowała spora część spiskowców. Ale to była tylko przykrywka.

I czubek góry lodowej.

Spiskowcy nie mogli wykorzystać chwilowej przewagi technologicznej. Odpowiedzią Chin i Rosji, a pośrednio też i innych mocarstw atomowych, była rozbudowa klasycznych arsenałów strategicznych. Redukowane przez dziesiątki lat głowice nuklearne i neutronowe zaczęły się mnożyć za oceanami jak przysłowiowe króliki. Atak na którekolwiek z mocarstw, zwłaszcza na Chiny, mógł się skończyć tragicznie dla Ameryki. Czysta broń trineutrinowa wyeliminowałaby wprawdzie całą siłę żywą wroga, ale na radioaktywnych pogorzeliskach między Atlantykiem a Pacyfikiem przez najbliższe stulecia nikt nie mógłby zamieszkać.

Gdyby jednak wróg miał równie czystą broń...

Nie przed tym jednak, zanim Ameryka będzie na nią gotowa. Istotą planu było doprowadzenie do konfliktu, który nie tylko uregulowałby definitywnie sprawy gospodarcze i finansowe, ale przy okazji usunął z powierzchni Ziemi wszystkich ludzi, oczywiście oprócz tych, którzy uczestniczyli w spisku. Dwunastu Sprawiedliwych – tak nazwali się spiskowcy – uznało bowiem, że społeczeństwo amerykańskie, w jego obecnym wielokulturowym kształcie, nie jest godne, żeby na jego podstawie budować nową, czystszą cywilizację. Naukowcy pracujący dla projektu obliczyli, że odbudowanie ludzkości będzie możliwe, jeśli konflikt przetrwa około trzech, czterech tysięcy wyselekcjonowanych, zdrowych osobników.

Zadbano więc o ich genetyczny dobór.

I modyfikację planów obrony.

Kiedy wszystkie przygotowania zostały ukończone, kilka sterowanych przecieków dało wrogom dostęp do planów najnowszej i najczystszej generacji głowic trineutrinowych. Wystarczyło poczekać rok, dwa, żeby dostatecznie się uzbroili, a potem w odpowiedniej chwili wcisnąć jeden klawisz i Anioły Zagłady zrobiły swoje.

W ostatnim etapie realizacji projektu Arka Dwunastu Sprawiedliwych zaczęło wtajemniczać w swoje działania kolejnych wpływowych ludzi, którzy w największym sekrecie odkurzali i doposażali swoje prywatne schrony atomowe. W sumie na terenie Stanów powstało tysiąc dwieście siedemdziesiąt bunkrów, w których śmietanka narodu, śpiąc smacznie, czekała na lepsze czasy. Sześć tysięcy osiemset trzydzieści dwie osoby załapały się na plan Arka, wliczając w to starannie wyselekcjonowanych, najzdrowszych żołnierzy obu płci, którzy według zapisków Simona mieli stanowić podwaliny zdyscyplinowanej klasy pracującej nowej, odrodzonej ludzkości. Nie dziwiło mnie już, dlaczego armia wyłożyła tak wielką kasę, aby mnie przeszkolić.

Miałem szczery zamiar odwdzięczyć się jej za to.

Z całych sił.

Mapa kontynentu, na którą patrzyłem, upstrzona była czerwonymi flagami oznaczającymi każdy bunkier i kompleks, w którym trwali bogacze, ich rodziny i dobrani ludzie z otoczenia. Z ciekawości rzuciłem okiem na Harley Dome. Przeczucie mnie nie myliło. Tuż obok nazwy pobliskiej kopalni widniała znajoma ikonka. Gdy najechałem na nią kursorem, pojawiła się długa lista nazwisk. Dwa wciąż pamiętałem – były dość charakterystyczne, na pewno widziałem je, przeglądając papiery w tamtym hangarze. Rezydencji Deweya nie sprawdzałem, ale kto jak kto, on z pewnością miał bilet pierwszej klasy do Nowego, Lepszego Świata.

Odkrycie prawdziwego oblicza mojej wojny sprawiło, że zapomniałem o hibernacji i całej reszcie martwego świata. Po przestudiowaniu tej historii raz jeszcze sięgnąłem głębiej, do katalogów zawierających zapis struktur Arki. Sprawdziłem, kto wydawał rozkazy, kto opracowywał plany, kto autoryzował kolejne fazy operacji. Powoli w mojej świadomości rysował się obraz przerażającej zbrodni, czystego ludobójstwa, bo jakże inaczej nazwać operację, która doprowadziła do fizycznej zagłady całej cywilizacji?

Prezydent i wiceprezydent tkwili w tym po uszy. Sekretarz stanu, minister obrony, niemal cały pion analityczny Białego Domu i masa innych, nieznanych mi z nazwiska ludzi. Wszyscy oni znajdowali się teraz tutaj, obok mnie, na kilku poziomach centrum, śpiąc spokojnie i bez snów w oczekiwaniu na rozpoczęcie kolejnej fazy operacji Arka.

W mojej głowie pojawiła się myśl...

„Nie zasłużyli na to, by żyć".

Simon odpowiadał także za opracowanie szczegółów planu ataku. To on osobiście zlecił zainstalowanie łatek w oprogramowaniu systemów obrony przeciwrakietowej, dzięki czemu wszystkie baterie mogły zareagować na nieistniejący atak. Kiedy my odpalaliśmy rakiety, on siedział w tym bunkrze i nadzorował przebieg operacji, dbając, by wszystko szło po jego myśli. Siedział tutaj do ostatniej chwili. Wysyłał kolejne rozkazy do komputerów Centrum Dowodzenia, gdy pozostali spiskowcy już zasypiali...

Dokonał też ostatniej inspekcji systemu, już po ataku, chcąc mieć pewność, że misternie utkana sieć nigdzie nie została przerwana i po wybudzeniu będzie mógł ją kontrolować w każdym szczególe.

Miał nosa.

Cztery z siedemnastu węzłów komunikacyjnych systemu Arka zostały zniszczone w wyniku eksplozji głowic nuklearnych i wodorowych. Tego, że Rosjanie użyją równolegle tak archaicznej broni, nasze jastrzębie nie przewidziały. Ale przygotowały na wszelki wypadek dublety i triplety zabezpieczeń. Simon dość szybko uszczelnił całą sieć i zadowolony z siebie poszedł spać. Nie dbając o prawidłowe wyłączenie komputera. Nie dbając o to, że mogę się tu pojawić.

„Nie zasłużyli na to, by żyć". To zdanie kołatało się w mojej głowie, powracając co chwilę jak bumerang. Nie bardzo kojarzyłem, gdzie je usłyszałem bądź przeczytałem. Rozpraszało mnie jednak uporczywie.

Przymknąłem oczy. Oparłem się wygodniej, położyłem dłonie na karku i trawiłem zdobyte informacje, starając się nie zwracać uwagi na tę natrętną myśl. A było się nad czym zastanawiać. Kilkunastu facetów wpadło na pomysł zawłaszczenia planety. Wyliczyli sobie wszystko. Każdy skrawek lądu na Ziemi otrzymał wystarczającą dawkę promieniowania, aby już nigdy nic na nim nie wyrosło, o ile nie będzie to wolą nowych bogów. Nasze okręty podwodne rozmieszczono tak, aby zaatakowały miejsca, których nikt przy zdrowych zmysłach by nie ruszał. Tylko po to, aby upewnić się, że nie przetrwa tam życie. Odpalając rakiety, zdradziły swoje pozycje i wystawiły się na ogień wroga. W ciągu pięciu, sześciu minut, a takim czasem dysponowały, nie mogły odpłynąć poza strefę uderzenia odwetowego, podobnie jak okręty wroga, które chwilę później zaatakowały nasze bazy wojskowe i miasta. System pozostawił wystarczającą liczbę rakiet, aby unicestwić jednostki atakujące nasze wybrzeża w drugiej, prawdziwej fazie ataku.

Bazy...

Tak.

Zawsze się zastanawiałem, po jaką cholerę pakujemy sprzęt i ludzi w tak egzotyczne regiony jak Oceania czy Afryka. Z każdego punktu widzenia było to czyste marnotrawstwo czasu i pieniędzy. Chyba że ktoś patrzył na to jak Simon. Teraz i ja rozumiałem, dlaczego Marky Mark zginął, szturmując jakąś wioskę w tropikalnych lasach Zambii. Ustanawiając te przyczółki, zmusiliśmy wroga, by wspomógł plan i wypalił trineutrinowym albo nuklearnym ogniem odległe i nikogo nieinteresujące rejony świata. Simon był geniuszem. To musiałem mu przyznać. Nie zapomniał o niczym. Z danych, jakie odebrałem zaraz po ataku, wynikało, że Afryka została zniszczona równie dokładnie jak Europa, Azja i obie Ameryki. Ale tylko szesnaście procent ładunków, jakie nad nią wybuchły, pochodziło z naszych arsenałów.

Oceany oszczędzono, strefy rażenia nie sięgały zbyt daleko od wybrzeży, aby nie zakłócić zbytnio gospodarki tlenowej planety. Stacja „Atlantyda" i jej podmorskie filie już na rok przed moim obudzeniem zaczęły odbudowywać życie w strefach przybrzeżnych, zarybiając je na nowo, i regulować obecność fitoplanktonu odpowiedzialnego za produkcję tlenu. Zastanawiało mnie przez chwilę, dlaczego plan nie obejmował niszczenia statków znajdujących się na pełnym morzu, ale i na to znalazłem odpowiedź. Załogi tych jednostek nie mogły przetrwać o własnych siłach kilka lat z dala od lądu, a każda próba zbliżenia się do niego w ciągu dwudziestu czterech miesięcy od ataku musiała się skończyć bolesną śmiercią. Simon zakładał, że pewna część tych ludzi zdoła przetrwać w takich warunkach albo znajdzie bezpieczną przystań na jednej z nielicznych wysepek gdzieś na środku oceanu, lecz zarazem przewidywał, chyba całkiem słusznie, że robinsonowie ery trineutrina nie będą się liczyli w przyszłej walce o prymat. Kilkadziesiąt lat wystarczy, aby problem rozwiązał się sam. Ile kobiet można spotkać na takich jednostkach?

W tym czasie w sercu Ameryki powstanie kraina mlekiem i miodem płynąca. Ekspansję na pozostałe kontynenty, zdaniem spiskowców, można było sobie zostawić na kolejne stulecia.

Uczestniczyłem w ostatniej fazie realizacji tego planu. Ale teraz, tutaj, znalazłem wyraźny dowód na to, że mój udział był bierny. Rakiety otrzymałyby rozkaz startu nawet wtedy, gdyby ani jeden Anioł Zagłady nie użył swojego klucza.

To już nie była opcja plutonu egzekucyjnego.

Rozkazy odpalenia nadeszły, zanim zdążyłem przekonać Sue.

Pół godziny po tym, jak Simon nacisnął klawisz – być może nawet tego samego laptopa – zniknął problem przeludnienia, jakiekolwiek znaczenie przestały mieć dziura ozonowa, efekt cieplarniany, zanieczyszczenie atmosfery. Zniknęły głód, chłód i wszelkie choroby. Zniknęło życie.

„Nie zasłużyli na to, by żyć"...

Po trzech godzinach wpatrywania się w ekran przypomniałem sobie, kto i kiedy wymówił te słowa. Pomogło mi to podjąć właściwą decyzję...

Nowy Jork oberwał mocno podczas ataku, co doskonale było widać z najwyższych pięter wypalonej wieży Freedom Tower. Promieniowanie w tym rejonie było nadal nieznacznie wyższe od dopuszczalnego. Ponad połowę dolnego Manhattanu strawiły pożary spowodowane eksplozją tradycyjnej głowicy nuklearnej gdzieś nad Bronxem. Central Park w jednym momencie zamienił się w pustynię pełną poczerniałych kikutów spalonych drzew. Kilkaset wspaniałych ongiś budowli runęło zmiecionych falą uderzeniową, zamykając na wieki kaniony wąskich ulic, ale na tym krańcu wyspy większość wieżowców, pomimo poważnych zniszczeń, stała nadal, mierząc dumnie w zaciągnięte chmurami wiosenne niebo.

Nie tak dawno temu, stojąc na osiemdziesiątym dziewiątym piętrze górującego nad miastem następcy WTC, uznałem, że właśnie to okaleczone miasto będzie najodpowiedniejszym miejscem na siedzibę nowego Boga tej planety.

Czułem się jak Bóg.

Byłem nim, bez dwóch zdań.

Jak inaczej można nazwać istotę, która jednym ruchem palca ściera w pył dorobek całych tysiącleci? No, może przesadziłem z tym jednym ruchem, ale sprawienie, że człowiek przestał być dominującym gatunkiem na Ziemi, zajęło mi znacznie mniej czasu, niż stary, poczciwy Jahwe potrzebował, aby dokonać dzieła stworzenia. On odpoczął dopiero siódmego dnia, ja już trzeciego.

Przede wszystkim zająłem się Sądem Ostatecznym, tak jak to opisano w grubej księdze, którą znalazłem w nocnej szafce ambulatorium kompleksu. Czytałem ją wieczorami, odpoczywając po pracy w bunkrze. Za sprawą fuszerki Simona miałem pełen dostęp do baz danych operacji Arka. Pozwoliło mi to na wprowadzenie kilku niewielkich, ale niezbędnych korekt. Pierwszego dnia rozmontowałem cały system. Krok po kroku. Najpierw sprawdziłem, czy żaden z Aniołów Zagłady nie znalazł się w sytuacji podobnej do mojej, ale na szczęście nie stwierdziłem takiego przypadku. Ani jeden z pozostałych obiektów należących do armii nie wykazywał anomalii. Cywile, choć za życia farciarze i cwaniacy, okazali się głupcami, podłączając swoje azyle do systemu operacyjnego centrum. Zresztą, znając Simona i jego metody, nie mieli pewnie wyboru. Komory kriogeniczne nie były dostępne w sklepach żelaznych i supermarketach, a stosowane w nich technologie opisywano dopiero w książkach science fiction.

Dostali je w zamian za uległość...

Dzisiaj odbiorę im je absolutnie gratis.

– Pozdrowienia od panny Sue Tanner – mruknąłem.

Ze szklaneczką studwudziestojednoletniej whiskey w dłoni pożegnałem spoczywającą poza centrum śmietankę przemysłowców i kwiat finansjery. Po każdym łyku boskiego nektaru odłączałem zasilanie kolejnych komór. Potem, gdy komputery zarejestrowały zanik ostatnich funkcji życiowych w cywilnych bunkrach, zająłem się rozmontowywaniem sieci wojskowej. Wyłączałem obsługujące ją węzły komunikacyjne. Wiele z nich zlikwidowałem fizycznie, wydając komendy samozniszczenia, które paranoicy z Pentagonu kazali zainstalować na wszelki wypadek. Po kilku godzinach każdy bunkier był odciętą od reszty świata, samodzielną jednostką operacyjną.

Zanim jednak doprowadziłem do ich izolacji, postarałem się o kilka zmian w wewnętrznym oprogramowaniu. Niektórych wybrańców zabiłem od razu, zaczynając od tych, którzy podobnie jak ja zostali w to wszystko wmanewrowani. Innych pozostawiłem przy życiu, każąc im spać na wieki, dopóki nie wyczerpią się reaktory albo sami nie pomrą wciąż pozbawieni świadomości. Do tej kategorii należeli głównie wspólnicy spiskowców wymienieni z imienia i nazwiska w raportach Simona.

Zmiany kodów, haseł, włamywanie się do serwerów i wydawanie poleceń zajęły mi sporo czasu. Ale wszystkie zaplanowane zadania wykonałem bezbłędnie dzięki miesiącom szkoleń informatycznych, na które ci ludzie, mając w tym jasny cel, skierowali mnie kiedyś. Ich bunkry zostały odizolowane dokładniej niż ten miligram antymaterii, który ponoć był przechowywany w CERN-ie.

Na wieczór zostawiłem sobie banki nasion i laboratoria. Drzewo procedur tej części projektu było cholernie skomplikowane. Studiowałem cierpliwie wszystkie wykresy, starając się zrozumieć wynikające z nich implikacje i zależności. Nie posiadałem jednak wiedzy koniecznej do ogarnięcia tego wszystkiego. Dlatego, zanim wybiła północ, nacisnąłem enter, uaktywniając bez żadnych zmian pierwszą fazę mojej osobistej panspermii. Przyśpieszyłem ją jedynie o cztery lata. Niewidzialne maszyny w najdalszych zakątkach kontynentu zaczęły wypuszczać sondy i zasobniki z bakteriami, nasionami i cholera wie czym jeszcze. Gdy długa lista poleceń zniknęła z ekranu i system przeszedł samoczynnie do fazy drugiej, sięgnąłem po następną butelkę.

Robienie za Boga wcale nie jest łatwe.

Zasnąłem przy konsoli, obok Biblii i wiekowego glenliveta...

Drugiego dnia zająłem się bunkrem rządowym. Tutaj miałem trochę bardziej złożone zadanie. Początkowo chciałem kolejno budzić spiskowców i po odczytaniu wyroku zabijać na miejscu, ale po chwili namysłu i jednej przymiarce uznałem, że to żałosny pomysł. Zastrzelenie tysiąca pięciuset osób musiałoby trwać kilkanaście dni i chociaż byłem ostatnim Aniołem Zagłady, nie miałem ochoty brudzić sobie rąk w taki sposób. Po pierwszej setce, albo i wcześniej, zacząłbym mieć wątpliwości, zwłaszcza przy egzekucjach kobiet i dzieci.

Znałem siebie.

Najlepsza whisky nie stłumiłaby moich oporów.

Postanowiłem więc załatwić to inaczej. Dobrałem się do map centrum i wprowadziwszy do systemu dane o nieistniejących skażeniach, odizolowałem trwale wszystkie bloki hibernacyjne od powierzchni i reszty kompleksu. Zaczopowane betonem komórkowym i tytanowymi grodziami tunele odcięły wszystkie drogi ucieczki z tego miejsca.

Wszystkie prócz jednej.

Z niej miałem zamiar skorzystać następnego dnia.

Na koniec zniszczyłem niemal wszystkie komputery, a w tych, które musiały działać, abym zrealizował do końca swój plan, pozmieniałem hasła i zainstalowałem dodatkowe zabezpieczenia. Wykasowałem z nich wszystkie programy i zasoby, które mogły posłużyć albo pomóc uwięzionym tu ludziom. Nie zostawiłem im nic, nawet jednej brzytwy, której mogliby się chwycić.

Gdy uzyskałem stuprocentową pewność, że nie istnieje żaden zapomniany szyb wentylacyjny, kanał techniczny albo studzienka awaryjna, którą mogliby się wydostać z tego grobowca, zebrałem swoje rzeczy i wyjechałem na powierzchnię. Na laptopie Simona zostawiłem krótki list pożegnalny i aktywator ostatniej części programu, który dawał mi czterdzieści minut na ewakuację.

Bardzo prosta sztuczka pozwoliła mi przesłać z opóźnieniem kilka poleceń, z których pierwsze wprowadzało do systemu fałszywe dane o skażeniu jedynego drożnego tunelu, a ostatnie nakazywało rozłączenie komputerów z centrum dowodzenia i obudzenie siedemdziesięciu sześciu najważniejszych decydentów tego spisku. Ich żony, dzieci i personel zostawiłem w kokonach. Decyzję, czy pozostaną w nich do końca nieświadomi, czy też zginą w towarzystwie niedoszłych władców ziemi, oddałem tym ostatnim.

Wyjechałem na górę ciasną windą pneumatyczną i odesłałem ją zaraz na dół. Od momentu włączenia stopera minęło dopiero dwadzieścia sześć minut. Zdążyłem zapakować wszystkie zapasy do juków Sue, zanim poczułem lekkie drżenie podłogi. Mechanizmy ochronne bazy zamykały właśnie w kilku miejscach liczący prawie tysiąc stóp pionowy szyb windy. Cztery grodzie z płyt tytanowych, każda gruba na trzy stopy, podzieliły go na równe części. Nad każdą z nich pojawił się też gruby czop z szybko tężejącego betonu. Przekucie się przez te zapory było możliwe, ale wymagałoby mnóstwa ciężkiego sprzętu i co najmniej kilku tygodni pracy. Zakładając oczywiście, że najpierw udałoby się przebić przez podobne, choć mniejsze blokady na korytarzach prowadzących do najbliższego szybu.

Zadbałem o to, aby spiskowcy mieli do dyspozycji sporo narzędzi oraz zapasy żywności na parę miesięcy. Broni także im nie pożałowałem...

Liczyłem na sporo rozrywki.

Jak przystało na rasowego Anioła Zagłady.

Nie byłbym sobą, gdybym nie zostawił furtki do systemu. Zlokalizowałem jeden ze światłowodów, którymi centrum dowodzenia połączone było z powierzchniowymi czujnikami, i podpiąłem do niego kilka wydzielonych systemów, do których ci z dołu nie mieli dostępu. Uzyskałem tym sposobem połączenie z kilkoma kamerami monitorującymi najważniejsze pomieszczenia odciętego najniższego poziomu. Dzięki nim mogłem przez siedemnaście kolejnych dni obserwować na ekranie zabranego z dołu laptopa ostatnie reality show na Ziemi.

Chłopcy byli nieźli. Zwłaszcza Simon. Część z nich chwyciła od razu za młoty i pociła się w korytarzu za szatniami, skuwając beton, kilku zaś podjęło w tym czasie szaleńcze próby odbudowania systemu. Miałem szczęście, że zdecydowałem się na fizyczne przerwanie najistotniejszych połączeń sieci, bo niektórzy z uwięzionych zadziwiali mnie swoją pomysłowością. Byłem pewien, że w czasie, jaki im dałem, udałoby im się przełamać część zabezpieczeń, ale układów stopionych przez kwas nie mogli stworzyć z niczego.

Po tygodniu zaczęli się zabijać.

Mięczaki.

Najpierw ktoś strzelił sobie w łeb. Nie byłem pewien jego tożsamości, zrobił to bowiem dość dyskretnie, wchodząc za komory, zza których już go nie wyniesiono. Dzień później zobaczyłem, jak któryś z analityków po chwili awantury opróżnia magazynek do pracujących przy komputerach kolegów. Simon stanął na wysokości zadania i zdjął gościa jednym strzałem. Tuż poza krawędzią pola widzenia. Poruszyłem kamerą, aby zobaczyć efekty jego akcji, i to był niestety mój błąd. Jedyny, ale bolesny. Skurwysyn musiał usłyszeć brzęczenie serwomotorka, bo już po chwili ekran wypełniła jego wykrzywiona nienawiścią twarz. Widziałem ją ledwie przez kilka sekund, potem mogłem już tylko patrzeć w mroczne wnętrze lufy.

Mój ulubiony wróg rozwalił wszystkie kamery, które wypatrzył. Ominął tylko jedną, ale i ja niewiele z niej mogłem zobaczyć. Zrobiło się nudniej, więc dla podkręcenia tempa akcji zredukowałem im o połowę ilość tlenu.

Oprócz podglądu z kamery w rogu szatni mogłem jeszcze obserwować dane napływające z komputerów, ale ich aktywność malała z każdym dniem. Osiemnastego poranka z dołu nie został wysłany choćby bajt, podobnie było przez kilka następnych dni. Jeśli ktoś tam jeszcze żył, stracił zainteresowanie elektroniką. A może po prostu rozwalił wszystkie maszyny, aby wyładować narastającą złość i agresję. Kogo to zresztą obchodzi?... Na pewno nie mnie. Miałem ten świat wyłącznie dla siebie. Mogłem robić, co mi się zamarzyło.

A miałem marzenia godne Boga.

Ulubionym sportem pana wszechrzeczy było latanie. Skok z Empire State Building albo innego wysokościowca i szybowanie na paralotni dawały mi poczucie absolutnej wolności. Nie była to zbyt bezpieczna zabawa, przelot między budynkami na Wall Street przy silnym wietrze groził w każdej chwili uderzeniem w ścianę i upadkiem. Nie dbałem o to. Jedynym limitem była dla mnie wydolność płuc. Wspinaczka na setne piętro wieżowca kosztowała sporo wysiłku. Zwłaszcza że musiałem wtargać na górę cholerną lotnię. Trwało to godzinami. Odpoczywałem co kilka pięter, czasem nawet spałem na schodach. Ale te kilkanaście, czasem kilkadziesiąt minut zabawy w powietrzu rekompensowało mi wszelkie trudy. Byłem szczęśliwy jak dziecko. Zawsze o tym marzyłem, jeszcze w sierocińcu śniłem często, że latam. Nie samolotem, ale sam, jak Wendy i Piotruś Pan. Wprawdzie przemykałem wtedy nad szmaragdową, rajską doliną pełną ogromnych drzew i szemrzących strumieni, a nie w betonowych gardzielach kanionów ulic, ale jakie to w sumie miało znaczenie.

Lot to lot...

A skoro o lataniu mowa, kolejnym szaleństwem, jakiemu się oddałem, było swobodne opadanie ze spadochronem. Od pamiętnego jedenastego września można je było kupić w prawie każdym sklepie na Manhattanie. Były także dostępne w wielu biurowcach na najwyższych piętrach jako podstawowy sprzęt ratowniczy na wypadek pożaru. Specjalnie wykrojone dla lepszego manewrowania, idealnie się nadawały do nawigacji przy silnym wietrze. Dla mnie jednak nie miało to znaczenia – liczyło się tylko to, że skaczę, lecę w dół i wytrzymuję jak najdłużej. Zazwyczaj otwierałem spadochron zaledwie kilkadziesiąt metrów przed asfaltową metą. Na ułamki sekund przed osiągnięciem punktu bez powrotu. Po lądowaniu jeszcze długo leżałem na ulicy albo na chodniku, tam gdzie opadłem, i chłonąłem to niesamowite, boskie uczucie balansowania na krawędzi życia i śmierci.

Ten dzień zaplanowałem z najdrobniejszymi detalami.

To była czwarta rocznica ataku.

Tysiąc czterysta sześćdziesiąty pierwszy dzień nowej ery. Od co najmniej siedmiu tygodni byłem ostatnim człowiekiem na Ziemi. Zaczęło się od Adama i na Adamie się skończy... Plan Arka zaczął już działać – poprzedniego dnia widziałem w Central Parku pierwsze, delikatne jeszcze kiełki wyłaniające się z pokrytej sadzą ziemi. Powietrze też miało trochę inny zapach. Czuło się w nim coś ulotnego i ożywczego.

Oddychałem pełną piersią. Wiatr na tej wysokości był strasznie silny. Spoglądałem na panoramę miasta. Z perspektywy niemal dwu tysięcy stóp robiła naprawdę zapierające dech w piersiach wrażenie. Gdzieś na Ziemi, na innych kontynentach, było podobno kilka wyższych budynków, ale nie miałem zamiaru podróżować do jakichś Emiratów czy na kraniec Azji, żeby dokonać tego, co zaplanowałem.

Stanąłem tutaj i teraz.

Na szczycie iglicy Freedom Tower.

Wszedłem na najwyższy punkt Nowego Jorku, zapiąłem uprząż do pierścienia i usiadłem na końcówce szerokiego na dwadzieścia stóp stalowego dźwigara, aby obejrzeć wschód słońca. Gdy złota tarcza oderwała się od horyzontu, odrzuciłem pustą butelkę po whiskey i włożyłem do ust gumę do żucia, jedyną rzecz, jaką zabrałem z dołu prócz laptopa i skromnych zapasów prawdziwego żarcia. Jej miętowy smak przypominał mi stare dobre czasy. Założyłem gogle, poprawiłem pasy spadochronu, sprawdziłem wszystkie klamry i raz jeszcze przeleciałem w pamięci listę czynności. Nie była zbyt długa ani skomplikowana. Zimny wiatr wiejący znad oceanu powinien wypchnąć mnie poza krawędź widocznego dwadzieścia siedem pięter niżej dachu. Opierałem się jeszcze przez chwilę, ale w końcu uległem wyjątkowo silnemu porywowi. Odcięta linka zafurgotała głośno.

– Geronimo! – krzyknąłem, a raczej starałem się krzyknąć, pęd powietrza bowiem wciskał mi słowa do ust.

Rozłożyłem ręce i nogi jak najszerzej, aby nie spadać od razu jak kamień, ale oddalić się od idealnie pionowej dziewięćdziesięciopiętrowej ściany budynku. Trwało to może dwie, trzy sekundy, potem złożyłem ręce i przeszedłem w lot nurkowy. Poczułem, jak przyśpieszenie ściska moje wnętrzności – niesamowitego uczucia swobodnego spadania nie da się chyba z niczym porównać.

Jego namiastki mogli doświadczyć ci, którzy odważyli się kiedyś skoczyć na bungee.

Ale tylko namiastki.

I to marnej.

Spadałem jak kamień. Właśnie minąłem szary pas oddzielający część biurową wieży od użytkowej. Z trudem zgiąłem rękę, klamry udało mi się dosięgnąć trzydzieści pięter niżej. Nacisnąłem ją od razu. Sprężynujący mechanizm wypiął natychmiast wszystkie pasy – stworzono go, by skoczek mógł w jednej chwili uwolnić się z uprzęży, aby czasza nie wlokła go po ziemi. Pęd powietrza natychmiast zerwał mi brezentową torbę z pleców. Poczułem tylko lekkie szarpnięcie i wiedziałem, że jestem wolny. Od tej chwili już nic się nie liczyło, już niczego nie dało się zmienić. Choćbym nie wiem jak bardzo chciał, nie miałem wpływu na dalszy przebieg zdarzeń. Ale to właśnie było moim celem. Po to wykonałem tak wiele próbnych skoków, ryzykując zdrowie i życie.

Strach wypełzał z zakamarków duszy, adrenalina wypełniała żyły. Czas stanął w miejscu. Na moment jednak tylko, potem ruszył, ale wolno, bardzo wolno. Poczułem się jak bohater *Matrixa*, kultowego filmu z mojego dzieciństwa.

Rację mieli ludzie mówiący, że w takiej chwili człowiek może raz jeszcze przeżyć całe swoje życie. Przed oczyma migały mi obrazy z odległej przeszłości, rzeczy ważne i błahe. Ludzie, których kochałem i szanowałem, oraz ci przypadkowi, o których dawno już zapomniałem. Nie wiem, jak długo to trwało, może sekundę, może krócej. Nagle wszystkie te obrazy odpłynęły, jakiś zmysł – może ten szósty, którego istnienie tylko podejrzewamy – sprawił, że skierowałem oczy na ulicę, a ściślej rzecz biorąc, na tę jej część, na której zauważyłem sporą kałużę i wychodzący z niej równy rząd ciemnych punktów. Uświadomiłem sobie nagle, że to ślady stóp, ale nie moje. Ich kształt stanowczo nie pasował do kowbojek, które nosiłem od momentu przyjazdu do Nowego Jorku. Zdążyłem jeszcze przekrzywić głowę na tyle, by spojrzeć tam, gdzie się kończyły.

Stała tam, niedaleko, w bramie.

Samotna, filigranowa, z rękami przyciśniętymi do twarzy, z szeroko otwartymi ocza...

SAMOTNOŚĆ ANIOŁA ZAGŁADY
EWA

– Houston, mamy problem.

Anna zawisła przed monitorami centrum łączności. Cztery z sześciu trzydziestocalowych ekranów były wyłączone, piąty, centralny, zajmowało barwne logo NASA, a ostatni, umieszczony na przegubowym wysięgniku, pokazywał Alaskę i pogrążone w mroku zachodnie wybrzeża Kanady. LACOM – system kierunkowej łączności laserowej – pozwalał na komunikowanie się z Centrum Kontroli Misji w czasie rzeczywistym. Z prędkością światła, jak to pięknie ujął przedstawiciel dyrekcji, gdy oprowadzał po Centrum Lotów Kosmicznych imienia Lyndona B. Johnsona kandydatów na członków kolejnej załogi ISS. Obraz na środkowym ekranie zamigotał i na miejscu przeciętego czerwoną wstęgą błękitnego kręgu pojawiła się owalna twarz CAP-COM-a – bardzo otyłego, niemal łysego mężczyzny po czterdziestce. Stłumione z trudem ziewnięcie i zaczerwienione oczy świadczyły o tym, że zaczynał przysypiać.

Nie dziwiła mu się specjalnie – tam, na dole, dochodziła właśnie trzecia nad ranem. Pora wilka, jak mawiali starożytni; wtedy organizm najbardziej domaga się snu. Nie musiała nawet zerknąć na plakietkę przypiętą nad lewą kieszenią służbowej koszuli, by przypomnieć sobie jego imię. Pracowała z nim kilka razy podczas tej misji, był jednym z najlepszych i najkompetentniejszych kontrolerów, z jakimi miała do czynienia. Zaczęła żałować, że padło właśnie na niego.

Na razie Ralph był bardziej zdziwiony wezwaniem niż zaniepokojony. Poprawił kciukiem zjeżdżające z nosa ciężkie okulary, a potem omiótł zaspanym wzrokiem konsolę.

– Przyjąłem, NN1SS. Na czym polega problem, komandor Hammond? Wszystkie odczyty pozostają w normie. Nie... – Zamilkł natychmiast, gdy jego spojrzenie zawędrowało na główny ekran.

– Chcę rozmawiać z FLIGHT-em, Ralph – warknęła Anna.

– Ale ja...

– Połącz mnie z dyrektorem lotu. Natychmiast!

Twarz kontrolera zniknęła z ekranu, zastąpiona przez logo. Jednakże już chwilę później Hammond zobaczyła Ralpha ponownie, tym razem w pełni rozbudzonego i... jeszcze bardziej spoconego.

– Co znowu? – zapytała, nie kryjąc oburzenia.

– Dwight... wyszedł.

– To jakiś żart?

FLIGHT pełnił funkcję szefa misji. Nadzorował całą operację. Nie miał prawa opuścić stanowiska, zwłaszcza w tak krytycznym momencie jak dokowanie kapsuły transportowej.

– Nie, komandor Hammond. Szczerze mówiąc, też nic z tego nie rozumiem...

– W takim razie przełącz mnie na MOD-a.

Mimo że przerwa trwała znacznie dłużej, zamiast drugiego przedstawiciela dyrekcji pojawiła się znowu znajoma twarz. Z mocno rozszerzonych oczu CAPCOM-a wyzierał strach.

– Pani komandor – zaczął kontroler, ocierając chustką wysokie czoło – wygląda na to, że będzie pani zdana na mnie.

Anna spojrzała na niego z niedowierzaniem. W całej historii JSC nie zdarzyło się, by ktokolwiek ze szczebla decyzyjnego nie nadzorował przebiegu misji. Ralph, znakomity fachowiec i wieloletni pracownik Centrum Lotów Kosmicznych, człowiek, któremu mogła zaufać w ciemno, był zwykłym technikiem nadzorującym komunikację z ISS, ale nie miał prawa podejmowania samodzielnych decyzji. Jego odpowiedzialność kończyła się tam, gdzie zaczynały się problemy. W kryzysowych sytuacjach pałeczkę powinien przejąć ktoś z wyższego szczebla. Osoba mająca realną władzę. Wyglądało jednak na to, że w Centrum Kontroli Misji nie było teraz ani FLIGHT-a, ani MOD-a.

– Kto jest na tej zmianie ACO?

– Antonio.

– Daj mi go.

Twarz Ralpha pojaśniała, gdy sięgał do klawiatury, by przełączyć transmisję z ISS na stanowisko kolegi odpowiedzialnego za logistykę misji. Skoro szefostwo zapadło się pod ziemię, a na orbicie coś poszło nie tak, ktoś będzie musiał podjąć decyzję – być może bardzo trudną – bez autoryzacji. Nawet jeśli był to zwykły test, jeden błąd by wystarczył, żeby się pożegnać ze spokojną i dostatnią emeryturą. Nic więc dziwnego, że Ralph z taką ulgą przekazał sprawę innej osobie.

– NN1SS, tutaj ACO. W czym problem?

Antonio był od Ralpha młodszy o dwadzieścia lat i o wiele szczuplejszy. W jego głosie Hammond wyczuła napięcie, a nawet cień niepewności. Pociągła, mocno opalona twarz o charakterystycznych latynoskich rysach wyglądała, jakby ktoś zrosił ją wodą. *Wiadomość o nieobecności przełożonych rozeszła się z szybkością błyskawicy*, pomyślała komandor.

– Masz manifest dzisiejszej dostawy? – zapytała, przechodząc od razu do rzeczy.

– Oczywiście – odparł bez wahania ACO.

– Z ilu pozycji się składa?

Sprawdził dokładnie, najpierw na papierze, potem na ekranie.

– Z sześćdziesięciu czterech. Która z...

– Każda! – przerwała mu podniesionym głosem.

– Nie rozumiem... – wybełkotał, blednąc w jednej chwili. Nie spodziewał się z jej strony aż takiego wybuchu.

– Ja też nie rozumiem, jakim cudem zamiast sześćdziesięciu czterech pojemników z zamówionym sprzętem Dragon dostarczył nam kolejną tonę liofilizowanego jedzenia i tysiąc pięćset litrów wody pitnej.

Antonio wytrzeszczył oczy.

– To niemożliwe!

– Naprawdę? Kazałam rozpakować wszystkie kontenery. W żadnym nie ma tego, co zostało wpisane w manifest.

ACO wpatrywał się w dokumenty, jakby miał nadzieję, że znajdzie w nich wytłumaczenie karygodnej pomyłki. Niestety, trzymał w ręku kopię tego samego manifestu, którym dysponowała Hammond – z długą listą zamówionych przed kilkoma tygodniami części, przyrządów i odczynników potrzebnych sześcioosobowej załodze stacji do kontynuowania eksperymentów.

– Papiery są w jak najlepszym porządku. Czy te kontenery...

– Wszystkie były oryginalnie zaplombowane i poprawnie opisane – Anna wpadła mu w słowo.

Właśnie to wydawało jej się najdziwniejsze. Nie poszło o omyłkowe oznakowanie pojemników. Na każdym z białych pokrowców, którymi obleczono pojemniki, został umieszczony właściwy opis. Jeśli na nalepce widniało: „Pasta rybna", to w kontenerze znajdowały się tubki z jedzeniem, a nie zamówiony sprzęt.

– Ktoś za to beknie... – jęknął Antonio, gdy wylała na niego wszystkie żale.

Niewątpliwie, pomyślała Hammond. Przygotowanie kolejnej rakiety nośnej potrwa wiele tygodni, a związane z jej wystrzeleniem koszty pójdą w dziesiątki milionów dolarów. Zastanawiało ją, kto sabotuje pracę zespołu naukowców. A co ważniejsze – dlaczego. Nie domyślała się nawet, komu mogło zależeć na niepowodzeniu powierzonej jej misji, która, co tu ukrywać, nie przyniosłaby żadnego wielkiego przełomu ani minimalnego choćby zagrożenia dla interesów wielkich korporacji. Zamówiony sprzęt miał bowiem posłużyć do...

Z zamyślenia wyrwała ją seria ostrych, kłujących w oczy błysków. Zdziwiona przeniosła wzrok na boczny monitor, po którym przesuwał się owal odległej Ziemi. NASA transmitowała ten przekaz od lat na otwartym paśmie, aby każdy internauta mógł zobaczyć to samo, co widzieli członkowie załogi przelatującej nad jego głową stacji.

– Co, u licha? – wymamrotała, spoglądając na pogrążoną w mroku nocy Kanadę.

Nad środkową, odludną częścią ogromnego kraju pojawiały się i gasły dziesiątki jasnych punktów. Przeważnie maleńkich jak główki od szpilki, choć dostrzegła też kilka znacznie większych, które rozlały się po niebie oślepiającym blaskiem, by przygasnąć w okamgnieniu i zamienić się w szkarłatne plamki. Anna wiedziała, że to nie może być burza. Przesiadując w kopule, naoglądała się z orbity wystarczająco dużo wyładowań atmosferycznych, by nie mieć co do tego wątpliwości. Zresztą nad pogrążonym w mroku kontynentem nie było akurat ani jednej chmury – w okolicy rozbłysków dostrzegała światła nielicznych miasteczek. Te błyski nie przypominały też w niczym spalających się w atmosferze meteoroidów. Jeśli już, najbardziej kojarzyły się z... eksplozjami?

– Coś się dzieje, komandor Hammond?

Pytanie Antonia przywróciło ją do rzeczywistości.

– Muszę coś sprawdzić – rzuciła, odpychając się lewą ręką od konsoli.

W nowym module dowodzenia zamontowano dwa okrągłe okna. Z tego po prawej Anna mogła zobaczyć rejon Ziemi, na który skierowano kamerę. Otworzyła grubą osłonę zewnętrzną, chwyciła się obu poręczy i przysunęła twarz do zimnej powierzchni hartowanego szkła.

Tym razem nie podziwiała przesuwającego się w dole owalu planety, choć widok przemykających z ogromną prędkością kontynentów wciąż budził jej respekt, zwłaszcza że tej nocy pogoda w dole była piękna, a atmosfera czyściutka. Dzięki temu wyraźnie zobaczyła setki eksplozji. Nie na powierzchni Ziemi, lecz wysoko w stratosferze. Kwiaty białego ognia rozkwitały momentalnie, jak na kręconych poklatkowo filmach, i przygasały po ułamkach sekund, jednakże niebo nie ciemniało nawet na chwilę. Miejsce wypalonych natychmiast zajmowały kolejne, identyczne kule bieli.

– Komandor Hammond?! – Zdezorientowany jej nagłym zniknięciem Antonio podniósł głos. – Co tam się dzieje?!

Anna nie mogła oderwać wzroku od niezrozumiałego dla niej widowiska. W końcu, gdy częstotliwość eksplozji zaczęła powoli maleć, zamknęła osłonę i odbiwszy się od poręczy, poszybowała w kierunku centrum łączności.

Zaniepokojony ACO przerwał wpisywanie komend, ledwie dostrzegł ruch na ekranie.

– Co się stało? – zapytał.

– U nas nic szczególnego – przerwała, nie wiedząc, jak opisać to, czego była właśnie świadkiem – za to w przestrzeni powietrznej Kanady doszło do serii... eksplozji, jak mi się zdaje.

– Słucham?! – Antonio zrobił wielkie oczy.

– W czasie naszej rozmowy kamera przekazująca obraz na żywo wychwyciła dziwne błyski. Wyjrzałam przez okno, by to sprawdzić. Tam, w dole, doszło do licznych wybuchów, ale nie na ziemi, tylko w górnych warstwach atmosfery. Mówię o setkach eksplozji, w tym kilku niemałych.

Technik miał taką minę, jakby zobaczył ducha. Ten dyżur musiał być dla niego koszmarem. Najpierw dowiedział się o bezprecedensowej nieobecności przełożonych, potem otrzymał meldunek z orbity o niewytłumaczalnej pomyłce firmy odpowiedzialnej za logistykę, a teraz jeszcze to.

– Zaraz sprawdzę, o co może chodzić – rzucił, gorączkowo przebierając palcami po klawiaturze.

Anna nie spuszczała wzroku z bocznego monitora. Kamera znów pokazywała ciemny owal Ziemi rozświetlany tu i ówdzie złotymi pajęczynami większych aglomeracji i lśniącymi punktami małych miejscowości. Po niedawnych wybuchach nie został nawet ślad. Wszystko w dole wyglądało tak spokojnie... Wszystko prócz twarzy Antonia.

– Nic z tego nie rozumiem – wymamrotał, pochylając się bardziej nad niewidocznym dla kamery monitorem, a potem prostując gwałtownie plecy.

Był przerażony. Nie wystraszony, nie zdenerwowany, lecz śmiertelnie przerażony. Teraz, kiedy jeszcze bardziej pobladł, Anna zauważyła ciemniejsze plamy na szczęce i policzkach, wszędzie tam, gdzie pojawił się odrastający od popołudnia gęsty zarost. ACO odwrócił się i zaczął rozmawiać z kimś przy sąsiednim stanowisku, a potem sięgnął po telefon. Nie udało mu się jednak połączyć. Po kilkunastu sekundach słuchawka wylądowała na bazie.

W tle słychać było coraz większy harmider. Ktoś przebiegł za fotelem przygryzającego nerwowo wargę Latynosa.

– Raczysz mi powiedzieć, o co chodzi? – zapytała w końcu Hammond.

Spojrzał prosto w kamerę. Dopiero wtedy zobaczyła, że jest bliski płaczu, i sama zaczęła się bać.

– Nie mam pojęcia, co się dzieje – odparł łamiącym się głosem. – Te wybuchy... To mogły być... to były nasze systemy przeciwrakietowe.

– Przeciwrakietowe? – To słowo wzbudziło w Annie złe skojarzenia.

ACO skinął głową, raczej do swoich myśli niż do niej.

– Tak. Satelity zarejestrowały odpalenie rakiet. W kilka minut poszło wszystko, czym dysponowaliśmy. Ale dlaczego? – Potrząsnął głową z niedowierzaniem. – Rosjanie niczego nie wystrzelili. Nie dostaliśmy ani jednego ostrzeżenia o starcie ich pocisków balistycznych.

– Jakiś błąd systemu? – podpowiedziała.

Tego dnia spieprzono już tyle rzeczy, że Anna nie zdziwiłaby się, gdyby NORAD także dał ciała. Antonio spojrzał na nią z politowaniem. Wojsko nie pozwalało sobie na podobne błędy. Odpalenie setek rakiet – w tym taktycznych głowic nuklearnych – znajdujących się na terenie tak wielu niezależnych jednostek nie mogło być dziełem przypadku...

Zrobiło jej się zimno. Dopiero teraz skojarzyła jeszcze jeden fakt. Na jej oczach pogasły światła miejscowości leżących w pobliżu najsilniejszych błysków.

ACO podskoczył na fotelu, gdy usłyszał zawodzenie syreny. Hammond też drgnęła, choć alarm ogłoszono tysiące kilometrów od niej.

– *Mierda*. – Antonio złapał się za głowę. – *Puta madre!*

– Co się dzieje? – Jego nerwowość udzieliła się Annie.

Ludzi pracujących w Centrum Kontroli Misji dobierano bardzo starannie, a jednym z najważniejszych kryteriów była zdolność do zachowania zimnej krwi w sytuacjach kryzysowych. Jeśli ACO spanikował, coś musiało być bardzo nie tak.

– To jakaś paranoja – mamrotał do siebie Antonio, kręcąc cały czas głową. – To się nie dzieje naprawdę.

– Co się nie dzieje naprawdę?! – Hammond podniosła głos.

– Odpaliliśmy minutemany – wybełkotał.

Anna poczuła, że chłód w jej krzyżu zamienia się w lity lód. Minutemany. Międzykontynentalne pociski balistyczne. Broń masowej zagłady. Setki rakiet, tysiące głowic trineutrinowych i termojądrowych wzniosły się właśnie do stratosfery, by już za kilkadziesiąt minut eksplodować nad celami leżącymi po drugiej stronie bieguna. Anna przełknęła nerwowo ślinę. Jej ojczyzna z niezrozumiałych powodów rozpętała właśnie wojnę atomową. Wojnę, której nie może wygrać żadna ze stron. Wojnę, w której obie strony użyją najbardziej niszczycielskiej mocy, jaką zna człowiek. Napromieniowana Ziemia zostanie wyjałowiona na wieki, a może nawet na całe tysiąclecia. Potem życie, jeśli jakimś cudem zdoła przetrwać w głębinach oceanów, znów wyjdzie na ląd, jak to się stało w paleozoiku, ale przyszły władca planety na pewno nie będzie przypominał człowieka.

– Antonio – odezwała się, skupiając uwagę na osowiałym kontrolerze. Latynos nie poruszył się. Siedział ze spuszczoną głową i zwieszonymi ramionami, wbijając wzrok w klawiaturę. – ACO!

Zareagował, gdy znowu podniosła głos. Poruszył się niespokojnie, jakby obudziła go z drzemki. Spojrzał tępo w ekran, potem zdjął słuchawki i rzuciwszy je na konsolę, wstał, by moment później zniknąć z pola widzenia przestraszonej Anny.

Zatrzymał się tylko po to, by przekręcić teleskopowe ramię, na którym zamontowano kamerę podłączoną do LACOM-u. Teraz pokazywała panoramę opustoszałego Centrum Kontroli Misji. Ostatni technicy biegli właśnie do drzwi, przemykając w oddali pod zajmującymi całą ścianę ekranami.

Na głównym monitorze, zamiast charakterystycznej sinusoidy kursu stacji, widać było arktyczną część Ameryki Północnej i zmierzające w kierunku bieguna linie – dziesiątki, jeśli nie setki przesuwających się jednostajnym tempem czarnych kresek zakończonych dziwnymi symbolami.

Anna przyglądała się im z rosnącym przerażeniem. To wszystko było tak nierealne i bezsensowne: odpalone nie wiadomo dlaczego antyrakiety mające powstrzymać nuklearne uderzenie na Stany, otwarcie silosów i wystrzelenie amerykańskich pocisków międzykontynentalnych. Przez moment kusiło ją, żeby raz jeszcze wyjrzeć przez okno, ale szybko zdała sobie sprawę, że z tej wysokości nie zobaczy maleńkich stożków mknących przez górne partie stratosfery. Podobnie będzie ze skutkami eksplozji – zanim głowice dotrą do celów, ISS trafi w okolice równika gdzieś nad Atlantykiem, pomiędzy Ameryką Południową a Afryką.

Wisiała przed monitorem, spoglądając w zamyśleniu na puste rzędy stanowisk i złowieszcze symbole przesuwające się po ekranie. Przez moment, przez jedną króciuteńką chwilę łudziła się, że to wszystko nieprawda, zwykła inscenizacja mająca na celu sprawdzenie, jak dowódca misji i kontrolerzy zareagują w sytuacji kryzysowej. *Nieobecność FLIGHT-a i MOD-a pasuje do tego scenariusza, nawet ta pomyłka...* Odrzuciła te myśli. NASA mogła zainscenizować panikę w centrum, ale nie była w stanie odpalić takich fajerwerków nad Kanadą. To, co Anna widziała, oznaczało prawdziwą wojnę.

– NN1SS, zgłoś się.

Drgnęła, usłyszawszy znajomy głos.

– Ralph?

Teleskopowe ramię kamery znów zostało odwrócone. Na monitorze ujrzała ponownie twarz CAPCOM-a. Serce zabiło jej mocniej, ale nadzieja nie zdołała się przedrzeć przez pancerz strachu.

Ralph usiadł w fotelu Antonia. Pocił się, jakby siedział nie w klimatyzowanej sali Centrum Kontroli Misji, lecz na spalonej słońcem ziemi w Dolinie Śmierci. Był też blady i roztrzęsiony, a w oczach miał łzy.

– Dlaczego nie poszedłeś z innymi? – zapytała.

– Dokąd?

– Do schronu. Gdziekolwiek, byle przetrwać... – Urwała. Chciała powiedzieć „najgorsze", ale zrozumiała, że to nie tak. Nikt tam nie miał żadnych szans. Zejście pod ziemię, ukrycie się za warstwami betonu i stali niewiele da, co najwyżej odsunie wyrok o dni, może tygodnie.

Przypomniała sobie cytat z Biblii mówiący o tym, że żywi będą zazdrościć umarłym. Właśnie nadszedł moment, w którym te słowa staną się ciałem.

– Ja... – zaczął Ralph, ale głos mu się załamał. Przełknął ślinę, a potem odetchnął kilka razy głębiej, próbując zapanować nad nerwami. – Bez lekarstw pociągnę góra kilka dni – powiedział. – Mieszkam ponad godzinę jazdy stąd. Zresztą... – Spuścił głowę. Gdy ją ponownie uniósł, wydawał się spokojniejszy. – Ta pomyłka...

– Tak?

– To chyba nie był przypadek.

– Słucham?

– Kapsuła została załadowana przez kooperanta należącego do koncernu pani ojca. Zgodnie z kontraktem. A to...

– Ralph, czy ty sugerujesz, że mój ojciec wiedział o... – zabrakło jej słów – o tym wszystkim?

– Ja niczego nie sugeruję, ale przyzna pani, że taki zbieg okoliczności wydaje się mocno podejrzany.

Miał rację, ta sprawa cuchnęła na kilometr. Mimo to Anna nie dopuszczała do siebie myśli, że ktoś w firmie jej ojca – jednego z głównych fundatorów i udziałowców nowego, państwowo-korporacyjnego programu kosmicznego – celowo podmienił wysyłany na orbitę ładunek, aby dać załodze szansę na...

– Przecież to niczego nie zmieni. Dodatkowa żywność i woda pozwolą nam przetrwać na orbicie kilka miesięcy dłużej, ale nikomu nie ocalą życia. Będziemy patrzeć z góry na martwą Ziemię, dopóki... – Znów poczuła zimny pot na wysokości krzyża.

Ralph popatrzył na nią wyczekująco.

– Coś nie tak? – zapytał.

– Nie. Wręcz przeciwnie. Właśnie zrozumiałam, że mój ojciec nie mógł mieć nic wspólnego z odpaleniem rakiet. Po co przysyłałby tę żywność, skoro nie zagwarantuje nam ona szans przeżycia?

CAPCOM uśmiechnął się pod nosem.

– Wbrew obiegowym opiniom promieniowanie trineutrinowe nie skazi Ziemi na stulecia. Wyjałowi ją, owszem, ale za dwa, może trzy lata człowiek mógłby wrócić na powierzchnię. Przynajmniej w teorii...

– W teorii tak – wpadła mu w słowo – ale jedzenie i woda to nie jedyny problem, jaki będę mieć na głowie. Nie zapominaj o tym, że w mojej załodze jest dwóch Rosjan. Naprawdę uważasz, że ojciec wysłałby mnie na orbitę w towarzystwie obywateli kraju, który za jego wiedzą miał zostać unicestwiony?

Kontroler pokiwał głową i raz jeszcze poprawił okulary. Znów pocił się jak mysz, odzyskiwał też kolory.

– Może dowiedział się o wszystkim po rozpoczęciu misji?

– I nie wymyślił czegoś, by ściągnąć mnie na Ziemię, zanim rakiety zostaną odpalone? – skontrowała natychmiast.

– Nie wiem, jak wygląda prawda, komandor Hammond – przyznał Ralph po chwili zastanowienia. – Zresztą jakie to ma teraz znaczenie?

– Dla mnie ogromne. Tkwię czterysta kilometrów nad planetą, która za pół godziny zostanie wysterylizowana. I mam w załodze dwóch ludzi, którzy mogą się mocno zdenerwować na wieść, że Stany, za wiedzą mojego ojca, wymordowały wszystkich ich krewnych i znajomych.

Parsknął, jakby go rozbawiła, po czym pokręcił głową.

– Nic na to nie poradzę, komandor Hammond. Za pół godziny przestanę... – Umilkł. Gdy spojrzał w górę, na główny ekran, mina mu zrzedła. – Chyba czas się pożegnać – rzucił, pochylając się nad konsolą.

– Zaczekaj! – zawołała spanikowana Anna.

– Chętnie bym został, ale nasi przyjaciele z Rosji zorientowali się już w sytuacji. Ich okręty podwodne odpaliły właśnie rakiety. Za kilkanaście sekund centrum zamieni się w kupę dymiącego żużlu. – Wyprostował się w fotelu, poprawiając okulary po raz ostatni. – Powodzenia, komandor Hammond. Bez odbioru.

Uśmiechał się, gdy obraz zamigotał i zgasł. Sparaliżowana strachem Anna wpatrywała się przez chwilę w martwy ekran. Przeniosła wzrok na boczny monitor. Owal widocznej na nim Ziemi był już o wiele jaśniejszy z jednej strony. ISS zbliżała się właśnie do linii terminatora. Uśmiechnęła się pod nosem. Terminator...

– *Otliczno...* – Serce Anny zatrzymało się, gdy usłyszała za plecami krótkie, wypowiedziane z miękkim zaśpiewem słowo.

CDN.